D1296723

NEW YORK
EN QUELQUES JOURS

GINGER ADAMS OTIS

New York en quelques jours
3e édition, traduit de l'ouvrage *New York Encounter*
(3rd edition), November 2010

© Lonely Planet Publications Pty Ltd 2010
Tous droits réservés

Traduction française :
© **Lonely Planet 2010**
12 avenue d'Italie, 75627 Paris cedex 13
☎ 01 44 16 05 00
📧 bip@lonelyplanet.fr
💻 www.lonelyplanet.fr

Dépôt légal : Mars 2011
ISBN 978-2-81610-801-9

Responsable éditorial Didier Férat
Coordination éditoriale Émeline Gontier
Coordination graphique Jean-Noël Doan
Maquette Alexandre Marchand
Cartographie Nicolas Chauveau
Couverture Jean-Noël Doan et Alexandre Marchand
Traduction Nathalie Berthet
Merci à Nathalie Abdallah pour son travail sur le texte

Imprimé par L.E.G.O. Spa
(Legatoria Editoriale Giovanni Olivotto)
Imprimé en Italie
Réimpression 03, Juin 2012

FSC
www.fsc.org
MIXTE
Issu de sources
responsables
FSC® C003309

En
Voyage
Éditions

place
des
éditeurs

COMMENT UTILISER CE GUIDE
Codes couleur et cartes
Des symboles de couleur représentant les sites et les
établissements figurent dans les chapitres et sont
reportés sur les cartes correspondantes afin de les
localiser rapidement. Les restaurants, par exemple,
sont indiqués par une fourchette verte. À chaque
quartier correspond une couleur spécifique, reprise
dans les onglets du chapitre qui lui est consacré.

Les zones en jaune sur les cartes désignent des
"secteurs dignes d'intérêt" (sur le plan historique
ou architectural, ou encore de par la présence de
bars et de restaurants, etc.). Nous vous conseillons
vivement de les explorer.

Prix
Les différents prix (par exemple 10/5 $ ou
10/5/20 $) correspondent aux tarifs adulte/
enfant, normal/réduit ou adulte/enfant/famille.

Vos réactions ? Vos commentaires nous sont très
précieux et nous permettent d'améliorer constamment
nos guides. Notre équipe lit toutes vos lettres avec la
plus grande attention et prend en compte vos remarques
pour les prochaines mises à jour.

Pour nous faire part de vos réactions, prendre
connaissance de notre catalogue et vous abonner à Comète,
notre lettre d'information, consultez notre site web :
www.lonelyplanet.fr

Nous reprenons parfois des extraits de notre courrier
pour les publier dans nos produits, guides ou sites
web. Si vous ne souhaitez pas que vos commentaires
soient repris ou que votre nom apparaisse, merci de
nous le préciser. Pour connaître notre politique en
matière de confidentialité, connectez-vous à :
www.lonelyplanet.fr/confidentialite/index.cfm

GINGER ADAMS OTIS

Ginger, journaliste à New York, connaît comme sa poche les moindres recoins des cinq *boroughs*, et il arrive souvent qu'elle croise dans le métro ou dans la rue des visiteurs qui utilisent ses guides. Travaillant à la fois pour la radio et pour la presse écrite, elle a l'occasion de redécouvrir la ville chaque jour, d'explorer des lieux insolites et de rencontrer des gens nouveaux lors de ses pérégrinations. Quand elle n'est pas occupée à écrire pour Lonely Planet, Ginger aime sillonner l'Amérique latine, où elle a également réalisé de nombreux reportages.

REMERCIEMENTS DE GINGER

Travailler pour Lonely Planet à New York est un job de rêve. Un grand merci à tous les rédacteurs LP qui ont apporté leur contribution à cet ouvrage, et tout particulièrement à Jennye Garibaldi, toujours là pour m'apporter ses encouragements. Je remercie aussi les cartographes australiens pour leur extrême patience face à mes égarements techniques…

PHOTOGRAPHE

Dan Herrick s'est installé à New York il y a six ans, après avoir vécu et étudié en Amérique latine et en Europe. Il apprécie le visage sans cesse changeant de la ville et son rythme effréné, qu'il aime communiquer à travers ses photos. Quand il parvient à se libérer, il parcourt le monde… ou l'un des nombreux univers qui se cachent au cœur même de New York.

Nos lecteurs Nous remercions vivement les voyageurs qui ont envoyé leurs commentaires, leurs conseils et leurs anecdotes : Leonieke Broekman, Fran Hayes, Johanna Rhodes

Photographie de couverture Le Radio City Music Hall de nuit, New York, Brent Winebrenner/LPI
Photographies intérieures p. 81, p. 177, p. 207, p. 218 Ginger Adams Otis ; p. 238 Bloomberg via Getty Images ; p. 136 LOOK Die Bildagentur der Fotografen GmbH/Alamy ; p. 26 Design Pics Inc. - RM Content/Alamy ; p. 13 Panoramic Images/Getty Images. Autre photographies de Lonely Planet Images et Dan Herrick sauf p. 33, p. 133 Michelle Bennett ; p. 8 Bruce Bi ; p. 50, p. 165 Richard Cummins ; p. 4, p. 6 Mark Daffey ; p. 34 Gavin Gough ; p. 240 Kim Grant ; p. 17 Richard I'Anson ; p. 18 Ionas Kaltenbach ; p. 186, p. 246 Jean-Pierre Lescourret ; p. 250 Rachel Lewis ; p. 28 Diana Mayfield ; p. 153, p. 194 Allan Montaine ; p. 11, p. 29, p. 229, p. 232, p. 237, p. 245, p. 251 Angus Oborn ; p. 181 Brent Winebrenner ; p. 12, p. 15, p. 21, p. 27, p. 30, p. 45, p. 155, p. 167, p. 185, p. 215 Corey Wise.

Toutes les photos sont sous le copyright des photographes sauf indication contraire. La plupart des photos publiées dans ce guide sont disponibles auprès de l'agence **Lonely Planet Images** : www.lonelyplanetimages.com

Central Park (p. 174) – séance de bronzage à Sheep Meadow

SOMMAIRE

BIENVENUE À NEW YORK

La folie règne à Manhattan, où taxis, vélo-taxis (*pedicabs*), piétons et même calèches se bousculent en quête d'un peu de place. Enivrante, frustrante, choquante, presque effrayante dans son intensité et, finalement, exaltante : voilà New York.

Pourtant, la ville n'est pas uniquement chaotique et mal entretenue. Dans de minuscules espaces verts comme Riverside (p. 195) et Tompkins Square (p. 95), des musiciens ambulants jouent, des enfants s'amusent, des joueurs d'échecs se concentrent et des chiens gambadent.

Les parcs plus étendus, comme Central Park (p. 174) et Prospect Park (p. 219), vous transportent dans un autre monde, avec leurs ruisseaux gargouillants, leurs étangs aux eaux sombres et leurs couples qui se retrouvent les samedis soirs d'été pour danser le tango à l'ombre des bouleaux.

Les cinq quartiers, ou *boroughs*, de New York offrent des contrastes incessants et une extraordinaire diversité. Hérissée de bâtiments, peuplée de plus de 9 millions d'habitants, la ville est une série d'enclaves possédant chacune sa propre personnalité et ses propres attraits. Brooklyn draine les écrivains, les artistes, les jeunes couples et les familles à la recherche d'une atmosphère calme et créative sans les loyers exorbitants de Manhattan. Le trépidant Queens est une mosaïque d'ethnies et de nationalités qui vivent ensemble – harmonieusement pour la plupart. Ce vaste quartier, parsemé de grands ensembles, de musées et de galeries avant-gardistes et de coquettes maisons, recèle certains des meilleurs restaurants indiens, coréens, grecs et albanais. Le Bronx reste le moins apprécié des *boroughs* new-yorkais, mais même les habitants de Manhattan savent que rien ne vaut Arthur Avenue pour un authentique dîner italien – même Staten Island, avec ses Napolitains de la troisième génération, ne peut rivaliser.

Et au milieu de tout cela, il y a Manhattan, ce petit bijou scintillant où tout – absolument *tout* – peut arriver.

En haut à gauche Différentes couleurs de peau, même chanson – le métro de New York (p. 269) **En haut à droite** Le pont de Brooklyn et Lower Manhattan (p. 42) au crépuscule **En bas** Fresque dans 125th St, au cœur de Harlem (p. 202)

>LES INCONTOURNABLES

Les New-Yorkais de tous horizons se croisent dans le hall de Grand Central Terminal (p. 152)

>1 LE PORT DE NEW YORK

VOGUER JUSQU'À LA STATUE DE LA LIBERTÉ

Mi-attraction touristique, mi-port industriel animé, ce secteur à l'extrémité de Lower Manhattan ne manque pas de sites à visiter et d'activités possibles. Situé à la pointe sud de l'île, le port de New York offre une vue splendide sur le vieux front de mer de Brooklyn à l'est, Staten Island au sud, et une partie de la côte du New Jersey à l'ouest.

Toutefois, le spectacle le plus extraordinaire reste, bien sûr, la statue de la Liberté (p. 46), dont la silhouette verte se dresse fièrement au-dessus de l'eau. Qu'on l'admire de loin ou qu'on prenne l'un des ferries qui font continuellement la navette entre le port et son socle rocheux, elle est magnifique. Gardant l'entrée de Lower Manhattan depuis 1886, son regard sévère tourné vers une "Europe arriérée", la "Mère des exilés" est le symbole de la critique des structures sociales rigides du Vieux Monde. "Garde tes fastes d'un autre âge", proclame le célèbre poème gravé sur le socle,

"Donne-moi tes pauvres, tes exténués, tes masses innombrables aspirant à vivre libres."

En arrivant, les immigrants accostaient derrière la statue, à Ellis Island, dont le musée reste une étape incontournable pour les touristes. Son émouvante collection comprend des photos de ces immigrants émaciés et apeurés étreignant leurs papiers et leurs maigres possessions.

Les ferries à destination de ces deux sites partent de Battery Park (p. 44), qui mérite lui-même la visite, avec son épaisse pelouse verte ponctuée d'œuvres d'art en plein air, menant à une esplanade au bord de l'Hudson.

Pour un coup d'œil moins personnel mais tout aussi fabuleux à la statue de la Liberté, renoncez à la visite classique et montez plutôt dans le ferry de Staten Island (p. 46), qui part du Whitehall Terminal, également dans Battery Park. Cette promenade gratuite d'une demi-heure vous fait passer juste à côté de la statue. Une autre balade en ferry qui permet d'admirer au passage la ligne d'horizon de Manhattan conduit à Governor's Island (p. 47). Ancienne base des gardes-côtes, ce petit bout de terre dans le port de New York sera bientôt entièrement transformé en un parc public.

>2 CENTRAL PARK

SE PERDRE AU MILIEU DE MANHATTAN

Comment croire que ces pelouses verdoyantes, ces forêts mouchetées de lumière, ces fleurs sauvages et ces ruisseaux rafraîchissants puissent exister au cœur d'une ville aussi bruyante et embouteillée ? C'est pourtant le cas. Conçu dans les années 1860 et 1870 par Frederick Law Olmsted et Calvert Vaux, le "parc du peuple" sert de jardin à tous les New-Yorkais.

S'étendant de 59th St, à Midtown, jusqu'à Harlem Meer, un lac joliment réaménagé dans 110th St, ces collines onduleuses fourmillent chaque matin d'amateurs de rollers en ligne, de cyclistes, de coureurs, de promeneurs et d'adeptes du yoga. Couples et amis se retrouvent au centre, à Bethesda Terrace, reconnaissable à la célèbre statue *Angel of the Waters* (p. 178) dressée en son milieu.

Les marcheurs et les joggeurs apprécient le réservoir Jacqueline Kennedy Onassis (p. 176). L'ouest du parc, près de 79th St Transverse Rd, abrite le mémorial à John Lennon, qui aimait flâner dans ce coin désormais baptisé Strawberry Fields (p. 178) et a été abattu par un fan déséquilibré en 1980 alors qu'il rejoignait son appartement, de l'autre côté de la rue. Les centres d'intérêt ne manquent pas à Central Park ; pour en savoir plus, rendez-vous au **Dairy Visitor Center** (☎ 212-794-6564 ; www. centralpark.org).

>3 LA HIGH LINE

SE PROMENER DANS UN PARC URBAIN SUSPENDU

Tronçon de l'ancienne voie ferrée aérienne long de 2,5 km, la High Line a été réhabilitée en verdoyant parc public. Elle court le long du flanc ouest du Meatpacking District. Le calme de cette oasis est seulement troublé par le bourdonnement des abeilles qui butinent le pollen des fleurs sauvages s'épanouissant de part et d'autre de la voie.

Les rails longent à la verticale une rue anciennement appelée "Death Avenue" (avenue de la Mort, aujourd'hui rebaptisée Tenth Ave). À la grande époque de la marine marchande, on y transportait les marchandises des docks aux dépôts ferroviaires de Midtown – nombreux sont les chevaux, conducteurs ou piétons trop lents à la traverser qui firent les frais de la densité du trafic ferroviaire. En 1934, la ville fit surélever la voie ferrée que les trains empruntèrent jusqu'en 1980. À la même époque, l'industrie délaissa le centre-ville : la voie ferrée fut laissée à l'abandon et la nature reprit ses droits. La High Line était promise à la démolition en 2002, mais un comité de quartier réussit à convaincre les autorités de la réaménager en parc public où pourraient exposer des artistes. L'initiative remporte un tel succès aujourd'hui qu'il est prévu de prolonger la voie vers le nord.

>4 METROPOLITAN MUSEUM OF ART

VOIR UNE MOMIE ÉGYPTIENNE AU TEMPLE DE DENDUR

L'un des premiers espaces d'exposition qu'on voit en entrant dans ce tentaculaire musée de Fifth Ave est l'aile Sackler, qui abrite un temple égyptien de 15 av. J.-C. Cette structure en grès de 25 m de haut, sauvée en 1967 de l'immersion sous le barrage d'Assouan, tient largement dans la pièce – ce qui donne une idée du gigantisme du Met !

La collection permanente, composée de 3 millions d'objets, attire 5 millions de visiteurs par an.

Prévoyez du temps pour explorer les lieux. Les galeries européennes, en haut de l'escalier en marbre du côté de Fifth Ave, peuvent prendre une journée, de même que les galeries grecques et romaines, plus vastes que jamais, et que la galerie égyptienne récemment agrandie, avec ses momies parfaitement conservées. Ne manquez pas les belles galeries médiévales regorgeant d'émaux byzantins ni l'aile Lehman, qui présente des chefs-d'œuvre de la Renaissance réalisés notamment par Rembrandt et le Greco.

Pour plus d'informations, voir p. 185.

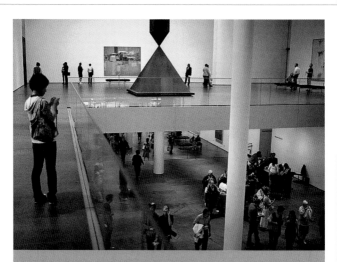

>5 MUSEUM OF MODERN ART

DÎNER AU MILIEU DES PICASSO AU MOMA

Niché dans une rue de Midtown, le Museum of Modern Art (p. 164) est un véritable trésor. On peut y passer une journée entière, en partant du haut et en descendant, avec une halte dans l'un de ses excellents cafés et restaurants. Le jardin de sculptures, en bas, est l'endroit idéal pour finir la journée.

En descendant d'étage en étage, vous remonterez le temps à travers les grands mouvements artistiques du XXᵉ siècle. Les étages 4 et 5 proposent une introduction à l'art moderne, avec des œuvres des artistes majeurs du siècle dernier: Picasso, Matisse, Dali, Mondrian, Pollock, de Kooning, ainsi que quelques originaux de Marcel Duchamp.

Un superbe restaurant, le Modern, domine le jardin des sculptures, ponctué d'arbres tordus et d'installations éclectiques. Au 2ᵉ étage, un restaurant italien sans prétention comprend un bar à expresso lumineux.

>6 BROADWAY ET TIMES SQUARE

CONTEMPLER LES LUMIÈRES DE LA "GREAT WHITE WAY"

Si on surnomme Times Square le "carrefour du monde", c'est parce qu'il draine les visiteurs qui viennent jeter un œil à l'effervescence perpétuelle régnant au croisement de 42nd St et de Broadway.

Après avoir accueilli un marché aux chevaux dans les années 1900, puis une ribambelle de sex-shops, Times Square se caractérise aujourd'hui par la puissance de ses kilowatts, qui alimentent des milliers de lumières et de publicités au néon.

Cependant, l'endroit ne se limite pas aux grands magasins, aux restaurants chic et aux panneaux géants. Beaucoup d'enseignes lumineuses sont celles des théâtres qui bordent Broadway. Lorsque les premières enseignes électriques firent leur apparition en 1906, les ampoules colorées grillaient trop vite et on n'utilisait donc que des ampoules blanches. Une telle quantité de théâtres se succédaient le long de Broadway que celle-ci fut très vite baptisée "The Great White Way". De nombreux acteurs, arrivés à New York inconnus et sans un sou, ont trouvé la célébrité sur les planches de lieux désormais historiques comme l'Ambassador (p. 171), le Samuel J Friedman Theater (p. 173) ou le Longacre.

Pour plus d'informations, voir p. 162.

>7 FIFTH AVE ET LE ROCKEFELLER CENTER

GRIMPER EN HAUT DU "TOP OF THE ROCK"

Enclave luxueuse réunissant des grands médias américains et des bars à vins chic, le Rockefeller Center (p. 154) fait également office de galerie d'art. Sa fresque la plus célèbre, exécutée par Diego Rivera, peintre mexicain connu pour son engagement politique à gauche, a depuis longtemps disparu (Rivera avait représenté Lénine, au grand dam de son capitaliste de commanditaire), mais on peut admirer de nombreuses autres œuvres.

Prométhée domine la patinoire, *Atlas* trône sur Fifth Ave, et *News*, une installation d'Isamu Noguchi, se tient non loin des studios de NBC. Côté Sixth Ave, le Radio City Music Hall (p. 154) abrite la troupe de danseuses des Rockettes.

À l'intérieur du Rockefeller Center, un ascenseur aux néons bleus conduit à une vertigineuse terrasse panoramique (photo ci-dessus ; voir p. 154), d'où se déploie une vue dégagée sur Central Park. Du Rockefeller Center, on peut remonter Fifth Ave vers le nord en passant devant la cathédrale Saint-Patrick (p. 152) pour atteindre le quartier des boutiques de luxe, comme Fendi, Prada, Saks Fifth Avenue, Bergdorf's, Bulgari, Ferragamo ou Tiffany's.

>8 SOHO, NOHO ET NOLITA
FAIRE DU SHOPPING JUSQU'À PLUS SOIF

À la périphérie de Lower Manhattan, ces trois quartiers (p. 76) forment une sorte de triangle des Bermudes où viennent se perdre les célébrités : happées par les boutiques, les restaurants et la vie nocturne, elles n'en ressortent jamais.

Noho, le plus au nord, est un minuscule patchwork de boutiques et de restaurants branchés qui s'étend sur Bond St et Great Jones St avant de s'achever à l'East Village. Plus petit encore, Nolita regroupe un dédale de rues tortueuses juste au sud de Houston St et à l'est de Broadway. Son nom signifie North of Little Italy, et sur ses quatre artères principales (Elizabeth, Mott, Mulberry et Prince) flotte un petit parfum de la vieille Italie. Le réalisateur Martin Scorsese a grandi dans Elizabeth St et a été enfant de chœur à l'ancienne cathédrale Saint-Patrick (p. 77), à l'angle de Mott St et de Prince St. Pour un après-midi de lèche-vitrines et de pause-café avant un bon dîner au restaurant, rien ne vaut Nolita.

À l'ouest de Broadway, au sud de Houston St (mais au nord de Canal St), Soho, le premier à avoir été investi par les branchés, est légèrement moins bohème qu'il y a 10 ans, mais ses grands lofts, ses rues pavées et ses innombrables boutiques et galeries continuent à lui conférer un charme typiquement new-yorkais.

>9 CHELSEA ET LE MEATPACKING DISTRICT

ASSOCIER VISITE DES GALERIES ET TOURNÉE DES BARS

Qui a dit que l'art et la bière n'allaient pas ensemble ? Sûrement pas les habitants de Chelsea (p. 126), un quartier décontracté qui a supplanté Greenwich Village en tant que centre de la vie gay, de la scène artistique et du clubbing.

L'extrême ouest de Chelsea est occupé par de grandes galeries et de vastes ateliers d'artistes. Ses larges rues bordées d'installations industrielles, parfois désertes et balayées par les vents, s'accordent bien avec l'esprit avant-gardiste du quartier, auquel les espaces d'exposition comme le White Columns (p. 117) insufflent une vie nouvelle.

Chelsea n'est pas particulièrement à la pointe en matière de restaurants, mais il compte néanmoins des tables dignes d'intérêt comme la Klee Brasserie (p. 135). Le point fort du quartier reste sa vie nocturne, avec de grandes discothèques clinquantes dans 27th St et 28th St, et une nuée de bars gay et hétéros dans 20th St et les rues plus au nord.

Si Chelsea manque de restaurants branchés, ce n'est pas le cas du Meatpacking District (p. 116) voisin. Cet ancien quartier des abattoirs était évité pour ses mauvaises odeurs et personne ne voulait y vivre. Aujourd'hui très apprécié, il offre d'excellents restaurants, de nombreuses boutiques et commence même à rivaliser avec Chelsea pour ses discothèques.

>10 WEST VILLAGE
PASSER L'APRÈS-MIDI DANS DE VIEILLES RUES TORTUEUSES

Difficile de trouver des traces de la ferveur politique et sociale qui faisait autrefois de ce quartier tranquille le haut lieu du radicalisme. Seuls subsistent quelques bars et vestiges de la lutte pour les droits des homosexuels dans les années 1960 et 1970 : le Stonewall, le Duplex (p. 115) et une série de boutiques gay dans Christopher St. Pour le reste, l'esprit de rébellion a en grande partie disparu. Les grands noms de la littérature comme E.E. Cummings, Edna St Vincent Millay, Williams S. Burroughs ou James Baldwin ont cédé la place à des célébrités, de riches banquiers, des investisseurs et quelques rock stars assagies. Pourtant, le charme visuel du West Village (p. 104) reste intact, avec ses rues tracées sur d'anciens chemins agricoles et ses courettes cachées derrière des allées arborées. Le quartier mérite la visite, pour son histoire, ses cafés et ses boutiques ou simplement pour observer les passants.

>11 EAST VILLAGE ET LOWER EAST SIDE

FAIRE LA FÊTE DANS UN FOYER DU ROCK'AND'ROLL

Séparés par Houston St, ces deux quartiers intimement liés ne sont qu'à quelques pas l'un de l'autre : l'East Village (p. 90) commence du côté nord de Houston, tandis que son proche cousin, le Lower East Side (p. 62), s'étend du côté sud. La ressemblance est frappante. Ces deux enclaves, autrefois miteuses, recèlent encore des immeubles décrépits et des bâtiments couverts de tags – mais plus pour très longtemps.

Le processus d'embourgeoisement continue de gagner les lofts de squatteurs et les coopératives communautaires, transformés en appartements de luxe, surtout dans l'East Village. Tompkins Sq Park (p. 95) et St Marks Place, deux anciens bastions du punk rock et de la contre-culture, sont devenus des endroits agréables pour se balader et s'offrir une bière (ou un tatouage).

Malgré tout, une énergie particulière continue de régner ici, alimentée essentiellement par une vie nocturne florissante le long de Second Ave dans l'East Village et de Rivington St dans le Lower East Side. De nouveaux bars, restaurants et discothèques ne cessent d'ouvrir, conférant aux deux quartiers une atmosphère fiévreuse pareille à celle qui attirait autrefois Charlie Parker, les Ramones, les Rolling Stones et la jeune Madonna.

>12 BROOKLYN

SORTIR DES SENTIERS BATTUS À BROOKLYN

Bienvenue à "Breukelen", une ancienne colonie hollandaise jadis composée de plusieurs hameaux séparés dont on peut toujours distinguer les contours dans les nombreux petits secteurs qui forment aujourd'hui Brooklyn (p. 214), le quartier le plus peuplé de New York (2,5 millions d'habitants) après Manhattan.

Pour beaucoup de gens, Brooklyn rime avec Coney Island (p. 219), une bande de sable côtière célèbre pour son parc d'attractions et ses foires aux monstres (un projet de rénovation est en cours). Mais il y a bien d'autres choses à voir : les pentes douces et l'atmosphère décontractée de Prospect Park (p. 219), le Brooklyn Museum of Art (p. 215) et ses cinq étages d'art égyptien, africain et européen, dont une aile entière consacrée aux sculptures de Rodin. Le Brooklyn Botanical Gardens, à côté, est une oasis fleurie de 25 ha. Au printemps, les cerisiers de son jardin japonais se couvrent de fleurs, tandis que les senteurs de sa roseraie se répandent dans les rues environnantes.

Le nord-ouest de Brooklyn regroupe certains des plus beaux *brownstones* (série de maisons alignées et identiques construites en briques rouges) du quartier, dans les enclaves huppées de Brooklyn Heights, Carroll Gardens, Park Slope et Vinegar Hill. En plein essor, Red Hook et Fort Greene attirent aujourd'hui les jeunes créatifs rebutés par les loyers exorbitants du havre de branchitude qu'est Williamsburg.

Borough Park abrite une large communauté juive ultra-orthodoxe, Bensonhurst reste encore largement italien, tandis qu'à Sunset Park vivent de nombreuses familles mexicaines et sino-américaines.

Les rues de Brighton Beach, juste derrière Coney Island, résonnent de conversations en russe. Fief des immigrants de l'ex-URSS, Little Odessa, comme on l'appelle, vous donnera l'occasion de déguster une tasse de thé, du caviar et de l'esturgeon, ou d'acheter un samovar à rapporter en souvenir.

Pour ceux qui veulent découvrir Brooklyn sans trop s'éloigner de Manhattan, Dumbo (Down under Manhattan Bridge Overpass) est accessible par la mince bande d'acier du Brooklyn Bridge (photo ci-contre). Le front de mer de ce quartier est jalonné d'anciens entrepôts et usines transformés en lofts dans les années 1980 par

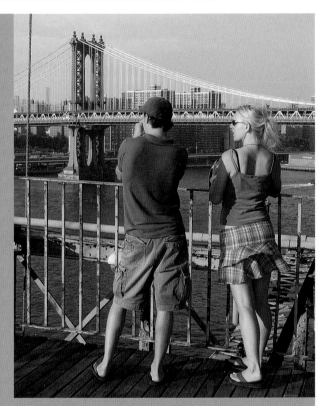

des artistes qui ne pouvaient, faute de moyens, s'installer à Tribeca, en voie d'embourgeoisement. Aujourd'hui, Dumbo est le fer de lance de la communauté artistique de Brooklyn ; même ceux qui n'y vivent pas peuvent venir profiter de ses galeries toujours disposées à présenter des expositions d'avant-garde.

>13 LOWER MANHATTAN

ARPENTER LES RUES COLONIALES DE NEW YORK

Séduisant mélange d'architecture ancienne et moderne, Lower Manhattan (p. 42) possède des petites rues coloniales, et s'y élèvent des gratte-ciel parmi les plus impressionnants de l'île. Si vous avez toujours voulu manger dans l'un des restaurants que fréquentait George Washington, c'est l'endroit idéal.

Le quartier compte de nombreux symboles de la période révolutionnaire et de l'époque moderne. Washington prenait ses repas à la Fraunces Tavern (p. 44), il a prêté serment au Federal Hall (photo ci-contre ; p. 44), il se recueillait à St Paul's Chapel (p. 46) et à Trinity Church (p. 47), dont le cimetière abrite les tombes de beaucoup de ses contemporains. Autre lieu phare, la Bourse de New York (p. 46) a toujours son siège dans Wall St, qui tire son nom des anciennes fortifications hollandaises.

Dans l'est de Lower Manhattan se trouve South Street Seaport (p. 46), un ancien port auquel on accède par des rues pavées. Ces quelques pâtés de maisons regroupent une multitude de restaurants et de bars branchés servant une cuisine internationale : sushis japonais, fruits de mer de Nouvelle-Zélande, plats traditionnels irlandais ou spécialités australiennes.

Fulton St, une artère animée, vend souvenirs, T-shirts et autres babioles. Le cœur administratif de New York bat à City Hall (l'hôtel de ville), juste en face de J&R (p. 48), célèbre magasin d'électronique, de musique et d'informatique.

GROUND ZERO

Lower Manhattan s'est bien remis des événements du 11 septembre 2001. Le trou béant laissé par les Twin Towers est aujourd'hui un immense chantier de construction, qui transforme lentement les gravats en un parc mémorial. Celui-ci devrait comporter — espérons sous peu – une cascade, un bassin gravé aux noms des disparus et un nouvel espace consacré à des bureaux. Dans l'intervalle, on peut rendre hommage aux victimes depuis les plates-formes qui entourent le site ou en suivant une visite guidée par un bénévole du centre des visiteurs du WTC Tribute (p. 45).

>14 HARLEM

DÉCOUVRIR LES CHARMES CACHÉS DE HARLEM

Tout change à New York, et Harlem (p. 202), foyer de la communauté noire depuis plus d'un siècle, ne fait pas exception.

Les signes d'embourgeoisement abondent : tours résidentielles, afflux de banques et de nouvelles entreprises, montée en flèche des loyers et des prix des maisons. Toutefois, la population traditionnelle, essentiellement des Afro-Américains de la classe ouvrière et moyenne, mais aussi d'autres provenances ethniques et nationalités, n'a pas disparu. Le résultat est un quartier en perpétuel changement où des îlots de délabrement côtoient d'élégants gratte-ciel en verre à 2 millions de dollars et où s'épanouit une diversité de restaurants, clubs et lieux de divertissements.

Harlem et ses trésors regroupés au sud de 96th St ont longtemps été délaissés par les touristes. Par chance, les leaders de la communauté ont œuvré à la préservation de l'héritage artistique de Harlem, en relançant des icônes culturelles comme l'Apollo Theater (p. 204), le Lenox Lounge (p. 212), le Studio Museum (p. 208) et le Schomburg Center for Research in Black Culture (p. 206). Les célèbres restaurants d'authentique *soul food* comme Sylvia's (p. 210) et Amy Ruth's (p. 210) prospèrent à côté de nouveaux venus comme Chez Lucienne (p. 210) et Caffe Latte (p. 209), et de nombreux restaurants africains tels Africa Kine (p. 209) et Shrine (p. 213). Faites un tour dans 125th St, principale artère commerçante où se côtoient enseignes nationales et petits commerces locaux.

>AGENDA

Avec une population aussi diverse, il y a toujours une fête quelque part. Les grandes manifestations annuelles comprennent le Nouvel An, le Nouvel An chinois, la Puerto Rican Day Parade, la Gay Pride, le jour de l'Indépendance (le 4 juillet), le West Indian American Day Carnival, Halloween et le défilé de Thanksgiving. En décembre, quand se télescopent Hanoukka, Noël et Kwanzaa (fête de la communauté noire), la ville entre en ébullition.

Artistes sur échasses lors du West Indian American Day Carnival à Brooklyn

JANVIER

Three Kings Parade
www.eastharlempreservation.org
Le 5 janvier, défilé d'enfants, d'ânes et de moutons dans Spanish Harlem, de Fifth Ave à 116th St.

Winter Restaurant Week
www.nycvisit.com
Déjeuners ou dîners (entrée, plat, dessert) entre 20 et 30 $ dans les grands restaurants.

Martin Luther King Jr Parade
Commémoration de l'anniversaire de Martin Luther King avec un défilé sur Fifth Ave, entre 86th St et 61st St.

FÉVRIER

Olympus Fashion Week
www.olympusfashionweek.com
Haute couture à l'honneur dans Manhattan, la deuxième semaine de février : l'occasion de découvrir les nouvelles tendances. Autre temps fort de la mode : la deuxième semaine de septembre.

Westminster Kennel Show
www.westminsterkennelclub.org
Très sérieuse exposition de chiens de race : un événement tourné en dérision par beaucoup de New-Yorkais.

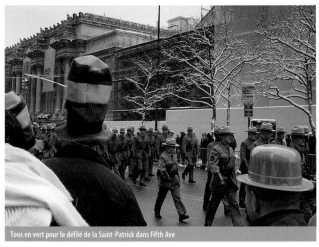

Tous en vert pour le défilé de la Saint-Patrick dans Fifth Ave

Paré à décoller – le défilé de la Gay Pride (p. 30)

MARS

New York Underground Film Festival

www.nyuff.com

Documentaires et films avant-gardistes, sexy ou bizarres, à l'Anthology Film Archives.

St Patrick's Day Parade

www.saintpatricksdayparade.com/nyc/newyorkcity.htm

Dès 11h du matin, le 17 mars, Fifth Ave se pare de vert, entre 44th St et 86th St, lors du célèbre défilé de la Saint-Patrick.

AVRIL

Easter Parade

www.ny.com

De 10h à 16h le dimanche de Pâques, Fifth Ave est fermée à la circulation entre 57th St et 49th St, pour un défilé en costumes et chapeaux.

Orchid Show

www.rockefellercenter.com

Depuis près de vingt ans, cette exposition d'orchidées permet aux concurrents de présenter leurs plus belles fleurs dans les catégories de l'arrangement floral et du parfum.

MAI

Bike New York

www.bikemonthnyc.org

À l'occasion du mois du vélo, circuits hebdomadaires, fêtes et autres rencontres pour les adeptes de la petite reine.

Fleet Week

www.intrepidmuseum.com

Rassemblement de bateaux du monde entier, fin mai.

JUIN

Puerto Rican Day Parade

www.nationalpuertoricandayparade.org

La deuxième semaine de juin, des milliers de fêtards se réunissent pour défiler sur Fifth Ave entre 44th St et 86th St.

Déguisé en virus informatique pour Halloween (p. 32)

Lesbian, Gay, Bisexual & Transgender Pride

www.heritageofpride.org

Manifestations tout au long du mois de juin et grande parade sur Fifth Ave le dernier dimanche de juin.

Restaurant Week

www.nycvisit.com

Fortes réductions sur le déjeuner et le dîner (entrée, plat, dessert de 20 à 35 $) dans les grands restaurants, la dernière semaine de juin.

Mermaid Parade

www.coneyisland.com

Parade des sirènes dans leurs plus beaux atours sur la promenade de Coney Island, le dernier samedi du mois.

JUILLET

Feux d'artifice du 4 juillet

www.macys.com

Début des feux d'artifice à 21h. Les meilleurs endroits pour y assister : le parc du Lower East Side, Williamsburg, Brooklyn ou les terrasses en hauteur.

Nathan's Hot Dog Eating Contest

www.nathansfamous.com

Concours du plus gros mangeur de hot dogs à Coney Island, le 4 juillet.

Philharmonic in the Park

www.newyorkphilharmonic.org

Concerts gratuits à Central Park, Prospect Park, dans le Queens, le Bronx ou à Staten Island.

AOÛT

Fringe Festival

www.fringenyc.org

Ce festival annuel réunit les meilleurs talents du théâtre d'avant-garde.

Howl! Festival

www.howlfestival.com

Une semaine entière dédiée à l'art dans l'East Village, avec le Charlie Parker Jazz Festival, des lectures et d'autres spectacles.

Tournoi de tennis de l'US Open

www.usopen.org

Dans le Queens, l'un des quatre tournois du Grand Chelem.

Harlem Week

www.harlemweek.com

Durant tout le mois d'août, des festivités de rues sont organisées à travers Harlem : musique, théâtre, foires alimentaires.

SEPTEMBRE

West Indian American Day Carnival

www.wiadca.com

Deux millions d'Américains caribéens convergent vers Eastern Parkway, à Brooklyn, pour le carnaval annuel.

Olympus Fashion Week

www.olympusfashionweek.com

Deuxième grand rendez-vous annuel de la mode, avec défilés de haute couture.

OCTOBRE

Dumbo Art under the Bridge Festival

www.dumboartscenter.org

Portes ouvertes dans les ateliers d'artistes du quartier, expositions et spectacles de rue.

Blessing of the Animals

www.stjohndivine.org

À l'occasion de la Saint-François, les propriétaires d'animaux de compagnie viennent les faire bénir dans la cathédrale St John the Divine.

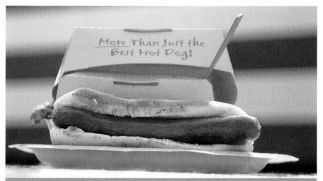

Chaque année, Nathan's (p. 223) organise un duel entre l'homme et le hot dog

FÊTES ET FESTIVALS ANNUELS

Chinese Lunar New Year Festival (www.explorechinatown.com) Feux d'artifice et défilé de dragons dansants, fin janvier ou début février en fonction du calendrier chinois.

Cherry Blossom Festival (www.bbg.org) Le premier week-end de mai, la fête des cerisiers en fleurs met à l'honneur les arbres du jardin botanique de Brooklyn.

Tribeca Film Festival (www.tribecafilmfestival.com) La première semaine de mai, festival du cinéma indépendant à Lower Manhattan.

JVC Jazz Festival (www.festivalproductions.net/jvcjazz.htm) Une quarantaine de concerts de jazz sont organisés dans la ville vers la mi-juin.

River to River Festival (www.rivertorivernyc.org) De juin à août, spectacles de théâtre, de musique, de danse et de cinéma dans les parcs de New York.

San Gennaro Festival (www.sangennaro.org) Little Italy fête le saint patron de Naples, de mi-mai à fin septembre. Au programme : jeux, sandwichs aux saucisses et au poivre, calamars frits.

Open House New York

www.ohny.org

Un week-end par an, les lieux les plus secrets de New York ouvrent leurs portes.

Halloween Parade

www.halloween-nyc.com

Déguisement de rigueur pour une nuit de folie.

NOVEMBRE

Marathon de New York

www.ingnycmarathon.org

Attirant des milliers d'athlètes du monde entier, ce fameux marathon déroule ses 42 km à travers les cinq *boroughs* de la ville.

Défilé de Thanksgiving

www.macys.com

Les célèbres chars descendent Broadway de 72nd St à Herald Square. La veille, des

ballons sont gonflés à l'angle sud-ouest de Central Park.

DÉCEMBRE

Sapin de Noël du Rockefeller Center

Illumination du plus grand sapin de Noël du monde devant le Rockefeller Center, à Midtown, devant une foule émerveillée.

Réveillon du Nouvel An

www.nycvisit.com

En plus du célèbre compte à rebours de Times Square, le ville propose de nombreux événements à minuit : une course baptisée **Midnight Run in Central Park** (☎ 212-860-4455) et des feux d'artifice à Central Park, Prospect Park et South Street Seaport.

>ITINÉRAIRES

Paradis des produits frais, le marché de Chelsea (p. 134)

ITINÉRAIRES

Les transports publics sont votre meilleur allié à New York. Certes, le métro est vieillot, d'une propreté relative et parfois capricieux, mais il dessert à peu près régulièrement l'axe nord-sud de Manhattan. Pour profiter de la vue, optez pour les bus qui sillonnent les grandes avenues de Manhattan.

Pour vous déplacer, vous aurez besoin d'une MetroCard (p. 269) que vous pourrez acheter dans les kiosques à journaux ou les stations de métro.

Les taxis sont une bonne solution pour rejoindre les parties les plus excentrées de la ville, mais mieux vaut éviter les embouteillages monstrueux des heures de pointe (de 7h à 9h et de 16h à 19h). Les *pedicabs* (vélos-taxis) permettent de se déplacer rapidement, mais attention, rares sont les conducteurs à être couverts par une assurance.

UN JOUR
Commencez par Lower Manhattan et promenez-vous autour de Battery Park (p. 44), de Ground Zero (p. 45) et de South Street Seaport (p. 46). Si vous mourez d'envie de voir la statue de la Liberté, évitez les longues files d'attente de la visite classique et prenez le ferry de Staten Island (p. 46) qui vous fera passer juste à côté. Allez déjeuner à Chinatown et passez l'après-midi à explorer Soho, Noho et Nolita. Dînez sous les néons de Times Square, puis tâchez d'aller voir un spectacle. Si vous sortez du théâtre avant 23h, foncez à l'Empire State Building (p. 152) pour attraper le dernier ascenseur (23h15) pour la terrasse panoramique.

DEUX JOURS
Passez une matinée tranquille dans l'Upper West Side, en vous offrant un *bagel* à Barney Greengrass (p. 197), quelques en-cas à Zabar's (p. 197), puis faites du lèche-vitrines dans les petites boutiques regroupées près de 79th St et Broadway. Dirigez-vous vers l'American Museum of Natural History (p. 194), mais avant d'entrer, installez-vous dans Central Park (p. 174) pour pique-niquer. Passez l'après-midi à visiter le musée, puis partez vers le sud et finissez la journée en dînant à Chelsea ou dans le Meatpacking District. Le lendemain matin, partez explorer Lower Manhattan et déjeunez dans Greenwich Village. Traversez le Washington Square Park (p. 108) et rejoignez l'East Village pour courir les boutiques, faire du tourisme et

En haut Plongez-vous dans la littérature new-yorkaise (p. 254) En bas Le Guggenheim (p. 186) – Vue intérieure du Solomon R. Guggenheim Museum New York © The Solomon R. Guggenheim Foundation, New York prendre un verre en fin d'après-midi. Franchissez Houston St vers le sud pour aller dîner dans le Lower East Side.

TROIS JOURS

Avec trois jours devant vous, vous pouvez un peu ralentir le rythme. Commencez par les musées de l'Upper East Side. Allez à El Museo del Barrio (p. 205) dans le haut de Fifth Ave, et profitez-en pour jeter un coup d'œil, de l'autre côté de la rue, au Conservatory Garden de Central Park et au Harlem Meer. Si vous avez encore de l'énergie, mettez le cap sur le sud pour visiter le Guggenheim (p. 186), la Neue Galerie (p. 185) et The Frick Collection (p. 184). Déjeunez au Metropolitan Museum of Art (p. 185) puis passez l'après-midi à découvrir ses immenses collections. Le lendemain, après une rapide promenade matinale autour du réservoir Jacqueline Kennedy Onassis à Central Park (p. 176), visitez le Rockefeller Center (p. 154), faites une pause déjeuner à Little Korea (p. 172) et passez l'après-midi dans les galeries de Chelsea (p. 126). Choisissez un spectacle pour le soir et laissez-vous éblouir par les enseignes au néon de Times Square. Le dernier jour, flânez dans les rues étroites de Lower Manhattan, allez en ferry à Staten Island pour la visite de rigueur à la statue de la Liberté, puis profitez des heures qui restent pour explorer Chinatown, Soho, Noho et Nolita, et faire la fête dans le Lower East Side et East Village.

JOUR DE PLUIE

Par mauvais temps, le Guggenheim (p. 186) est idéal car son atmosphère extraordinaire en fait une petite bulle hors du temps. Passez la journée à explorer les collections, puis allez voir le Schomburg Center (p. 206) à Harlem.

AVANT LE DÉPART

Trois semaines avant Réservez des billets pour le spectacle qui vous intéresse à Broadway, en choisissant une seconde option si vous devez tenter votre chance au guichet du TKTS (www.tdf.org/tkts) une fois sur place.

Deux semaines avant Connectez-vous sur www.opentable.com et réservez une table à Babbo (p. 110) ou un autre restaurant de votre choix.

Trois jours avant Commencez à étudier les possibilités de sorties sur le www.freeinnyc.net ou le www.clubfreetime.com.

La veille Testez vos réflexes d'internaute en essayant d'obtenir une table à Momofuku (p. 98), et renseignez-vous sur les soldes qui pourraient être organisées durant votre séjour.

Non loin, admirez les flèches inachevées de la cathédrale St John the Divine
(p. 204), avant de finir la journée devant un dîner typique à Amy Ruth's ou
Sylvia's (p. 210).

NEW YORK SANS ÊTRE MILLIONNAIRE
On dit que dans la vie, les meilleures choses sont gratuites, et c'est vrai à
New York. Arpenter Central Park ou admirer l'architecture de la ville ne vous
coûtera pas un sou. Contemplez par exemple la splendeur de Grand Central
Terminal (p. 152) ou le bâtiment des Nations unies dessiné par Le Corbusier
(p. 155). À Midtown, achetez-vous de quoi déjeuner au stand de rue Hallo
Berlin, à l'angle de Fifth Ave et de 54th St. Chinatown s'impose pour les
amateurs de bonnes affaires, et si manger à Little Italy n'est pas donné, s'y
promener est gratuit. Rejoignez Morningside Heights, au nord, pour jeter un
œil à la cathédrale St John the Divine (p. 204), puis dînez avec les étudiants au
Community Food and Juice (p. 209).

OUVERT TOUS LES JOURS
Le lundi se révèle idéal pour explorer Central Park (p. 174), car les musées
sont alors fermés. Commencez par l'extrémité nord et descendez en passant
par le Ramble et le Mall, en jetant un œil au Central Park Wildlife Center et à
Strawberry Fields. Si vous ressortez du parc par l'ouest, prenez le métro pour
Chelsea. Les galeries ne seront pas toutes ouvertes, mais les boutiques, si.
Faites un peu de lèche-vitrines et respirez l'odeur des cookies fraîchement
cuits au marché de Chelsea (p. 134).

Explorez le Lower East Side en vous arrêtant pour un bon petit plat
au Schiller's Liquor Bar (p. 72). Sillonnez ensuite les boutiques d'occasion
d'Orchard St avant de mettre cap au nord, vers l'East Village. Finissez la
journée par la tournée des bars de Second Ave.

>LES QUARTIERS

À New York, l'art est présent sous les formes et dans les endroits les plus divers

LES QUARTIERS

Manhattan s'étend au sud de Harlem dans une série de quartiers arbitrairement tracés mais identifiables, chacun doté d'une atmosphère bien à lui. Les agents immobiliers aiment inventer des acronymes branchés pour certains secteurs en plein essor (SoHa pour South Harlem, par exemple), mais ne vous y fiez pas. New York a toujours été défini par ses quartiers traditionnels.

Les larges boulevards de Harlem, bordés de *brownstones* et de bâtiments de style Beaux-Arts , englobent deux secteurs différents entre 96th St and 150th St. Le côté ouest, entre 100th St et 125th St, est le fief des étudiants de l'université Columbia, des jeunes exerçant des professions libérales et de quelques anciens hippies. Du côté est de Fifth Ave se trouve El Barrio, aussi appelé Spanish Harlem, ancien quartier italien aujourd'hui franchement latino.

Les célèbres espaces verts de Central Park occupent le centre de la ville. Au sud de 96th St, le secteur à l'ouest du parc est l'Upper West Side, l'Upper East Side se trouvant à l'est. C'est aussi simple que cela.

Midtown va de 59th St à 42nd St. Ici, la même règle s'applique, mais avec la Fifth Ave : tout ce qui se trouve à l'ouest s'appelle Midtown West, ce qui se trouve à l'est, Midtown East. Au sud de 42nd St se succèdent les secteurs les plus connus de Manhattan, à commencer par Chelsea et ses discothèques gay, chevauchant en partie le Meatpacking District branché, lequel se fond à son tour dans Greenwich Village, tout cela du côté ouest de Fifth Ave. Du côté est, on trouve Union Square, centre du militantisme new-yorkais, et une nuée de bars, de pubs et de bistrots qui forment l'East Village, le Lower East Side et Nolita.

Ensuite vient Lower Manhattan, où d'immenses gratte-ciel jalonnent les canyons de béton de Wall Street. Franchissant l'East River, le pont de Brooklyn conduit à la communauté d'artistes de Dumbo et à l'élégant Brooklyn Heights. Le reste de Brooklyn s'étend au sud-est jusqu'à Coney Island et l'océan Atlantique.

>LOWER MANHATTAN

Hérissée de gratte-ciel, Lower Manhattan s'anime tous les matins en semaine quand des milliers de personnes déferlent dans ses petites rues étroites pour rejoindre leurs bureaux dans la banque ou la finance.

Finissant en une pointe arrondie à son extrémité sud, Lower Manhattan est entourée d'eau : l'East River à l'est, le port de New York au milieu et le puissant Hudson à l'ouest. Les ferries pour la statue de la Liberté, Ellis Island, Governor's Island et Staten Island partent de Battery Park, qui offre nombre de monuments commémoratifs, d'œuvres d'art en plein air et des points de vue splendides sur l'eau. Le New York colonial s'étend au sud de Wall Street, qui doit son nom à la muraille élevée par les Hollandais il y a plus de 200 ans, et autour de South Street Seaport, une vieille jetée très touristique.

Le site du World Trade Center n'est toujours qu'un trou béant, où la construction du parc commémoratif prévu reste au point mort. Au nord, le quartier branché de Tribeca regroupe boutiques chic et bons restaurants.

LOWER MANHATTAN

◉ VOIR

Battery Park	1	B6
Bowling Green	2	B5
Federal Hall	3	C4
Ferry pour la statue de la Liberté et Ellis Island	4	B6
Fraunces Tavern Museum	5	C5
Ground Zero	6	B3
Museum of Jewish Heritage	7	A5
National Museum of the American Indian	8	B5
New York Stock Exchange	9	B4
Skyscraper Museum	10	A5
South Street Seaport	11	D4
South Street Seaport Museum	12	D4
St Paul's Chapel	13	B3
Terminal du ferry de Staten Island	14	C6
Trinity Church	15	B4
WTC Tribute Visitors Center	16	B4

🛍 SHOPPING

A Uno	17	B2
Century 21	18	B4
Issey Miyake	19	A1
J&R Music	20	B3
Urban Archaeology	21	A1

🍴 SE RESTAURER

Blaue Gans	22	B2
Financier Patisserie	23	A4
Financier Patisserie	24	C5
Financier Patisserie	25	C4
Nelson Blue	26	D3
Stella Maris	27	D3
Zaitzeff	28	C4

🍸 PRENDRE UN VERRE

Another Room	29	B1
Brandy Library	30	A1
Macao	31	B1
Ulysses	32	C5

★ SORTIR

Michael Schimmel Center for the Arts	33	C3
Guichet du TKTS	34	D4
Tribeca Performing Arts Center	35	A2

👁 VOIR

👁 BATTERY PARK

☎ 311 ; www.nycgovparks.org ;
Broadway à la hauteur de Battery Pl ;
🕐 lever du soleil-1h ; 🚇 4, 5 jusqu'à
Bowling Green, 1 jusqu'à South Ferry ; ♿

Avec ses 13 œuvres d'art et ses
monuments, l'Holocaust Memorial,
le NYC Police Memorial, l'Irish
Hunger Memorial, les roses du
Hope Garden et la vue sur la statue
de la Liberté, ce charmant parc est
pratiquement un musée en plein
air. Ne manquez pas le **Museum of
Jewish Heritage** (☎ 646-437-4200 ; www.
mjhnyc.org ; 36 Battery Pl ; adulte/enfant/
étudiant/senior 10/gratuit/5/7 $, entrée libre
16h-20h mer ; 🕐 10h-17h45 dim-mar et jeu,
10h-20h mer, 10h-17h ven ; 🚇 4, 5 jusqu'à
Bowling Green) et le **Skyscraper Museum**
(☎ 212-968-1961 ; www.skyscraper.org ;
39 Battery Pl ; adulte 5 $, senior et étudiant
2,50 $; 🕐 12h-18h mer-dim ; 🚇 4, 5 jusqu'à
Bowling Green), ode à l'architecture
verticale.

👁 BOWLING GREEN

Angle de Broadway et State St ;
🚇 4, 5 jusqu'à Bowling Green

Ce petit coin de verdure est le lieu
où le colon hollandais Peter Minuit
aurait acheté l'île de Manhattan 24 $
aux Indiens Lenape. Aujourd'hui,
on peut y admirer *Charging Bull*,
célèbre taureau en bronze d'Arturo
di Modica, symbolisant la vitalité
économique de l'Amérique.

👁 FEDERAL HALL

☎ 212-825-6888 ; www.nps.gov/feha ;
26 Wall St ; entrée libre ; 🕐 10h-16h
lun-ven ; 🚇 2, 3, 4, 5 jusqu'à Wall St, N,
R jusqu'à Rector St

C'est dans cette bâtisse de style
néoclassique que le plus grand
des pères fondateurs, George
Washington, a prêté serment.
À l'intérieur, le musée est consacré
au New York postcolonial et
à la lutte pour la liberté de la presse
et d'autres droits "inaliénables".

👁 FRAUNCES TAVERN MUSEUM

☎ 212-425-1778 ; www.
frauncestavernmuseum.org ; 54 Pearl St ;
adulte 10 $, senior, étudiant et enfant
5 $; 🕐 12h-17h lun-sam ; 🚇 4, 5
jusqu'à Bowling Green, 2, 3, 4, 5 jusqu'à
Wall St, R, W jusqu'à Whitehall St, J, M, Z
jusqu'à Broad St

Ce musée/restaurant d'exception,
composé de 4 bâtiments du début
du XVIIIe siècle, commémore les
événements fondateurs de 1783,
lorsque les Britanniques quittèrent
New York et que le général George
Washington fit ses adieux à ses
officiers. Cette taverne, la plus
célèbre de son temps, continue
de servir des repas copieux,
comme du hachis Parmentier.
Le musée propose des expositions
temporaires, des visites guidées
et des conférences à l'heure du
déjeuner.

🄲 GROUND ZERO

Church St entre Vesey St et Liberty St ;
🚇 E, 2, 3 jusqu'au World Trade Center,
N, R jusqu'à Rector St

Le site est toujours aussi désolé,
mais des signes de reconstruction
apparaissent. Le **WTC Tribute Visitors
Center** (☎ 866-737-1184 ; www.tributewtc.
org ; 120 Liberty St ; 10 $; 🕙 10h-18h lun et
mer-sam, 12h-18h mar, 12h-17h dim ; 🚇 E, 2, 3
jusqu'au World Trade Center, N, R jusqu'à Rector
St), géré par l'Association des familles
des victimes, présente des photos
et des objets émouvants et offre des
visites guidées du site, menées par
des New-Yorkais ayant été touchés
personnellement par la tragédie.

Au coin, sur le flan ouest de la
caserne des pompiers Engine 10
Ladder 10, une imposante plaque
de bronze retrace les événements.
Elle est dédiée aux pompiers morts
ce jour-là et à Glenn Winuk, associé
dans un cabinet d'avocats proche
et secouriste bénévole, qui s'est
précipité dans les tours en feu pour
aider les victimes au prix de sa vie.

🄲 NATIONAL MUSEUM OF THE AMERICAN INDIAN

☎ 212-514-3700 ; www.nmai.si.edu ;
1 Bowling Green ; entrée libre ;
🕙 10h-17h ven-mer, 10h-20h jeu ;
🚇 4, 5 jusqu'à Bowling Green

Situé dans un beau bâtiment
derrière Bowling Green, ce musée
géré par le Smithsonian Institute
possède une collection d'objets liés
aux tribus indiennes, complétée
par des bornes interactives offrant
un aperçu de leurs croyances et de
leurs coutumes. Les lieux abritaient
la maison des douanes, où Herman
Melville écrivit en partie *Moby Dick*.

Passants contemplant le site dévasté de Ground Zero

⊙ NEW YORK STOCK EXCHANGE

☎ 212-656-5168 ; www.nyse.com ; 8 Broad St ; ⊕ 2, 3, 4, 5 jusqu'à Wall St, N, R jusqu'à Rector St

On ne peut plus visiter la Bourse de New York, mais rien n'empêche d'admirer sa superbe façade d'inspiration romane ou de regarder les hordes de traders en veste bleue griller une cigarette ou avaler un hot dog en 2 minutes à leur pause-déjeuner. Pendant les fêtes, Exchange Place est lourdement décorée et son sapin rivalise avec celui du Rockefeller Center.

⊙ SOUTH STREET SEAPORT

☎ 212-732-7678 ; www. southstreetseaport.com ; Pier 17 entre Fulton St et South St ; ⊙ 10h-21h lun-sam, 11h-20h dim ; ⊕ J, Z, 3, 4, 5 jusqu'à Fulton St ; ⚫

Ce piège à touristes kitsch doit être réaménagé en élégant quartier de front de mer, mais l'on n'y voit pour l'instant que des bateaux anciens, des souvenirs sur le thème de la mer et le South Street Seaport Museum (☎ 212-748-8600 ; www.seany.org ; 12 Fulton St ; adulte 15 $, étudiant, senior et enfant 12 $; ⊙ 10h-17h jeu-dim jan-mars, 10h-18h mar-dim avr-déc), pour fans de vieux navires.

⊙ ST PAUL'S CHAPEL

☎ 212-233-4164 ; www.trinitywallstreet. org ; Broadway à la hauteur de Vesey St ; ⊕ 2, 3 jusqu'à Park Pl

Dépendant de Trinity Church, quoique moins vaste et moins élaborée, cette église accueillante plaisait à George Washington, qui y avait un banc. Centre névralgique des secours pendant les attentats du 11-Septembre, elle abrite une exposition permanente sur cette tragédie.

⊙ STATEN ISLAND FERRY

☎ 718-815-2628 ; www.nyc.gov/html/dot/ html/ferrybus/statfery.shtml ; Whitehall Terminal, à l'angle de Whitehall St et South St ; entrée libre ; ⊙ 24h/24 ; ⊕ 1 jusqu'à South Ferry ; ⚫

Une aubaine : très agréable – une brise rafraîchissante, de la place et une vue imprenable sur Lower Manhattan, la statue de la Liberté et Ellis Island – et gratuit.

⊙ STATUE DE LA LIBERTÉ ET ELLIS ISLAND

☎ 877-523-9849 ; www.statuecruises. com, Battery Park City à hauteur de Castle Clinton ; accès à la couronne adulte/- 12 ans/senior 12/5/10 $; ⊙ 8h30-18h30 29 mai-11 oct, 9h-17h 12 oct-28 mai, fermé le 25 déc, renseignez-vous sur les croisières de nuit durant l'été ; ⊕ 4, 5 jusqu'à Bowling Green, 1 jusqu'à South Ferry ; ⚫

Elle est imposante et pas toujours facile à visiter car la sécurité est draconienne – un comble pour un statue qui symbolise la liberté (les contrôles de sécurité peuvent

GOVERNOR'S ISLAND

Pendant des décennies, les 80 ha de **Governor's Island** (☎ 212-514-8285 ; www.nps. gov/gois ; entrée libre ; ☒ 10h-17h ven, 10h-19h sam et dim 31 mai-12 oct) ; ◉ 4, 5 jusqu'à Bowling Green) sont restés un coin de verdure mystérieux et inaccessible en face du port. Passée sous administration du National Park Service, l'île est devenue un parc public. Un service de ferries (au départ de Manhattan et de Brooklyn) permet de découvrir le Castle Williams, un bâtiment en grès de trois étages, et une vue imprenable sur la ville. L'île est en travaux par endroits, mais faire du vélo ou un pique-nique le long de la promenade demeure un vrai régal.

prendre du temps). Bonne nouvelle en revanche : les visiteurs ont désormais accès à l'étroit escalier en colimaçon de plus de 300 marches menant à sa couronne d'où ils pourront admirer le port. Pour cela, il faut acheter un billet incluant l'accès à la couronne. L'espace est restreint et il existe un numerus clausus sur le nombre de billets en vente chaque jour : il est donc impératif de réserver. Les ferries partent de Battery Park City à New York et aussi du Liberty State Park dans le New Jersey.

Ellis Island, île proche et deuxième arrêt du ferry, mérite aussi la visite car elle offre un aperçu du triste sort des immigrants d'antan. Si vous partez après 14h, vous visiterez soit la statue de la Liberté, soit Ellis Island, mais pas les deux.

◉ TRINITY CHURCH

☎ 212-602-0800 ; www.trinitywallstreet. org ; Broadway à la hauteur de Wall St ; ☒ 8h-18h lun-ven, 8h-16h sam, 7h-16h

dim ; ◉ 2, 3, 4, 5 jusqu'à Wall St, N, R jusqu'à Rector St

Construite en 1697 par Guillaume III d'Angleterre, Trinity Church a marqué l'histoire de New York. Les membres du clergé qui en avaient la charge commencèrent à soutenir l'indépendance de l'Amérique au milieu du XVIIIᵉ siècle. Dans son petit cimetière, certaines tombes portent les noms de grandes figures de la révolution américaine.

🛍 SHOPPING

🛍 A UNO *Mode*

☎ 212-227-6233 ; www.aunotribeca. com ; 123 W Broadway près de Duane St ; ☒ 11h-19h ; ◉ 1,2,3 jusqu'à Chambers St

Marques européennes tendance pour les trentenaires qui veulent avoir l'air chic et à la mode sans faire une croix sur le confort.

🛍 CENTURY 21 *Mode*

☎ 212-227-9092 ; www.c21stores.com ; 22 Cortlandt St à la hauteur de Church St ;

🕐 7h-21h lun-mer, jusqu'à 21h30 jeu-ven, 10h-19h sam, 11h-20h dim ; 🚇 A, C, 4, 5 jusqu'à Fulton St/Broadway-Nassau St

Adresse très courue pour les gros rabais consentis sur les vêtements de créateurs. Ici, la concurrence est rude : n'hésitez pas à jouer des coudes et soyez rapide !

🏠 ISSEY MIYAKE *Mode*

☎ 212-226-0100 ; www.tribecaisseymiyake.com ; 119 Hudson St ; 🕐 11h-19h lun-sam, 12h-18h dim ; 🚇 1 jusqu'à Franklin St

Cette boutique de Downtown propose jolies robes légères, chemisiers, jupes et pantalons amincissants signés Miyake.

📷 J&R MUSIC *Électronique*

☎ 800-806-1115 ; www.jr.com ; 15 Park Row ; 🕐 9h-19h30 lun-sam, 10h30-18h30 dim ; 🚇 4, 5, 6 jusqu'à Brooklyn Bridge-City Hall

Avec trois magasins sur plusieurs étages entre Ann St et Beekman St, J&R a tout ce qu'il faut en matière d'ordinateurs, de téléphones, de chaînes hi-fi, de radios, d'iPod, de matériel d'enregistrement et autres articles électroniques, sans oublier les CD et les jeux vidéo.

📷 URBAN ARCHAEOLOGY *Ameublement et déco*

☎ 212-431-4646 ; www.urbanarchaeology.com ; 143 Franklin St ; 🕐 9h-18h lun-ven ; 🚇 1 jusqu'à Franklin St

Century 21 (p. 47), le paradis des bonnes affaires

Pionnier du recyclage et du détournement d'objets, Gil Shapiro continue à récupérer, assembler et à mélanger de vieux matériaux en provenance de bâtiments abandonnés et de chantiers de construction. Les fruits de son imagination ornent les appartements les plus branchés de Manhattan ; son atelier/salle d'exposition de Tribeca permet de voir ses dernières créations.

🍴 SE RESTAURER

🍴 BLAUE GANS
Germano-autrichien $$
☎ 212-571-8880 ; www.wallse.com ; 139 Duane St ; ⏲ déj et dîner ; 🚇 A, C, 1, 2, 3 jusqu'à Chambers St ; ♿ 🚻
Pénétrez dans cet établissement, hommage du chef Kurt Gutenbrunner au minimalisme de la cuisine autrichienne, et régalez-vous de *kavalierspitz* (bœuf bouilli au raifort), de saucisses (*wurst*) et bien sûr de *schnitzels*. Le restaurant propose un menu enfant, ainsi que des spécialités autres qu'autrichiennes (poisson, soupes épicées, salades et pâtes).

🍴 FINANCIER PATISSERIE
Pâtisseries, sandwichs et desserts $
☎ 212-334-5600 ; 62 Stone St à la hauteur de Mill Lane ; ⏲ 7h-20h lun-ven, 8h30-18h30 sam ; 🚇 2, 3, 4, 5 jusqu'à Wall St, J, M, Z jusqu'à Broad St ; ♿ 🚻

Cette pâtisserie compte trois boutiques dans Lower Manhattan (la seconde se trouve dans le World Financial Center et la troisième à 35 Cedar St). On s'arrache ses délicieux croissants, ses tartes aux amandes, aux abricots et aux poires, son café, ses soupes maison, ses quiches et ses salades fraîches. Bon appétit !

🍴 NELSON BLUE
Néo-zélandais $$
☎ 212-346-9090 ; www.nelsonblue. com ; 233-235 Front St ; ⏲ déj et dîner ; 🚇 A, C, J, M, Z, 2, 3, 4, 5 jusqu'à Fulton St/Broadway-Nassau St ; ♿ 🚻
Agréable pour boire un verre et manger une tourte à l'agneau et au curry, le Nelson Blue se targue d'être le seul pub néo-zélandais de New York. Les nombreux vins et bières de Nouvelle-Zélande accompagnent à merveille les gâteaux de crabe, les moules, les brochettes, les hamburgers et le poisson grillé.

🍴 STELLA MARIS
Pub irlandais, fruits de mer $$
☎ 212-233-2417 ; www.stellanyc.com ; 213 Front St ; ⏲ petit-déj, déj et dîner ; 🚇 J, M, Z, 1, 2, 4, 5 jusqu'à Fulton St/Broadway-Nassau St
Raffiné et moderne, tenu par un Irlandais dans une vieille rue pavée. Au menu, asperges chaudes surmontées d'un œuf poché, steak frites, assiette de charcuterie, saumon

d'Écosse grillé et toutes sortes de coquillages frais à déguster au bar.

🍴 ZAITZEFF Bio $

☎ 212-571-7272 ; www.zaitzeffnyc. com ; 72 Nassau St ; ⏱ 8h-22h lun-ven, 10h-18h sam et dim ; Ⓜ A, C, J, M, Z, 2, 3, 4, 5 jusqu'à Fulton St/Broadway-Nassau St ; ♿ Ⓥ ♨

Cuisine new-yorkaise classique, mais sans la graisse. Les hamburgers, sandwichs et hot dogs sont bio, ainsi que le pain. Divers plats végétariens.

🍸 PRENDRE UN VERRE

🍸 ANOTHER ROOM Bar

☎ 212-226-1418 ; www. anotheroomtribeca.com ; 249 W Broadway ; ⏱ 17h-3h ; Ⓜ 1, 2 jusqu'à Franklin St

Ambiance bohème dans ce bar de Tribeca, accueillant malgré l'exiguïté des lieux et la déco industrielle. Vin et bière uniquement.

🍸 BRANDY LIBRARY Bar

☎ 212-226-5545 ; www.brandylibrary. com ; 25 N Moore St à la hauteur de Varick St ; ⏱ 17h-1h dim-mer, 16h-2h jeu, 16h-4h ven-sam ; Ⓜ 1 jusqu'à Franklin St

Dans cette bibliothèque, les lampes de lecture diffusent une lumière reposante et les fauteuils club font face à une collection de bouteilles éclairées. Au choix, cognac, scotch ou brandy de 90 ans d'âge (de 9 à 280 $). Appelez pour vous renseigner sur les séances de dégustation et autres événements.

Terrasses en plein air

▼ MACAO *Bar*

☎ 212-431-8750 ; www.macaonyc.com ; 311 Church St près de Lispenard St ; 🕐 17h-3h30 ; ⓜ N, R, W, Q, 6 jusqu'à Canal St

Voici un petit secret : plutôt que de faire la queue pour entrer au restaurant Macao, optez pour le *lounge* sombre aux murs rouges du rez-de-chaussée. Mêlant les saveurs portugaises et asiatiques dans sa cuisine comme dans ses cocktails, le Macao est une adresse prisée pour boire un verre et grignoter un morceau jusque tard dans la nuit, surtout si l'on apprécie les cocktails originaux qui pétillent sur la langue.

▼ ULYSSES *Pub*

☎ 212-482-0400 ; 95 Pearl St ; 🕐 11h-4h ; ⓜ 2, 3 jusqu'à Wall St

Avec ses grands fauteuils et ses confortables canapés, Ulysses est à mi-chemin entre un *lounge* et un bar d'habitués. Clientèle éclectique, immense choix de boissons. Les propriétaires possèdent deux autres bars, Puck Fair et Swift.

⭐ SORTIR

⭐ MICHAEL SCHIMMEL CENTER FOR THE ARTS *Arts*

☎ 212-346-1715 ; www.pace.edu ; 3 Spruce St près de Gold St et Park Row ; billets selon spectacle 10-45 $; ⓜ 4, 5, 6 jusqu'à Brooklyn Bridge-City Hall

À l'intérieur de la Pace University, cet espace accueille l'émission télévisée *Inside the Actors Studio*. On peut également y voir des ballets, des concerts, ainsi que les stars de Broadway dans des spectacles plus originaux ou décalés, et à des prix (relativement) plus avantageux.

⭐ RIVER TO RIVER FESTIVAL *Festival*

www.rivertorivernyc.com ; différents lieux dans Lower Manhattan ; entrée libre ; ⓜ toutes les lignes desservant Lower Manhattan ; ♿

Tout l'été, cette association propose films, concerts, soirées dansantes, activités pour les enfants et autres événements culturels dans tout Lower Manhattan (voir le programme en ligne). Les New-Yorkais apprécient les soirées latino à South Street Seaport.

⭐ TRIBECA PERFORMING ARTS CENTER *Théâtre*

☎ 212-220-1460 ; www.tribecapac.org ; 199 Chambers St ; 🕐 horaires variables ; ⓜ A, C, 1, 2, 3 jusqu'à Chambers St

Ce collectif d'artistes accueille des représentations sur des sujets en rapport avec la vie à New York, par des habitants du quartier. Œuvres inattendues, comme *Lost Jazz Shrines,* hommage à des clubs de jazz new-yorkais disparus.

>CHINATOWN ET LITTLE ITALY

L'un des quartiers les plus animés de Manhattan, Chinatown a presque éclipsé la minuscule Little Italy qui reste l'âme de la communauté italienne de New York, mais se limite aujourd'hui à quelques pâtés de maisons pittoresques dans Mott St et Mulberry St.

Les 150 000 immigrants chinois qui vivent ici ont transformé le quartier en un immense marché : des serpents, des escargots, des grenouilles et des poissons se tortillent sur les étals en plein air, des canards rôtis à la peau dorée et brillante pendent dans les vitrines des restaurants et, dans Canal St, des vendeurs proposent des contrefaçons de grandes marques – pratique totalement illégale, bien entendu.

Avec une présence vietnamienne croissante et l'arrivée d'immigrants chinois en provenance de Fuzhou, du Guangdong ou de Canton, les festivals, les jours fériés et les fêtes traditionnelles se succèdent. Pour vous y retrouver, passez par le **guichet d'information Explore Chinatown** (☎ 212-484-1216 ; www. explorechinatown.com ; Canal St entre Baxter St et Walker St ; ⏱ 10h-18h lun-ven et dim, 10h-19h sam), où un personnel aimable et multilingue vous renseignera sur les restaurants, les boutiques, les visites et les sorties.

CHINATOWN ET LITTLE ITALY

👁 VOIR
Chatham Square............ 1   E6
Church of the
  Transfiguration............2   D6
Columbus Park 3   C6
Eastern States Buddhist
  Temple...........................4   D5
Edward Mooney
  House.............................5   E5
Mahayana
  Buddhist Temple 6   E4
Mulberry Street.............7   C3
Museum of Chinese
  in America 8   B4

🛍 SHOPPING
Canal Street...................9   G4
Pearl Paint Company...10   A4
Pearl River Mart 11   B2

🍴 SE RESTAURER
Big Wong.....................12   D5
Bo Ky Restaurant.........13   D5
Focolare.......................14   D4
Original Chinatown
  Ice Cream Factory 15   D5
Peking Duck House......16   D6
Shanghai Kitchen 17   D5
Tai Pan Bakery.............18   D4

🍷 PRENDRE UN VERRE
Apotheke Bar...............19   D5
Bacaro 20   G4

⭐ SORTIR
Guichet d'information
  Circuits dans
  Chinatown...............21   C4
Santos Party House.....22   B4

Voir carte p. 54

◉ VOIR

◉ CHATHAM SQUARE

Entre Doyers St et Catherine St ; ◉ J, M, Z, 6 jusqu'à Canal St
À Chatham Square, une grande arche s'élève sur deux piliers, avec des fleurs fraîches sur chacun d'eux : il s'agit du Kim Lau Memorial Arch, érigé en 1962 à la mémoire du pilote Benjamin Ralph Kim Lau et d'autres Américains d'origine chinoise tués lors de la Seconde Guerre mondiale. On y trouve aussi la statue de Lin Ze Xu, un Chinois de la dynastie Qing qui lutta contre le trafic de l'opium. En regardant à l'est, vers Division St, on voit une statue de Confucius ; elle se tient à côté d'un bâtiment considéré comme le plus haut de Chinatown. À St James Place, juste derrière Chatham Square, le First Shearith Israel Cemetery, datant de 1683, est le plus vieux cimetière juif de la ville.

◉ CHURCH OF THE TRANSFIGURATION

☎ 212-962-5157 ; www. transfigurationnyc.org ; 29 Mott St ; 4 $; ⏱ 12h-18h mar-dim ; ◉ J, M, N, Q, R, W, Z, 6 jusqu'à Canal St
Au service des communautés d'immigrants depuis 1801, cette église ne cesse de s'adapter. Elle a d'abord accueilli des fidèles irlandais, puis italiens, et aujourd'hui chinois. Le prêtre prononce ses sermons en cantonais, en anglais et parfois même en latin. Ce petit bâtiment se trouve non loin de Pell St et de Doyers St, deux allées sinueuses qui méritent d'être explorées.

◉ COLUMBUS PARK

Mulberry St et Park St ; ◉ J, M, Z, 6 jusqu'à Canal St
En découvrant le calme qui règne dans ce parc où les habitants jouent au mah-jong et aux dominos, on a du mal à imaginer qu'il faisait autrefois partie du célèbre quartier de Five Points, dont Martin Scorsese s'est inspiré pour *Gangs of New York*. Ce petit triangle est aujourd'hui un square tranquille, entouré de bâtiments construits en 1890.

◉ EDWARD MOONEY HOUSE

Angle 18 Bowery St et Pell St ; ⏱ 9h-17h lun-ven, 9h-15h sam ; ◉ J, M, Z, 6 jusqu'à Canal St
Le plus ancien hôtel particulier de Manhattan, à l'angle de Bowery St et de Pell St, fut construit par Edward Mooney qui décida en 1785 d'investir sa fortune dans l'immobilier. Cette demeure à l'architecture composite mêlant influences georgiennes et américaines devint une taverne dans les années 1800, puis abrita un magasin, un hôtel, une salle de

A | **B** | **C** | **D**

1
Spring St
Spring St
Spring St
Broadway
Crosby St
Cleveland Place
Mulberry St
Mott St
Bowe
Kenmare St

Voir carte Soho,
Noho et Nolita
p. 78

• Umberto's
Clam House

2
11 🏛
Broome St
Lafayette St
Center Market Pl
Grand St
Grand St
Greene St
Mercer St
Elizabeth St

Ancien siège
de la police

Museum of
Italian American
Heritage

7 ⧉
**LITTLE
ITALY**

3
Grand St
8 ⧉
Centre St
Baxter St
Howard St
Hester St

4
10 🏛
Canal St
Canal St
Canal St
Canal St
Lispenard St
Cortlandt Alley
Mulberry St
Mott St
21 ⧉
Walker St
🍴 14
🍴 18
Canal St
22 ⧉
Broadway
Franklin Pl
🍴
12
⧉ 4

5
White St
Benson St
Lafayette St
Baxter St
Bayard St
🍴 13
🍴
17
Franklin St

Leonard St
Columbus
Park
Catherine La
Hogan Pl
3 ⧉
⧉
2
🍴 16
Mosco St
CHINATOWN

6
Worth St (Ave of the Strongest)
Thomas St
Federal
Plaza
Thomas
Paine
Park
Foley Sq
New
York County
Courthouse

billard, un club privé. Aujourd'hui, c'est une banque.

◎ MULBERRY STREET
◎ C, E jusqu'à Spring St
L'atmosphère italienne d'origine n'est qu'un lointain souvenir, mais Mulberry St reste l'un des hauts lieux de l'histoire de Little Italy. Le mafieux Joey Gallo fut abattu dans les anciens locaux du restaurant Umberto's Clam House (aujourd'hui situé au 386 Broome St) dans les années 1970, John Gotti fut mis sur écoute par le FBI au Ravenite Social Club, aujourd'hui disparu, et Frank Sinatra lui-même venait faire bombance dans cette rue. Le **Museum of Italian American Heritage** (www.italianamericanmuseum.org ;155 Mulberry St ; entrée libre ; ⏱ 11h-18h mer, jeu sam et dim, jusqu'à 20h ven), à l'angle de Grand St, vous apprendra vraiment tout sur le quartier. Les horaires changent fréquemment, consultez-les sur le site Internet.

◎ MUSEUM OF CHINESE IN AMERICA
☎ 212-619-4785 ; www.moca-nyc.org ; 211-215 Centre St près de Grand St ; entrée 3 $; ⏱ 12h-18h mar-dim ; ◎ J, M, N, Q, R, W, Z, 6 jusqu'à Canal St
Ce musée réinstallé récemment dans un espace de plus de 1 000 m² conçu par l'architecte Maya Lin, à qui l'on doit aussi le

Vietnam Memorial à Washington, est une mine d'informations sur la vie des Américains d'origine chinoise : bornes interactives, cartes, photos, lettres, films et objets. Outre des expositions temporaires, il présente une collection permanente, The Chinese-American Experience, qui évoque l'immigration, le militantisme et la mondialisation.

◎ TEMPLES BOUDDHIQUES
Il y a des temples bouddhiques partout dans Chinatown. L'**Eastern States Buddhist Temple** (64 Mott St entre Bayard St et Canal St ; ⏱ 9h-18h ; ◎ J, M, Z, 6 jusqu'à Canal St), qui renferme des centaines de statues de différentes tailles, est l'un des principaux. Voyez aussi le **Mahayana Buddhist Temple** (133 Canal St et Manhattan Bridge Plaza ; ⏱ 8h-18h ; ◎ B, D jusqu'à Grand St, J, M, Z, 6 jusqu'à Canal St), avec son bouddha de 5 m de hauteur, et ses deux lions dorés qui montent la garde à l'entrée.

🏠 SHOPPING
🏠 CANAL STREET
Objets divers
◎ M, N, Q, R, W, Z, 6 jusqu'à Canal St
Très fréquentée, agitée et embouteillée, Canal St déborde de mille et une trouvailles de qualité variable : armez-vous de patience si vous cherchez quelque chose de précis. Vous pouvez

D'innombrables clients, vendeurs et objets – mais une seule Canal St

aussi simplement vous balader au hasard, parmi les étals vendant des marchandises exotiques, les pharmacies homéopathiques proposant des remèdes chinois, au rythme de centaines de conversations entremêlées.

🏠 PEARL PAINT COMPANY
Art et artisanat

☎ 212-431-7932 ; pearlpaint.com ; 308 Canal St ; ⏲ 9h-19h lun-ven, 10h-19h sam, 10h-18h dim ; ⓜ J, M, N, Q, R, W, Z, 6 jusqu'à Canal St
Cette véritable institution occupe 4 étages d'un immense entrepôt dans Canal St, où vous trouverez tout ce qui touche à la peinture, au dessin, aux loisirs créatifs (feuilles d'or, paillettes, colle, etc.). Une mine.

🏠 PEARL RIVER MART
Objets divers

☎ 212-431-4770 ; www.pearlriver.com ; 477 Broadway ; ⏲ 10h-19h ; ⓜ J, M, N, Q, R, W, Z, 6 jusqu'à Canal St
Ce grand magasin asiatique propose des kimonos aux couleurs éclatantes, des pantoufles brodées de perles, des théières, des lanternes de papier, des pots d'herbes et d'épices mystérieuses ainsi que des thés (assortis d'un salon de style zen).

🍴 SE RESTAURER
🍴 BIG WONG *Asiatique* $
☎ 212-964-0540 ; 67 Mott St entre Walker St et Bayard St ; ⏲ petit-déj, déj et dîner ; ⓜ J, M, N, Q, R, W, Z, 6 jusqu'à Canal St ; ♿ Ⓥ 👶

Le Bo Ky Restaurant, très apprécié des clients

Très couru et célèbre pour son rôti de porc, son poulet, son canard et ses travers de porc style barbecue, il propose aussi d'excellentes crêpes de riz au petit-déjeuner. Vous devrez sans doute partager une table, et les plats comme l'addition arrivent à la vitesse de l'éclair, mais c'est un endroit agréable, convivial et abordable.

BO KY RESTAURANT
Pan-asiatique $

☎ 212-406-2292 ; 80 Bayard St entre Mott St et Mulberry St ; ☺ petit-déj, déj et dîner ; Ⓜ J, M, N, Q, R, W, Z, 6 jusqu'à Canal St ; Ⓥ

Bon marché, rapide et délicieux. En atteste un ballet perpétuel de clients venus à deux ou trois déguster les soupes à la viande, les nouilles plates au poisson et les riz au curry.

FOCOLARE *Italien* $$$

☎ 212-993-5858 ; 115 Mulberry St entre Canal St et Hester St ; ☺ déj et dîner ; Ⓜ J, M, Q, R, W, Z jusqu'à Canal St

Si vous voulez manger à Little Italy, ce restaurant constitue un excellent choix. Un feu de cheminée réchauffe la salle douillette en hiver et des photos de Frank Sinatra & Co ornent les murs. Cuisine italienne classique mitonnée avec brio : pâtes maison avec diverses sauces à la tomate ou à la crème, boulettes de riz croustillantes dégoulinantes de fromage, savoureux calamars frits.

ORIGINAL CHINATOWN ICE CREAM FACTORY *Glacier* $

☎ 212-608-4170 ; www.chinatownicecreamfactory.com ; 65 Bayard St ; ☺ 11h-22h ; Ⓜ J, M, N, Q, R, W, Z, 6 jusqu'à Canal St ; Ⓥ ♿

Posez la question aux serveurs, ils vous diront que la glace a été inventée en Chine sous la dynastie Tang. On les croirait presque sur parole, à voir les parfums proposés : avocat, durian, sésame et menthe poivrée, en plus de saveurs classiques comme la vanille et le chocolat.

PEKING DUCK HOUSE
Chinois $$

☎ 212-227-1810 ; 28 Mott St ; déj et dîner ; J, M, N, Q, R, W, Z, 6 jusqu'à Canal St ; V

Vous entrez ici dans le royaume du canard laqué. On le sert croustillant, accompagné de sauce *hoisin* et de crêpes à découper, à rouler et à tremper. La carte présente aussi des spécialités de Pékin, de Shanghai et du Sichuan. L'endroit est légèrement plus chic que les autres restaurants de Chinatown, mais sans être guindé. C'est le restaurant de prédilection des familles du quartier venues fêter un événement.

SHANGHAI KITCHEN
Chinois $

☎ 212-513-1788 ; 67 Bayard St ; déj et dîner ; J, M, N, Q, R, W, Z, 6 jusqu'à Canal St ; V

Au menu : délicieuses brioches vapeur à la viande de porc, rouleaux de printemps, copieux bols de nouilles, soupes et autres plats

Que choisir ? Un marché dans Mott St

POUR LES GOURMANDS

Chinatown compte de nombreuses boulangeries chinoises qui vendent en-cas et douceurs exotiques dont se régalent les clients. La **Tai Pan Bakery** (☎ 212-732-2222 ; 194 Canal St près de Mott St ; ⏰ 7h30-20h30 ; 🚇 J, M, N, Q, R, W, Z, 6 jusqu'à Canal St) en propose une immense variété (paiement en espèces uniquement).

> Queues de coq (*gai mei bao*) : petits pains en forme de queue de coq, fourrés à la noix de coco.
> Tartelettes à la noix de coco (*ye tot*) : tartelettes jaune vif, généralement surmontées d'une cerise ou d'une baie.
> Flans (*dan tot*) : toutes les boulangeries de Chinatown vendent ces flans cuits dans une pâte feuilletée.
> Hot dogs (*cheung zai bao*) : hot dogs dans un petit pain sucré et léger, nappé de miel, qu'on ne trouve que dans le quartier chinois de New York.
> Pains ananas (*bo lo bao*) : ces petits pains ressemblent à des ananas mais sont souvent fourrés à la crème ou à la noix de coco.
> Petits pains à la pâte de haricot rouge (*hong dau sa bao*) : un dessert apprécié, fait d'un mélange de pain et de haricots rouges, écrasé dans une pâte légèrement sucrée.
> Petits pains au porc (*char siu chan bao*) : cuits à la vapeur ou au four, ces petits pains renferment du porc au barbecue version chinoise.

chinois (certains au tofu et aux légumes). Paiement en espèces uniquement, tarifs très avantageux, et sourire de rigueur pour montrer ce qu'on veut manger car ici, on ne parle pas anglais.

🍸 PRENDRE UN VERRE

🍸 APOTHEKE BAR *Bar*

☎ 212-406-0400 ; www.apothekenyc. com ; 9 Doyers St ; ⏰ 18h-2h lun-sam, 20h-2h dim ; 🚇 J, M, Z jusqu'à Canal St

Il faut se donner la peine de retrouver cette ancienne fumerie d'opium devenue un bar aux allures d'officine d'apothicaire de Doyers St,

appelée Bloody Triangle (Triangle sanglant) à l'époque où c'était le territoire de gangs. L'enseigne Golden Flower vous indiquera que vous êtes arrivé. L'élégant intérieur décoré de rouge, le comptoir en marbre et les ustensiles d'apothicaire tels les mortiers, pilons et autres bocaux confèrent à l'ensemble une ambiance très typée, que rehausse encore l'absinthe maison que propose le propriétaire. Les cocktails alcoolisés sont pleins de saveurs : goûtez au Five Points (hibiscus, bitters italiens, jus de raison et rhum au sucre de canne) ou au Saffron Sazerac (avec du bourbon parfumé au safran).

Y BACARO *Bar à vins*
☎ 212-941-5060 ; www.bacaronyc.com ;
**136 Division St entre Orchard St
et Ludlow St ;** 🕑 **dîner ;** 🚇 **M jusqu'à
East Broadway**
Retrouvez Venise (les canaux
en moins) à Chinatown dans ce
bar à vins s'inspirant d'un bistrot
vénitien populaire. On y sert de
copieux en-cas appelés *cicchetti*,
à accompagner de vins corsés du
nord de l'Italie. La salle sombre du
rez-de-chaussée est une spacieuse
salle de restaurant, tandis que
l'étage rustique, aménagé avec du
bois récupéré dans une grange,
abrite le bar. Parmi les *cicchetti* les
plus prisés, citons les boulettes de
riz frit, les asperges avec un œuf
sur le plat, les *crostini*, la *bruschetta*,
les assiettes de viande froide et de
fromage, et l'*insalata polpi* (salade
de poulpe).

SORTIR
⭐ **CIRCUIT DANS CHINATOWN**
Visite guidée
☎ 212-619-4785 ; www.moca-nyc.org ;
adulte 15 \$, senior et enfant 12 \$;
🕑 **une fois par semaine mai-déc**
Pour bien connaître Chinatown,
un guide est indispensable. Vous
pouvez faire appel en toute
confiance au Museum of Chinese
in America (p. 56). Les guides, qui
travaillent pour le musée et sont
originaires du quartier, vous feront
découvrir le visage passé et présent
de Chinatown.

>LOWER EAST SIDE

Ici, les traces du passé abondent. Les restaurants et cafés branchés qui ponctuent les rues légèrement décrépites du Lower East Side n'ont pas effacé le temps où le quartier était un ghetto pour immigrants juifs et d'Europe de l'Est. Ils vivaient dans des logements exigus et froids et travaillaient dans des usines. Ces communautés possédaient leurs synagogues et leurs marchés et vivaient au rythme du théâtre, de la musique et de l'art. Plus tard sont arrivés des immigrants latino-américains qui ont apporté leurs propres traditions.

Depuis que les appartements de luxe et les hôtels ont remplacé beaucoup des vieux immeubles et que de nombreux trésors culturels ont été restaurés, le Lower East Side est devenu un quartier tendance à la vie nocturne appréciée. Son mélange des genres lui confère un attrait particulier, comme en atteste le contraste entre le Lower East Side Tenement Museum et l'architecture novatrice du New Museum of Contemporary Art.

LOWER EAST SIDE

VOIR

ABC No Rio	1	D3
Angel Orensanz Foundation	2	D2
Artists Alliance	3	D3
Clemente Soto Velez	(voir 3)	
Synagogue d'Eldridge Street	4	C6
Essex Street Market	5	D3
Gallery Onetwentyeight	6	D3
Synagogue et musée Kehila Kedosha Janina	7	C4
Lower East Side Jewish Conservancy	8	E5
Lower East Side Tenement Museum	9	C4
New Museum of Contemporary Art	10	A3
Orchard Street Bargain District	11	C3
Participant Inc.	12	D2
St Augustine's Episcopal Church	13	F5

SHOPPING

Alife Rivington	14	D3
Bluestockings	15	C3
Economy Candy	16	C3
Foley + Corinna	17	C2
Honey in the Rough	18	D3
Reed Space	19	C3
September Wines & Spirits	20	C2
Still Life	21	C4

SE RESTAURER

Antibes Bistro	22	D3
Bondi Road	23	D3
Georgia's East Side BBQ	24	C2
Kuma Inn	25	C3
Little Giant	26	C4
Schiller's Liquor Bar	27	D3
Yonah Schimmel Knishery	28	B2

PRENDRE UN VERRE

151	29	D3
Happy Ending	30	B4
Magician	31	D3
Nurse Betties	32	D3
Whiskey Ward	33	D3

SORTIR

Abrons Art Center	34	E4
Arlene's Grocery	35	C3
BEast	36	D6
Bowery Ballroom	37	B4
Living Room	38	C3
Mercury Lounge	39	C3
Pianos	40	C3
The Box	41	B3

Voir carte p. 64

LOWER EAST SIDE

⊙ VOIR

⊙ ESSEX STREET MARKET

☎ 212-312-360 ; www.essexstreetmarket.com ; 120 Essex St entre Delancey St et Rivington St ; ⏱ 8h-19h lun-sam ; ⊙ F, J, M, V, Z jusqu'à Delancey St-Essex St

C'est un plaisir de déambuler dans ce marché vieux de 80 ans, où les étals de cornichons à l'ancienne côtoient les boutiques de fromages haut de gamme. Les communautés juive et latino s'y mêlent, reflétant la démographie du quartier.

⊙ GALLERY ONETWENTYEIGHT

☎ 212-674-0244 ; www.onetwentyeight.com ; 128 Rivington St ; ⏱ sur rdv ; ⊙ F jusqu'à Lower East Side-Second Ave

Les œuvres exposées dans cette galerie sont aussi éclectiques que ses heures d'ouverture sont variables. On ne peut jamais savoir ce qu'on y verra – ni quand – et c'est ce qui fait son charme. Consultez le site web pour connaître les expositions en cours et appelez pour prévenir de votre venue.

⊙ LOWER EAST SIDE TENEMENT MUSEUM

☎ 212-982-8420 ; www.tenement.org ; 108 Orchard St près de Delancey St ; adulte 20 $, senior et enfant 15 $, réductions sur les billets combinés ; ⏱ centre des visiteurs 10h30-17h, visites guidées toutes les 40 min de 13h et 13h20 jusqu'à 16h30 et 16h45 mar-ven (réservation conseillée) ; ⊙ B, D jusqu'à Grand St, F, J, M, Z jusqu'à Delancey St-Essex St ; ♿

LA FACE CACHÉE DU LOWER EAST SIDE

Le Lower East Side est un quartier chargé d'histoire. Si vous avez quelques heures devant vous, suivez une promenade proposée sur rendez-vous par le **Lower East Side Jewish Conservancy** (☎ 212-374-4100 ; http://nycjewishtours.org ; 235 East Broadway ; circuits 18-30 $; ⏱ bureau 10h-17h lun-jeu, 10h-14h ven ; ⊙ F, J, M, Z jusqu'à Delancey St-Essex St). Une excursion ouverte à tous est également organisée chaque mois, ainsi qu'un circuit gastronomique annuel le jour de Noël. Des guides professionnels vous feront découvrir à pied tous les grands sites historiques du quartier, avec de fréquentes pauses dégustation. Au passage, ne manquez pas de jeter un œil à la **St Augustine's Episcopal Church** (☎ 212-673-5300 ; 290 Henry St), près de l'Abrons Art Centre. Baptisée à l'origine All Saints Free Church, cette demeure néoclassique fut achevée en 1828. Actuellement en cours de rénovation, ses deux "galeries des esclaves", où devaient s'asseoir durant la messe les esclaves qui contribuèrent à bâtir une partie de la ville, rappellent un épisode souvent oublié de l'histoire new-yorkaise.

A
B
C
D

1

E 4th St

Second Ave

First Ave

Ave A

Ave B

E 3rd St

New York
CityMarble
Cemetery

NOHO

Bowery

E 2nd St

Bond St

Bleecker St

E 1st St

2

Lower East Side-
Second Ave

🚇

🕐 12

Clinton St

🔲 28

🍴 24

🔲 39

🕐 2

Voir carte
Soho, Noho
et Nolita p. 78

Stanton St

Stanton St

NOLITA

20

17

Suffolk St

10

Chrystie St

Forsyth St

Eldridge St

Allen St

35

🔲

38

Essex St

Norfolk St

29

1

14

3

Prince St

🕐

Freeman Al.

15

🔲

Ludlow St

31

6

🍴

23

22

18

Mott St

41

19

🕐

🕐 5

🍴 27

Rivington St

16

🔲

🍴 32

Spring St

Orchard St

33 🍴

🕐 5

Sara D
Roosevelt
Park

25

🔲

Delancey
St-Essex St

🚇

37

🔲

Delancey St

🕐 9

Kenmare St

🚇

Bowery

21

🔲

Elizabeth St

4

Broome St

7

🔲

Ludlow St

30 🍴

Broome St

🍴

26

Mulberry St

Grand St

🚇

Bowery

Chrystie St

Forsyth St

Eldridge St

Allen St

Essex St

LITTLE
ITALY

Grand St

WH Seward
Park

5

Hester St

Voir carte Chinatown
et Little Italy p. 54

Hester St

Canal St

Canal St

Division St

🚇

36

East
Broadway

CHINATOWN

Canal St

Entrée du pont
de Manhattan

🕐

4

E Broadway

Pike St

Henry St

Rutgers St

6

Bayard St

Confucius
Plaza

E   F   G   H

E 4th St
Ave C
Ave D
E 3rd St

ALPHABET
CITY

Voir carte
East Village p. 92

E 2nd St

E Houston S t

Hamilton
Fish
Park

Sheriff St

Stanton St

Columbia St

Ridge St
Pitt St
ngton St

Baruch Dr

Baruch Pl

Franklin D. Roosevelt Dr

FDR Dr

East
River
Park

Delancey St
Delancey St

Route d'accès au pont de Williamsburg

Pont de Williamsburg

Bernard
Downing
Playground

Willett St

Abraham E Kazan St

Lewis St

ome St

Grand St

34

Pitt St

LOWER
EAST
SIDE

Jackson St

E Broadway
Samuel Dickstein Plaza

13

Corlears
Hook
Park

8

Henry St

Gouverneur St

Madison St

Montgomery St

Water St

Clinton St

South St

Cherry St

South St Viaduct

Marginal St

East River

0   400 m
0   0.2 miles

Le Lower East Side Tenement Museum, une fenêtre sur le passé

La visite de ces *tenements* (logements ouvriers) restaurés offre un aperçu émouvant de la vie des immigrants juifs et d'Europe de l'Est au tournant du XXᵉ siècle, et de leurs espoirs de vie nouvelle aux États-Unis. Vous découvrirez notamment les appartements des Gumpertz, une famille juive allemande installée dans le Lower East Side dans les années 1870, et des Baldizzi, des catholiques de Sicile qui y vivaient dans les années 1930.

ⓒ NEW MUSEUM OF CONTEMPORARY ART

☎ 212-219-1222 ; www.newmuseum.org ; 235 Bowery près de Prince St ; adulte/senior/étudiant 12/8/6 $;

🕒 12h-18h mer et sam, jusqu'à 21h jeu et ven ; ⓜ 6 jusqu'à Spring St, N, R jusqu'à Prince St

Nouveau venu sur la scène artistique new-yorkaise, cette pile de sept cubes blancs conçue par les architectes japonais Kazuyo Sejima et Ryue Nishizawa est le seul musée de la ville consacré à l'art contemporain. Il présente des œuvres expérimentales, comme celle créée avec des matériaux de récupération amalgamés et jetés apparemment au hasard au milieu d'une vaste salle. Fondé en 1977 par Marcia Tucker et déplacé dans 5 lieux différents au fil des ans, il a pour devise "un art nouveau, des idées nouvelles". Il compte également un petit café et une terrasse panoramique qui permet d'observer le paysage architectural du quartier, en permanente évolution.

⊙ ORCHARD STREET BARGAIN DISTRICT

Orchard St, Ludlow St et Essex St entre Houston St et Delancey St ; 🕙 **dim-ven ;** 🚇 **F, J, M, Z jusqu'à Delancey St-Essex St**
Autrefois, les marchands juifs et d'Europe de l'Est installaient ici leurs charrettes à bras pour écouler leurs marchandises. Aujourd'hui, ces quelque 300 boutiques n'ont rien de très pittoresque, mais on peut y

trouver des chemises, des T-shirts et des jeans à bas prix. Si vous aimez marchander, tentez votre chance.

⊙ PARTICIPANT INC

☎ **212-254-4334 ; 253 East Houston St ;** 🕙 **12h-19h mer-dim ;** 🚇 **F jusqu'à Lower East Side-Second Ave**
Mi-galerie, mi-salle de spectacle, Participant Inc prête son 1er étage à toutes sortes de manifestations novatrices. Ouvert en 2002 par Lia Gangitano, ce lieu a réussi à rester à flot alors que de nombreuses autres galeries disparaissaient. Il présente des artistes de renommée

---

INVASION ARTISTIQUE

Depuis longtemps, le Lower East Side est un foyer culturel. Bien avant l'arrivée des galeries, le quartier abritait artistes, musiciens, écrivains et peintres qui partageaient leurs ateliers et leurs ressources pour pouvoir travailler. Beaucoup de ces collectifs existent encore et sont ouverts au public.

ABC No Rio (☎ 212-254-3697 ; www.abcnorio.org ; 156 Rivington St ; droit d'entrée variable ; 🕙 horaires variables ; 🚇 F, J, M, Z jusqu'à Delancey St-Essex St). Fondé en 1980, ce centre mondialement connu présente des concerts hardcore/punk et expérimentaux, des expositions, des lectures de poésie, etc.

Angel Orensanz Foundation (☎ 212-529-7194 ; www.orensanz.org ; 172 Norfolk St ; droit d'entrée variable ; 🕙 horaires variables ; 🚇 F jusqu'à Delancey St-Essex St). Dans l'une des plus anciennes synagogues de la ville, cette fondation accueille des expositions d'art et de photos ainsi que des concerts.

Artists Alliance (☎ 212-420-9202 ; www.ai-nyc.org ; 107 Suffolk St ; droit d'entrée variable ; 🕙 horaires variables ; 🚇 F, J, M, Z jusqu'à Delancey St-Essex St). Ce collectif d'artistes à but non lucratif compte plus de 40 membres. Liste des expositions et des collaborateurs sur le site web.

Clemente Soto Velez (☎ 212-260-4080 ; www.el.net/csv ; 107 Suffolk St ; droit d'entrée variable ; 🕙 horaires variables ; 🚇 F, J, M, Z jusqu'à Delancey St-Essex St). Dans les locaux de l'Artists Alliance, ce collectif met en relief les œuvres du poète portoricain Soto Velez, mais s'intéresse aussi au théâtre, à la musique, à l'art et au cinéma du monde entier.

LOWER EAST SIDE

internationale, mais aussi des créateurs du Lower East Side.

SYNAGOGUE D'ELDRIDGE STREET

☎ 212-219-088 ; www.eldridgestreet. org ; 12 Eldridge St entre Canal St et Division St ; ⏰ 10h-17h dim-jeu ; 🚇 F jusqu'à East Broadway

Ce lieu de culte emblématique, construit en 1887, était jadis au cœur de la vie des juifs du quartier, avant de tomber en décrépitude à partir des années 1920. Laissée à l'abandon, la synagogue n'a été remise en valeur que récemment, et a retrouvé sa splendeur originelle. Son musée propose des visites guidées toutes les 30 min (10 $; 10h-17h) ; dernière visite à 16h.

SYNAGOGUE ET MUSÉE KEHILA KEDOSHA JANINA

☎ 212-431-1619 ; www.kkjsm.org ; 280 Broome St à la hauteur d'Allen St ; ⏰ 11h-16h dim, service religieux 9h sam ; 🚇 F, J, M, Z jusqu'à Delancey St-Essex St

Cette petite synagogue est le seul lieu de culte romaniote du continent américain. Les Romaniotes sont les descendants de juifs qui vivaient en Grèce à l'époque romaine. À l'intérieur, un petit musée permet de voir des certificats de naissance décorés à la main, une galerie d'art, un mémorial aux juifs grecs victimes de la Shoah et des costumes de Ioannina, capitale romaniote de la Grèce.

SHOPPING

ALIFE RIVINGTON CLUB
Mode et accessoires, chaussures

☎ 212-375-8128 ; www.rivingtonclub. com ; 158 Rivington St près de Clinton St ; ⏰ 11h-19h lun-sam, 12h-18h dim ; 🚇 J, M, Z jusqu'à Delancey St-Essex St

La porte sans enseigne et la sonnette discrète lui valent son nom de "club". Ce temple du T-shirt et de la chaussure propose les styles les plus branchés du moment dans une gamme de couleurs ultra-tendance.

BLUESTOCKINGS *Librairie*

☎ 212-777-6028 ; www.bluestockings. com ; 172 Allen St ; ⏰ 11h-22h ; 🚇 F, V jusqu'à Lower East Side-Second Ave

Délabrée à souhait et chargée d'histoire, cette librairie reste imprégnée par la culture alternative qui caractérisait le quartier. Un rappel des années 1970 : ouvrages sur la libération de la femme, les droits des Noirs, etc.

ECONOMY CANDY
Nourriture et boissons

☎ 212-254-1531 ; www.economycandy. com ; 108 Rivington St à la hauteur d'Essex St ; ⏰ 9h-18h dim-ven, 10h-17h sam ; 🚇 F, J, M, Z jusqu'à Delancey St-Essex St

Paradis des gourmands, cette confiserie tenue en famille depuis deux générations vend un impressionnant assortiment de friandises : bonbons gélifiés en forme de haricot ou de poisson, halva, bonbons Pez, etc.

FOLEY + CORINNA
Mode et accessoires

☎ 212-529-5042 ; 143 Santon St entre Essex St et Ludlow St ; 🕑 12h-19h dim-lun, 12h-20h mar-sam ; Ⓜ F, V jusqu'à Lower East Side-Second Ave

Boutique de vêtements vintage avec quelques pièces uniques et très féminines. Robes délicates, T-shirts, débardeurs, chemisiers et jupes côtoient les chaussures et les bijoux créés par Corinna.

HONEY IN THE ROUGH
Mode et accessoires

☎ 212-228-6415 ; http://honeyintherough.com ; 161 Rivington St près de Clinton St ; 🕑 12h-20h lun-sam, 12h-18h dim ; Ⓜ F, J, M, Z jusqu'à Delancey St-Essex St

Variations colorées sur le thème de la petite robe noire : lignes éclatantes, jeunes et pourtant raffinées!

REED SPACE
Mode et accessoires, chaussures

☎ 212-253-0588 ; http://thereedspace.com ; 151 Orchard St ; 🕑 13h-19h lun-

L'Alife Rivington Club ou les baskets de la toute dernière tendance

Cultivez votre esprit grâce aux ouvrages engagés de la librairie Bluestockings (p. 68)

ven, 12h-19h sam et dim ; ⊕ F jusqu'à Delancey St-Essex St

Pour les amateurs de culture urbaine décontractée : baskets, accessoires, T-shirts, pantalons et vestes signés Jeff Ng.

🏠 **SEPTEMBER WINES & SPIRITS** *Nourriture et boissons*
☎ 212-388-0770 ; http://septemberwines.com ; 100 Stanton St à la hauteur de Ludlow St ; 🕒 11h-22h lun-jeu, 11h-23h ven, 12h-23h sam, 13h-20h dim ; ⊕ F, J, M, Z jusqu'à Delancey St-Essex St

Cette boutique propose des bouteilles d'exception : vins de viticultrices, vignobles rares, boissons spécialisées et grands crus pour portefeuilles bien garnis.

🏠 **STILL LIFE** *Mode et accessoires*
☎ 212-575-9704 ; www.stilllifenyc.com ; 77 Orchard St près de Delancey St ; 🕒 12h-19h ; ⊕ B, F, J, M, V, Z jusqu'à Delancey St-Essex St

Une musique d'ambiance très portée sur Mobb Deep et Quiet Village vous accueille dans ce paradis pour amateurs de chapeaux. Le "Mingus" et le "Langston" hissent l'art du couvre-chef vers de nouveaux sommets.

SE RESTAURER

ANTIBES BISTRO
Bistrot français $$

☎ 212-533-6088 ; www.antibesbistro.com ; 112 Suffolk St entre Delancey St et Rivington St ; déj et dîner ; F, J, M, Z jusqu'à Delancey St-Essex St

Du jazz en sourdine, des tables en terrasse l'été, des bougies, de belles lampes en fer forgé et des murs de briques rouges… Comment ne pas tomber sous le charme ? Ce bistrot français marie une gaie atmosphère méditerranéenne à la souplesse américaine : on peut ainsi commander un petit-déjeuner tardif à l'heure du déjeuner, ou des *short-ribs* à la Guinness au dîner si le thon sauté, le loup grillé, ou le vivaneau rouge aux haricots verts ne vous disent rien. Gardez tout de même de la place pour la mousse au chocolat et à la banane.

BONDI ROAD *Australien* $

☎ 212-253-5311 ; 153 Rivington St près de Suffolk St ; dîner lun-ven, déj et dîner sam et dim ; J, M, Z jusqu'à Delancey St-Essex St ; V

Petit mais doté de hauts plafonds, ce restaurant est bondé les soirs de week-end. Installez-vous à une table sur un tabouret de bar, regardez les immenses photos de Bondi Beach (plage de Sydney) affichées aux murs et passez votre commande à l'aide des crayons papier fournis : choisissez un poisson (maquereau ou cabillaud), une cuisson (grillé, frit ou sauté) et un accompagnement (généralement des frites). Puis dégustez une bière australienne en attendant votre plat.

GEORGIA'S EAST SIDE BBQ
Grill $

☎ 212-253-6280 ; www.georgiaseastsidebbq.com ; 192 Orchard St entre Houston St et Stanton St ; déj et dîner ; F, V, M jusqu'à Lower East Side-Second Ave ;

Dans ce petit restaurant, il faut un gros appétit. Les côtelettes mijotent lentement dans la bière avant d'être saisies sur le gril, le poulet frit est croustillant à l'extérieur, tendre à l'intérieur, le *pulled pork* (porc mijoté) fond sous la langue, et ne parlons pas du pain de maïs ou encore du succulent *mac 'n' cheese*. Paiement en espèces uniquement. Les toilettes sont dans le bar de l'autre côté de la rue.

KUMA INN *Pan-asiatique* $$

☎ 212-353-8866 ; 113 Ludlow St entre Delancey St et Rivington St ; dîner mar-dim ; F, J, M, Z jusqu'à Delancey St-Essex St

Réservation indispensable pour cet établissement très couru, situé à l'étage et difficile à trouver (cherchez une petite porte rouge près d'un traiteur chinois avec

LOWER EAST SIDE > PRENDRE UN VERRE

le chiffre 113 peint sur le côté).
Cuisine d'inspiration philippino-
thaïe : rouleaux de printemps
végétariens aux cristophines,
edamame (fèves de soja) à l'huile
de basilic et de citron vert,
omelette aux huîtres ou saumon
grillé aux haricots mungo et
oignons au vinaigre.
À accompagner de saké ou
de nectar de mangue.

🍴 LITTLE GIANT
Américain de saison $$
☎ 212-226-5047 ; www.littlegiantnyc.
com ; 85 Orchard St ; 🕙 déj et dîner ;
Ⓕ F jusqu'à Delancey St- Essex St ;
🚻 Ⓥ
Les produits frais bio des fermes
du nord de l'État sont ici à
l'honneur. La carte offre, selon le
moment, de la mousse de foie de
poulet, des choux de Bruxelles
au sirop d'érable, des puddings
au caramel et, chaque semaine,
un plat de porc. Les 80 crus de
la carte des vins proviennent
exclusivement de la région.

🍴 SCHILLER'S LIQUOR BAR
Cuisine de pub $$
☎ 212-673-0330 ; www.schillersny.
com ; 131 Rivington St à la hauteur de
Norfolk St ; 🕙 11h-minuit lun-jeu,
11h-2h ven-dim ; Ⓕ F, J, M, Z jusqu'à
Delancey St-Essex St ; 🚻 🍴
Le charme de cet endroit tient à sa
cuisine et à son décor chaleureux.

De plus, son emplacement, dans
Rivington St, est parfait pour
siroter une bière par une chaude
journée. Les carafes de vin et les
portions sont généreuses, les
plats sont savoureux : steak frites,
sandwichs cubains, poulet rôti ou
cabillaud.

🍴 YONAH SCHIMMEL KNISHERY *Knishes*
$
☎ 212-477-2858 ; 137 E Houston St
entre Eldridge St et Forsyth St ;
🕙 9h30-19h ; Ⓕ F, V jusqu'à
Lower East Side-Second Ave ; Ⓥ 🚻
La clé du succès : acheter
une charrette à bras dans les
années 1890 pour vendre les
knishes (pommes de terre farcies)
préparées par votre femme à
Coney Island et économiser
suffisamment pour acheter
un petit restaurant dans le Lower
East Side. Depuis un siècle,
cette affaire familiale suit la
recette d'origine et les *knishes* au
fromage, au chou ou à la kacha
arrivent par un antique monte-
plats. Une bouchée et vous serez
conquis.

🍸 PRENDRE UN VERRE

🍸 151 *Bar*
☎ 212-228-4139 ; 151 Rivington St près
de Suffolk St ; 🕙 18h-4h ; Ⓕ F, J, M, Z
jusqu'à Delancey St-Essex St

En bas d'une volée de marches non indiquées, et derrière une porte couverte de graffitis, ce petit restaurant local est toujours bondé. Il faut venir tôt pour profiter du long *happy hour* (de 18h à 22h). Le dimanche, c'est soirée danse pour ceux qui ne doivent pas travailler le lendemain matin. La musique est éclectique : elle va de la pop (Lady Gaga) au hip-hop (Jay-Z) en passant par du rock (Guns N' Roses) ; un programme que semble apprécier la clientèle d'après minuit, plus branchée.

🍸 HAPPY ENDING *Bar à DJ*
☎ 212-334-9676 ; www. happyendinglounge.com ; **302 Broome St ;** 🕑 **22h-4h mar, 19h-4h mer-sam ;** 🚇 **B, D jusqu'à Grand St, J, M, jusqu'à Bowery**
Ignorez l'horrible décor rose, violet et pailleté – les nouveaux propriétaires de cet ancien "salon de massage" n'ont pas jugé bon de redécorer les lieux – et concentrez-vous sur la musique groove, hip-hop et funk. Soirée "We Bite" et "Shit Hammered" le mardi, lectures littéraires le mercredi (puis place à la danse), soirées spéciales gay, gothiques et punks. Le samedi, place au DJ "Human Jukebox". L'enseigne porte les mots "Xie He Health Club" – elle n'a pas été changée non plus.

🍸 MAGICIAN *Bar*
☎ 212-673-7851 ; **118 Rivington St entre Essex St et Norfolk St ;** 🕑 **17h-4h ;** 🚇 **F, J, M, Z jusqu'à Delancey St-Essex St**
Choisissez un classique sur le juke-box, une bière locale ou un cocktail maison (généreusement servi) et profitez de ce bel espace décontracté et jamais surpeuplé : un bar de quartier que les branchés n'ont pas encore découvert.

🍸 NURSE BETTIE *Bar*
☎ 917-434-9072 ; www.nursebetties. com ; **106 Norfolk St entre Delancey St et Rivington St ;** 🕑 **18h-2h dim-mar, 18h-4h mer-sam ;** 🚇 **F, J, M, Z jusqu'à Delancey St-Essex St**
Un petit bar plein de charme : de l'espace à gogo entre le mobilier 1900, les tabourets de glacier des années 1950 et les pin-up peintes sur les murs en briques. Les cocktails sont insolites : vodka ou brandy aux fruits, martini au bubble-gum. On peut apporter son repas, comme le font beaucoup d'habitués.

🍸 WHISKEY WARD *Bar*
☎ 212-477-2998 ; www. thewhiskeyward.com ; **121 Essex St ;** 🕑 **17h-4h ;** 🚇 **F, J, M, Z jusqu'à Delancey St-Essex St ;** ♿
Un jour, la municipalité décida de diviser Manhattan en plusieurs districts, celui du Lower East Side

héritant du surnom de "Whiskey Ward" en raison de ses nombreux débits de boisson. Les propriétaires de ce bar aux murs en briques rouges apprécient l'histoire autant que le whisky, dont ils servent toutes sortes de variétés : malt, rye, scotch, whisky irlandais, bourbon, pour le plaisir des clients.

⭐ SORTIR
⭐ ABRONS ART CENTER
Théâtre, arts
☎ 212-598-0400 ; www.henrystreet. org ; 466 Grand St ; ⏲ horaires variables ; Ⓕ F, J, M, Z jusqu'à Delancey St-Essex St ; ♿
Ce vénérable centre culturel possède trois théâtres, dont le plus grand est le Harry de Jur Playhouse (un emblème national), doté de son propre hall d'accueil, de sièges fixes surélevés, d'une scène vaste et profonde et d'une bonne visibilité. Pilier du Fringe Festival, c'est aussi le lieu idéal pour assister à des productions expérimentales et locales – notamment du jazz d'avant-garde présenté par l'ancienne discothèque Tonic, poussée hors du Lower East Side par la hausse des loyers. L'Abrons ne craint pas de s'attaquer à des sujets difficiles et montre des pièces de théâtre, des spectacles de danse et des expositions de photos qu'on ne voit pas souvent ailleurs.

⭐ ARLENE'S GROCERY
Concerts, karaoké
☎ 212-358-1633 ; www.arlenesgrocery. net ; 95 Stanton St ; droit d'entrée pour les concerts mar-dim 8-10 $; ⏲ 18h-4h ; Ⓕ F, V jusqu'à Lower East Side-Second Ave
Cette ancienne boucherie propose des concerts tous les soirs. Boissons bon marché et clientèle agréable. Pour faire impression, participez au karaoké rock'n'roll du lundi soir, gratuit et accompagné par un groupe : une occasion à ne pas manquer.

⭐ BOWERY BALLROOM
Concerts
☎ 212-533-2111 ; www. boweryballroom.com ; 6 Delancey St ; prix des billets variables ; ⏲ horaires des concerts variables ; Ⓕ F jusqu'à Delancey St-Essex St, J, M jusqu'à Bowery
Un lieu apprécié pour son emplacement, son décor et surtout son ambiance qui donne envie de s'attarder. Les boissons sont fortes, l'acoustique est parfaite et on peut voir des stars de toutes sortes. Dirty Pretty Things et Ziggy Marley jouent ici régulièrement, et les soirées "Losers Lounge" (The Cure contre The Smiths) ont lieu à guichets fermés.

⭐ LIVING ROOM
Bar à DJ, concerts
☎ 212-533-7237 ; www.livingroomny. com ; 154 Ludlow St ; entrée gratuite, 1 boisson min ; ⏲ 18h30-2h dim-jeu,

18h30-4h ven et sam ; ⊕ F, V jusqu'à Lower East Side-Second Ave, J, M, Z jusqu'à Delancey St-Essex St

On entre gratuitement dans ce lieu intime. Concerts généralement de musique acoustique, avec un ampli occasionnel. Si la musique live ne vous séduit pas, montez à l'étage où vous attend le Googie's, un bar à DJ.

⭐ MERCURY LOUNGE *Concerts*

☎ 212-260-4700 ; www.mercuryloungenyc.com ; 217 E Houston St ; entrée 8-1 $; ⏲ 16h-4h ; ⊕ F, V jusqu'à Lower East Side-Second Ave

Accueillant des musiciens locaux ou indépendants, le Mercury Lounge permet d'entendre de nouveaux groupes juste avant qu'ils deviennent célèbres. Les propriétaires ont l'oreille pour cela et les concerts – de tous styles mais axés surtout sur le rock – sont donc d'excellente qualité.

⭐ PIANOS *Concerts*

☎ 212-505-3733 ; www.pianosnyc.com ; 158 Ludlow St à hauteur de Stanton St ; entrée 8-17 $; ⏲ 12h-4h ; ⊕ F, V jusqu'à Lower East Side-Second Ave

Les patrons ont gardé l'enseigne du magasin de pianos qui se trouvait ici auparavant. Place au mélange des genres – surtout pop, punk et new wave, avec quelques groupes hip-hop et indépendants. Il arrive que deux concerts soient organisés en même temps : un au rez-de-chaussée et un à l'étage. Venez au moment de l'*happy hour*.

>SOHO, NOHO ET NOLITA

Ces trois secteurs relativement peu étendus sont les plus branchés de New York. Soho (au sud de Houston St) est un ancien quartier industriel progressivement investi par des artistes qui ont transformé les usines en lofts avant de devoir céder la place à une nuée de célébrités.

Aujourd'hui, les boutiques de luxe y sont innombrables et les appartements sont hors de prix. Deux autres secteurs jadis oubliés ont connu le même essor : Nolita, au nord de Little Italy, et Noho, au nord de Houston St.

Des trois, Soho reste le plus frappant esthétiquement, avec ses hauts bâtiments massifs aux façades en fonte et la ligne de ses toits si caractéristique. Nolita offre, lui aussi, bien des attraits, mais vit à un rythme légèrement plus tranquille, avec autant de petites boutiques et de restaurants que Soho compte de galeries et de grandes enseignes.

Au nord de Houston St, en dessous d'Astor Place, se trouve Noho, un triangle dessiné par Lafayette St et Bond St. Les magasins réunis dans ce secteur attirent de nombreux adeptes du shopping.

SOHO, NOHO ET NOLITA

VOIR

Artists Space	1	E6
Children's Museum of the Arts	2	G5
Drawing Center	3	E6
Haughwout Building	4	F5
Museum of Comic & Cartoon Art	5	F3
Puck Building	6	G3
Singer Building	7	F4
Ancienne cathédrale St Patrick	8	G4

SHOPPING

Anna Sui	9	E4
Apple Store Soho	10	E4
Atrium	11	F2
Bloomingdale Soho	12	F5
Blue Bag	13	H3
Bond 07	14	F2
Bond 09	15	G2
Chelsea Girl	16	D5
Daffy's	17	F6
Housing Works Used Book Cafe	18	F3
John Varvatos	19	E4
McNally Robinson	20	G4
Original Levi's Store	21	F4
Prada	22	F4
Sigerson Morrison	23	G4
Sigerson Morrison	24	G4
Topshop	25	F5
Unis	26	H3
United Nude	27	H3

SE RESTAURER

Bite	28	G3
Blue Ribbon Brasserie	29	D4
Blue Ribbon Sushi	30	D4
Bond St	31	F2
Café Gitane	32	G4
Ceci Cela	33	G4
Il Buco	34	G2
Ivo&Lulu	35	C5
La Esquina	36	G5
Pinche Taqueria	37	G4
Turks & Frogs Tribeca	38	B6

PRENDRE UN VERRE

Chinatown Brasserie	39	G1
Ear Inn	40	B5
Mercbar	41	F3
Pegu Club	42	E3
Toad Hall	43	E6
Xicala	44	H5

SORTIR

Angelika Film Center	45	F3
Botanica	46	G3
Here	47	D5
Sway Lounge	48	B5

Voir carte p. 78

VOIR

ANCIENNE CATHÉDRALE SAINT-PATRICK

260-264 Prince St à la hauteur de Mott St ; presbytère 8h-17h lun-ven ; R, W jusqu'à Prince St

Avant la construction de la nouvelle cathédrale Saint-Patrick de Fifth Ave, cette gracieuse église néogothique de 1809 était le siège de l'archidiocèse de New York. Bâtie par des immigrants, essentiellement irlandais, elle continue à servir diverses communautés avec des messes en anglais, en espagnol et en chinois (presque toutes les heures le week-end et au moins une fois par jour en semaine). Les murs en briques de sa cour cachent un vieux cimetière où sont enterrées d'illustres familles new-yorkaises.

ARTISTS SPACE

212-226-3970 ; www.artistsspace. org ; 3ᵉ étage, 38 Greene St ; entrée libre ; 11h-18h mar-dim ; A, C, E, J, M, N, R, 1, 6 jusqu'à Canal St

L'un des premiers lieux alternatifs de New York, fondé en 1972 pour soutenir des artistes contemporains tournés vers la vidéo, les médias électroniques, les arts du spectacle, l'architecture et le design. Il compte une salle d'exposition et s'efforce de sensibiliser le public au rôle des artistes dans la communauté.

CHILDREN'S MUSEUM OF THE ARTS

212-274-0986 ; www.cmany.org ; 182 Lafayette St entre Broome St et Grand St ; 10 $, don libre 16h-18h jeu ; 12h-17h mer et ven-dim, 12h-18h jeu ; 6 jusqu'à Spring St, N, R jusqu'à Prince St ;

Depuis près de 40 ans, l'Artists Space fait connaître de jeunes talents prometteurs

LES QUARTIERS

SOHO, NOHO ET NOLITA

Des artistes de métier gèrent ce musée interactif qui ressemble à un vaste terrain de jeu. Les enfants peuvent toucher, courir, poser des questions, s'amuser – et apprendre à fabriquer du Flubber, une matière verte et gélatineuse : vous voilà prévenu !

◎ DRAWING CENTER

☎ 212-219-2166 ; www.drawingcenter. org ; 35 Wooster St ; entrée libre ; 🕐 10h-18h mer et ven-dim, 12h-20h jeu ; ◎ A, C, E, 1 jusqu'à Canal St
Un centre à but non lucratif exclusivement consacré au dessin, conservant des œuvres de Michel-Ange, James Ensor et Marcel Duchamp, ou encore Richard Serra, Ellsworth Kelly et Richard Tuttle.

◎ HAUGHWOUT BUILDING

488 Broadway ; ◎ 6 jusqu'à Spring St
Essayez d'imaginer ce bâtiment vers 1880, sans les stores rouges du magasin d'articles de bureau Staples. Le Haughwout fut le premier à se doter d'un nouvel appareil jusque-là inconnu : l'ascenseur hydraulique conçu par Elisha Otis.

◎ MUSEUM OF COMIC & CARTOON ART

☎ 212-254-3511 ; www.moccany.org ; 594 Broadway ; 5 $; 🕐 12h-17h ven-lun, sur rdv mar-jeu ; ◎ R, W jusqu'à Prince St

Les bédéphiles plébiscitent ce musée rempli de romans illustrés, BD et affiches anciennes, et organise des expositions spéciales autour d'auteurs confirmés et de jeunes espoirs, des vernissages et des festivals. Liste des expositions et conférences sur le site web.

◎ PUCK BUILDING

☎ 212-274-8900 ; www.thepuckbuilding. com ; 295 Lafayette St ; ◎ 6 jusqu'à Bleecker St
Dessiné par Albert Wagner en 1885 pour abriter l'imprimerie du magazine en langue allemande *Puck* (aujourd'hui disparu), ce splendide bâtiment domine l'angle sud-est du croisement entre Lafayette St et Houston St. Des statues dorées de Puck, un personnage féerique du folklore médiéval anglais, souriant, le ventre rond et portant un chapeau, ornent la façade.

◎ SINGER BUILDING

561-563 Broadway ; ◎ R, W jusqu'à Prince St
Bâti après la guerre de Sécession, cet immeuble en fonte est de ceux qui ont valu au quartier son surnom de Cast Iron District. Il abritait autrefois le principal entrepôt de la célèbre marque de machines à coudre.

Levi Okunov
Designer et producteur de défilés de mode

Comment se passent vos journées ? Si la Fashion Week approche, je travaille à préparer les défilés pour les créateurs. En clair, je m'occupe de tout : choix de la musique, de l'éclairage, parfois, il m'arrive même de couper et coudre des vêtements. Sinon, je suis dans mon atelier de Tribeca où je travaille à mes propres créations. **Comment avez-vous appris à coudre ?** J'ai grandi au sein d'une communauté juive hassidique à Brooklyn, et on peut dire que j'ai baigné là-dedans. Ma grand-mère m'a appris à me servir d'une machine à coudre. J'utilise le même genre de machine aujourd'hui dans mon atelier. **Où aimez-vous faire du shopping ?** J'aime flâner dans l'East Village, on se croirait vraiment à Berlin. J'aime le côté brut de décoffrage de ce que font beaucoup de jeunes créateurs qui travaillent dans le quartier. **Votre atelier est à la charnière entre Chinatown et Little Italy. Où aimez-vous flâner ?** Il y a un bar cool pas loin, l'Apotheke (p. 60), que j'aime bien. C'est une ancienne fumerie d'opium. J'aime également passer la soirée à The Box (p. 172). Et j'adore le café de Ferrara's et toutes les boulangeries chinoises.

🛍 SHOPPING

🏠 ANNA SUI
Mode et accessoires

☎ 212-941-8406 ; www.annasui.com ; 113 Greene St; ⏰ 11h30-19h lun-sam, 12h-18h dim ; Ⓜ R, W jusqu'à Prince St

Les fidèles clientes de la créatrice Anna Sui viennent ici acheter ses petites robes féminines et glamour qui épousent le corps juste où il faut.

🏠 APPLE STORE SOHO
Ordinateurs et accessoires

☎ 212-226-3126 ; www.apple.com/retail/soho ; 103 Prince St ; ⏰ 10h-20h lun-sam, 11h-19h dim ; Ⓜ N, R, W jusqu'à Prince St

Dans un décor translucide toujours aussi tendance, le magasin Apple fourmille de curieux et de spécialistes en quête des accessoires Mac les plus récents. Service d'e-mail et ateliers informatiques gratuits.

🏠 ATRIUM
Mode et accessoires, chaussures

☎ 212-473-3980 ; 644 Broadway à la hauteur de Bleeker St ; ⏰ 10h-21h lun-sam, 11h-20h dim ; Ⓜ B, D, F, V jusqu'à Broadway-Lafayette St

Excellent choix de vêtements, de chaussures et d'accessoires pour homme et femme : Diesel, G-Star, Miss Sixty et d'autres marques appréciées. Son grand atout : une immense gamme de jeans de qualité, comme Joe's, Seven, Blue Cult et True Religion.

🏠 BLOOMINGDALE SOHO
Mode et accessoires

☎ 212-729-5900 ; 504 Broadway ; ⏰ 10h-21h lun-ven, 10h-20h sam, 11h-19h dim ; Ⓜ R, W jusqu'à Prince St

Un peu plus branché que le "vrai" Bloomingdale de Third Ave, celui de Soho s'adresse à une clientèle jeune et vend aussi bien des tenues de soirée que des maillots de bain.

🏠 BLUE BAG *Sacs de créateurs*

☎ 212-966-8566 ; 266 Elizabeth St près de Houston St ; ⏰ 11h-19h lun-sam, 12h-18h dim ; Ⓜ N, R, W jusqu'à Prince St

Offrez-vous le dernier cri du sac à main haute couture dans cette agréable petite boutique souvent fréquentée entre autres par Jennifer Lopez et Jessica Simpson, qui adorent ses créations en cuir. Les sacs, superbes, sont faits main, et la plupart coûtent moins de 500 $.

🏠 BOND 07
Lunettes, mode et accessoires

☎ 212-677-8487 ; 7 Bond St ; ⏰ 11h-19h lun-sam, 12h-19h dim ; Ⓜ 6 jusqu'à Bleecker St

Si cette boutique propose aussi des vêtements, on y vient surtout pour les jolies lunettes de Selima Salaun, adoptées par de

nombreuses célébrités.
Avec plus de 100 modèles
en stock, vous trouverez
forcément votre bonheur.

BOND 09 *Parfums*
☎ 212-228-1940 ; 9 Bond St ;
🕑 11h-19h lun-sam ; 🚇 6
jusqu'à Bleecker St
Si vous visitez New York, autant
vous "parfumer New York". Les
senteurs maison, très agréables,
portent des noms de quartiers
de la ville, comme Eau de Noho,
Chinatown ou Chelsea Flowers.

CHELSEA GIRL
Mode et accessoires
☎ 212-343-1658 ; www.chelsea-girl.
com ; 63 Thompson St entre Spring St
et Broome St ; 🕑 12h-19h ; 🚇 C, E
jusqu'à Spring St
Une petite boutique éclectique
où il ne faut pas hésiter à fouiller :
on trouve parfois des robes Pucci
ou Dior sur les présentoirs du fond.

DAFFY'S
Mode et accessoires, déco
☎ 212-334-7444 ; www.daffys.com ;
462 Broadway à la hauteur de Grand St ;
🕑 10h-20h lun-sam, 12h-19h dim ;
🚇 A, C, E jusqu'à Canal St
Deux étages de vêtements et
d'accessoires de marque pour
homme, femme et enfant (et
quelques objets déco), à des prix
parfois incroyables. Affichant

Les dernières nouveautés Mac à l'Apple Store Soho

le prix réel et celui de Daffy's,
souvent 50% moins cher, les
étiquettes donnent encore plus
envie d'acheter.

HOUSING WORKS USED
BOOK CAFE *Librairie*
☎ 212-334-3324 ; www.housingworks.
org/usedbookcafe ; 126 Crosby St ;
🕑 10h-21h lun-ven, 12h-21h sam ; 🚇 B,
D, F, V jusqu'à Broadway-Lafayette St
Décontracté, sans prétention et
offrant un excellent choix de livres
pour la bonne cause (les bénéfices
sont reversés aux SDF séropositifs
ou malades du sida), ce spacieux
café est parfait pour passer quelques
heures au calme.

⬚ JOHN VARVATOS
Mode et accessoires

☎ 212-965-0700 ; 122 Spring St ;
🕐 11h-19h lun-sam, 12h-18h dim ;
🚇 R, W jusqu'à Prince St

L'un des couturiers pour homme les plus courus de la ville, John Varvatos a créé un style classique, élégant et intemporel – avec une touche rock'n'roll – qu'on retrouve dans ses vestes de sport, ses jeans, ses chaussures et ses accessoires. Au sous-sol vous attend une collection plus jeune et plus audacieuse.

⬚ MCNALLY ROBINSON
Livres, magazines

☎ 212-274-1160 ; www.
mcnallyrobinson.com ; 52 Prince St ;
🕐 10h-22h lun-sam, 10h-20h dim ;
🚇 R, W jusqu'à Prince St

Ce café douillet (avec Wi-Fi) abrite une librairie indépendante proposant une multitude d'ouvrages sur tous les sujets possibles – cuisine, fiction, voyages, architecture, littérature gay/ lesbienne, etc. – ainsi que des magazines et des journaux du monde entier.

⬚ ORIGINAL LEVI'S STORE
Mode et accessoires

☎ 646-613-1847 ; 536 Broadway à la hauteur de Spring St ; 🕐 10h-20h lun-sam, 11h-19h dim ; 🚇 R, W jusqu'à Prince St

Tous les jeans Levi's – 501 avec braguette à boutons, à taille basse et coupe évasée, en velours à fermeture éclair, etc. –, ainsi que des chemises, des T-shirts, des pulls et des vestes dans des styles en perpétuelle évolution.

⬚ PRADA *Mode et accessoires*

☎ 212-334-8888 ; 575 Broadway ;
🕐 11h-19h lun-sam, 12h-18h dim ;
🚇 N, R, W jusqu'à Prince St

Le cadre mérite à lui seul la visite. Aménagé dans les anciens locaux du Guggenheim Soho par l'architecte néerlandais Rem Koolhaas, ce magasin aux beaux parquets est une pure merveille. Essayez un vêtement, ne serait-ce que pour voir les portes transparentes des cabines d'essayage devenir opaques quand vous les fermez !

⬚ SIGERSON MORRISON
Chaussures

☎ 212-941-5404 ; www.
sigersonmorrison.com ; 242 Mott St et 28 Prince St ; 🕐 11h-19h lun-sam, 12h-18h dim ; 🚇 6 jusqu'à Spring St, N jusqu'à Prince St

Sigerson Morrison doit son immense succès à ses créations innovantes et pratiques (tongs à talons ou bottes en caoutchouc version chic pour les jours de pluie) dans une gamme de couleurs vives. La boutique propose aussi la ligne Belle, un peu plus accessible, où l'on retrouve son style glamour et féminin.

☐ TOPSHOP *Mode*

☎ 212-966-9555 ; www.topshopnyc. com ; 478 Broadway à la hauteur de Broome St ; ⏱ 10h-21h lun-sam, 11h-20h dim ; ⊕ 6 jusqu'à Spring St
Le génie de cette boutique tient à ce que les vêtements sont toujours tendance mais portables. Tous sont dernier cri mais éminemment flatteurs et pratiques pour la clientèle standard. Trois étages pour les femmes, un seul pour les hommes, et partout des prix très corrects. En période de soldes, c'est la cohue : préparez-vous à farfouiller dur pour dénicher de bonnes affaires.

☐ UNIS *Mode et accessoires*

☎ 212-431-5533 ; 226 Elizabeth St ; ⏱ 12h-19h ; ⊕ N, R, W jusqu'à Prince St
Unis reste une valeur sûre de Nolita grâce à ses vêtements tendance et fonctionnels : jeans slim bien coupés, chemises fluides et belles vestes pour les hommes, robes et petits hauts vaporeux pour les dames.

☐ UNITED NUDE *Chaussures*

☎ 212-274-9000 ; www.unitednude. com ; 268 Elizabeth St près de Houston St ; ⏱ 11h-19h lun-sam, 12h-20h dim ; ⊕ N, R, W jusqu'à Prince St

L'enseigne vedette propose des modèles de chaussures aussi improbables qu'originaux, mais toujours beaux : flamboyants, classiques, pour le bureau ou tendance sport. Vous cherchez des sandales à lanières, des escarpins à talons hauts, une paire de chaussures à talons compensés ? Vous les trouverez forcément ici. La boutique comporte trois grands rayons - Classics, Ultra Collection et Mono Series – proposant chacun quantité de modèles.

🍴 SE RESTAURER

🍴 BITE *En-cas bio* $

☎ 212-431-0301 ; 333 Lafayette St à la hauteur de Bleecker St ; ⏱ 8h-20h lun-ven, 12h-20h sam-dim ; ⊕ 6 jusqu'à Bleecker St ; ♿ Ⓥ 🚼
Plats végétariens, végétaliens ou à la viande, parfaits pour un petit-déjeuner ou un déjeuner sur le pouce. Commandez une salade ou un sandwich à emporter au guichet extérieur, ou asseyez-vous dans la minuscule salle triangulaire.

🍴 BLUE RIBBON BRASSERIE
Américain familial $$

☎ 212-274-0404 ; www. blueribbonrestaurants.com ; 97 Sullivan St près de Spring St ; ⏱ dîner ; ⊕ C, E jusqu'à Spring St ; ♿ Ⓥ 🚼
Toujours aussi apprécié depuis 1992, surtout pour ses dîners

tardifs, ce restaurant fondé par les frères Bromberg possède de multiples annexes : le **Blue Ribbon Sushi** (119 Sullivan St), tout proche, la **Blue Ribbon Bakery** (plan p. 106 ; 35 Downing St) et le **Blue Ribbon Downing Street Bar** (plan p. 106 ; 34 Downing St). Cet établissement-ci est connu pour ses délicieux hors-d'œuvre à base de fromage, ses salades fraîchement préparées et ses succulents produits de la mer, comme le poisson-chat aigre-doux ou la truite saumonée.

BOND ST *Japonais* $$$
☎ 212-777-2500 ; www.bondrestaurant. com ; 6 Bond St ; 18h-22h30 dim-lun, 18h-23h30 mar-sam ; 6 jusqu'à Bleecker St ;
Nobu n'a qu'à bien se tenir : voici Bond St. Ce restaurant existe depuis un certain temps, mais les habitués tenaient à conserver le secret. Sushis à la carte : sériole avec miso au poivre rouge, thon à la mayonnaise pimentée, crevettes au sésame et au curry d'orange, anguille chaude aux amandes. On peut aussi commander des plats, des assortiments de nigiris ou de sashimis et un menu dégustation *omakase*.

CAFÉ GITANE
Bistrot marocain $
☎ 212-334-9552 ; www.cafegitanenyc. com ; 242 Mott St ; 9h-minuit dim-jeu, jusqu'à 0h30 ven-sam ; N, R, W jusqu'à Prince St

On se croirait vraiment à Paris. Les amateurs de shopping chic adorent ce bistrot authentique, où ils peuvent commander un café noir ou un plat : *ceviche* de thon albacore, boulettes de viande épicées sauce tomate et curcuma avec un œuf dur, salade grecque sur *focaccia* ou salade de cœurs de palmiers. Belle sélection de vins.

CECI CELA *Pâtisserie* $
☎ 212-274-9179 ; www.cecicelanyc. com ; 55 Spring St près de Lafayette St ; 7h30-20h lun-jeu, sam et dim, jusqu'à 22h ven ; 6 jusqu'à Spring St ;
Cette étroite et minuscule pâtisserie française propose toutes sortes de douceurs : pains au chocolat, chaussons aux pommes, pains aux raisins, brioches, etc., mais aussi des tartes aux fruits, et de la crème brûlée. Possibilité de s'attabler dans le fond de la boutique.

IL BUCO *Italien* $$$
☎ 212-533-1932 ; 47 Bond St entre Bowery St et Lafayette St ; déj et dîner mar-dim ; B, D, F, V jusqu'à Broadway-Lafayette St, 6 jusqu'à Bleecker St
Ce restaurant est absolument charmant avec ses pots en fonte, ses lampes à pétrole et ses meubles anciens. La carte est impressionnante, de même que la liste des vins. Parmi les spécialités mémorables figurent la polenta aux *rapini* (sorte de brocoli)

et aux anchois, les *pappardelle* maison garnies d'un mélange de champignons, et les succulentes côtelettes d'agneau à la moutarde de Dijon.

🍴 IVO & LULU *Antillais* $

☎ 212-226-4399 ; 558 Broome St près de Varick St ; 🕐 dîner ; ⊕ C, E jusqu'à Spring St, 1 jusqu'à Canal St ; 🚻 Ⓥ 🚻

Ivo et Lulu, originaires des Antilles françaises, proposent des produits bio, des plats végétariens et quelques spécialités de canard, de poulet et de poisson dans une salle minuscule. On ne sert pas d'alcool mais vous pouvez apporter votre bouteille. Paiement en espèces uniquement.

🍴 LA ESQUINA *Mexicain* $$

☎ 646-613-6700 ; www.esquinanyc. com ; 114 Kenmare St ; 🕐 24h/24 ; ⊕ 6 jusqu'à Spring St

Dans le petit triangle délimité par Cleveland Place et Lafayette St, cette ancienne gargote est devenue un établissement immensément populaire, constitué en fait de trois parties : un stand de tacos à emporter, un café mexicain décontracté et un restaurant douillet dans un sous-sol ultra-branché (uniquement sur réservation). Tacos au chorizo ou au porc mariné, salade de mangue et de *jicama* figurent parmi les mets proposés, également servis dans la salle à l'étage, accessible sans réservation.

🍴 PINCHE TAQUERIA
Mexican $

☎ 212-625-0090 ; www.pinchetaqueria. us ; 227 Mott St entre Prince St et Spring St ; 🕐 11h-23h lun-jeu, jusqu'à minuit ven et sam, jusqu'à 20h dim ; ⊕ 6 jusqu'à Spring St ; 🚻

Régalez-vous d'authentiques tacos, *tostadas*, *burritos*, *quesadillas* et autres délices mexicaines (légumes, poisson, poulet ou viande), accompagnés de frites de yucca et de guacamole, et pour faire passer le tout, commandez une *horchata*. Ce petit établissement bondé est parfait pour se régaler par un après-midi torride. Si cette enseigne affiche complet, essayez celle du 333 Lafayette St (à côté du Bite ; p. 85).

🍴 TURKS AND FROGS
TRIBECA *Turc* $$

☎ 212-966-4774 ; www.turksandfrogs. com ; 458 Greenwich St près de Desbrosses St ; 🕐 déj et dîner ; ⊕ A, C, E, 1 jusqu'à Canal St ; 🚻

Ce charmant bistrot meublé d'antiquités turques et françaises appartient aux mêmes propriétaires que le bar à vins Turks and Frogs, dans le West Village. Si la décoration est mixte, la cuisine est exclusivement turque : mezze, hoummous, aubergines et olives de toutes sortes, et quelques plats délicieux comme des boulettes d'agneau, du rouget à la roquette, de fines tranches d'agneau à l'origan ou du ragoût d'agneau à la sauce tomate et aux aubergines.

▼ PRENDRE UN VERRE

▼ CHINATOWN BRASSERIE *Bar*
☎ 212-533-7000 ; www.chinatownbrasserie.com ; 380 Lafayette St près de Great Jones St ; ⏱ déj et dîner ; ⑥ jusqu'à Bleecker St, N, R, W jusqu'à Astor Pl ; ♿ Ⓥ
La salle à manger, immense et décorée dans le style pagode, avec lanternes chinoises, permet de savourer des dim sum pendant des heures. Tout aussi splendide mais moins éprouvant pour le porte-monnaie et la patience, le bar reçoit une clientèle bigarrée et amusante.

▼ EAR INN *Bar*
☎ 212-431-9750 ; http://earinn.com ; 326 Spring St entre Greenwich St et Washington St ; ⏱ 12h-4h ; ⑥ C, E jusqu'à Spring St
Lectures hebdomadaires et concerts sont au programme de ce bar chargé d'histoire, ouvert depuis 1817 dans la James Brown House (il s'agit de l'aide de camp de George Washington, et non du chanteur). Il est fréquenté par des éboueurs, des traders stressés

de Wall Street et des habitants du quartier.

▼ MERCBAR *Bar*
☎ 212-966-2727 ; www.mercbar.com ; 151 Mercer St entre W Houston St et Prince St ; ⏱ 17h-2h dim-mar, 17h-4h mer-sam ; ⑥ R, W jusqu'à Prince St
Un petit bar intime où on peut discuter sans avoir à hurler par-dessus la sono. Très apprécié des habitués, travaillant souvent dans l'édition, qui aiment venir discuter devant un martini.

▼ PEGU CLUB *Bar*
☎ 212-473-7348 ; www.peguclub.com ; 77 W Houston St près de Wooster St ; ⏱ 17h-2h ; ⑥ B, D, F, V, 6 jusqu'à Broadway-Lafayette St
Montez à l'étage et entrez dans ce bar au décor d'inspiration marine qui concocte des cocktails sensationnels. Essayez le Gin Gin Mule, le Pisco Sour, le Lemon Drop, ou les divers martini, manhattan et vodkas.

▼ TOAD HALL *Bar*
☎ 212-431-8145 ; 57 Grand St près de W Broadway ; ⏱ 12h-2h ; ⑥ A, C, E, J, M, N, Q, R, W, Z, 1, 6 jusqu'à Canal St
Hospitalité à l'ancienne au Toad Hall (notez le panonceau sur la porte : "Soyez aimable ou sortez"). Ici, vins et bières sont servis dans une ambiance conviviale et, si vous avez faim, les barmen vous proposeront un grand choix de plats.

☒ XICALA *Bar*
☎ 212-219-0599 ; 151 Elizabeth St ;
🕐 17h-2h ; Ⓜ 6 jusqu'à Spring St ; ♿

Le mercredi soir, un trio cubain ajoute à l'atmosphère déjà festive de ce petit bar à vins et à tapas. Spécialité de la maison : la sangria à la fraise, mais les sherry de la Rioja ou de Jerez sont également délicieux.

⭐ SORTIR

⭐ ANGELIKA FILM CENTER
Cinéma
☎ 212-995-2000 ; www.angelikafilmcenter.com ; 18 W Houston St à la hauteur de Mercer St ; billets 10-14 $; 🕐 tlj ; Ⓜ B, D, F, V jusqu'à Broadway-Lafayette St ; ♿ ♿

Spécialisé dans les films étrangers ou indépendants, l'Angelika dégage un certain charme désuet (longues files d'attente, grondement du métro et sono parfois incertaine). Le superbe bâtiment signé Stanford White mérite à lui seul la visite, et le spacieux café est un bon endroit pour se donner rendez-vous.

⭐ BOTANICA *Bar en sous-sol*
☎ 212-343-7251 ; 47 E Houston St entre Mott St et Mulberry St ; 🕐 tlj ; Ⓜ 6 jusqu'à Bleecker St, B, D, F, V jusqu'à Broadway-Lafayette St

On dirait un bar un peu louche, mais il ne faut pas se fier aux apparences. Les boissons sont très bon marché, surtout pendant l'*happy hour*

(tlj de 17h à 20h), et quand tard le soir, les gens se mettent à danser, l'atmosphère sans prétention est encore plus décontractée.

⭐ HERE *Théâtre*
☎ 212-647-0202 ; www.here.org ; 145 Sixth Ave entre Spring St et Broome St ; Ⓜ C, E jusqu'à Canal St

Loué par la critique et pourtant constamment sous-financé, il soutient tout ce qui peut être indépendant, innovant et expérimental : la *Symphonie fantastique* de Basil Twist, *On Edge* de Hazelle Goodman ou encore *All Wear Bowlers* de Trey Lyford et Geoff Sobelle. Les horaires et les prix varient, mais le café offre une excellente occasion de se renseigner.

⭐ SWAY LOUNGE *Discothèque*
☎ 212-620-5220 ; www.swaylounge.com ; 305 Spring St ; droit d'entrée ; 🕐 21h-3h lun et jeu ; Ⓜ C, E jusqu'à Spring St

Cette boîte chic à l'élégant décor de style marocain pratique une politique très stricte à l'entrée les soirs d'affluence (soit presque tous les soirs en fait). L'endroit est petit, mais il y a suffisamment de place pour danser au son de la musique des *eighties* le jeudi soir, et sur du rock et du hip-hop le vendredi. Les autres soirs, des DJ comme Mark Ronson et DJ Herschel sont aux platines.

>EAST VILLAGE

L'East Village n'a rien perdu de son esprit combatif, même si les protestations portent aujourd'hui sur le coût des loyers plutôt que sur les droits civiques. Punks, étudiants de l'université de New York, courtiers de Wall Street, professeurs, philosophes, poètes, prostituées, danseurs et ouvriers du bâtiment se côtoient ici, signe du rôle joué autrefois par la lutte des classes et l'esprit révolutionnaire. Toutefois, les grandes causes derrière lesquelles tout le monde se rallie ont désormais plus à voir avec la survie individuelle qu'avec les problèmes du monde, et l'East Village a troqué son militantisme contre une vie nocturne débridée.

Mais tout n'est pas perdu : malgré le ballet des limousines le long de Second Ave, les discothèques, les bars et les restaurants, les habitants restent fidèles au KGB Bar (ancien rendez-vous des socialistes) et à ses lectures hebdomadaires, manifestent contre la hausse des loyers et luttent farouchement contre les promoteurs immobiliers. Ici, les façades changent peut-être, mais l'esprit communautaire reste le même.

EAST VILLAGE

⊙ VOIR

6th and B Garden	1	G4
Colonnade Row	2	B4
Gallery 440	3	B4
Grace Church	4	B3
Merchant's House Museum	5	B5
Bains russes et turcs	6	E3
St Mark's in the Bowery	7	D3
Tompkins Square Park	8	F3
Ukrainian Museum	9	C4

🏠 SHOPPING

Apt 141	10	B2
AuH2O	11	D4
Cadillac Castle	12	D3
John Derian	13	C5
John Derian's Dry Goods	14	C5
Odin	15	D2
Other Music	16	B5

Tokio 7	17	D4
Trader Joe's	18	B1

🍴 SE RESTAURER

Artichoke Basille's Pizza	19	D1
B & H Dairy	20	D4
Caracas Arepas Bar	21	E4
EU	22	F5
Kanoyama	23	D2
Lavagna	24	F4
Momofuku Ko	25	E3
Momofuku Noodle Bar	26	E3
Momofuku Ssam	27	D2
S'Mac	28	D2
Tuck Shop	29	D6

🍸 PRENDRE UN VERRE

11th Street Bar	30	F2
Angel's Share	31	C3

Bowery Wine Company	32	C6
DBA	33	E5
In Vino	34	F5
KGB Bar	35	C5
Louis 649	36	G3
Nublu	37	H5

⭐ SORTIR

Easternbloc	38	F4
Joseph Papp Public Theater	39	B5
La MaMa ETC	40	C5
Nuyorican Poets Café	41	G5
Orpheum Theater	42	D3
Pyramid Club	43	F4
Webster Hall	44	B2

Voir carte p. 92

VOIR

6TH AND B GARDEN

www.6bgarden.org ; E 6th St et Ave B ;
13-18h sam et dim ; 6 jusqu'à
Astor Pl
La nature règne sans partage
sur les fleurs, les vignes et les
sculptures de ce jardin tranquille
de 1 500 m², une ancienne friche
transformée par les habitants du
quartier, qui se sont battus pour
empêcher la municipalité de la
revendre. Désormais, chacun
profite de cette oasis de verdure.

BAINS RUSSES ET TURCS

212-473-8806 ; www.
russianturkishbaths.com ; 268 E 10th St
entre First Ave et Ave A ; 30 $ la séance ;
12h-22h lun, mar, jeu et ven, 10h-22h
mer, 9h-22h sam, 8h-22h dim ; L
jusqu'à First Ave, 6 jusqu'à Astor Pl
Depuis 1892, ces bains offrent
hammam, bassin d'eau glacée,
sauna et solarium. Le droit d'entrée
pour la journée comprend le
casier, le cadenas, le peignoir, les
serviettes et les claquettes. Sur
place, le café russe sert des jus de
fruits, des salades de pommes de
terre et d'olives, des crêpes et du
bortsch. Les bains sont réservés aux
femmes le mercredi de 10h à 14h et
aux hommes le samedi de 8h à 14h.

COLONNADE ROW

428-434 Lafayette St entre Astor Pl
et E 4th St ; 6 jusqu'à Astor Pl

Jadis, neuf demeures en pierre
de style néogrec se dressaient
dans cette rue ; il n'en reste que
quatre. Toutes présentent une
façade ornementée et furent
construites en 1833 par des
détenus de Sing Sing, une prison
du nord de l'État. Certains des
autres grands bâtiments qu'on
voit dans les environs font partie
de Cooper Union – notamment
sa grande salle, où Abraham
Lincoln prononça un réquisitoire
contre l'esclavage et où Barack
Obama fit un grand discours
économique lors des primaires
pour les élections présidentielles
de 2008.

GALLERY 440

212-979-5800 ; www.gallery440.
com ; 440 Lafayette St ; entrée libre ;
10h-18h lun-ven, sur rdv sam ;
6 jusqu'à Bleecker St
Pour acheter ou simplement
pour regarder. Située au-dessus
de la célèbre Wooster Gallery, la
Gallery 440 représente des artistes
très divers et on peut toujours y
voir quelque chose de nouveau.

GRACE CHURCH

www.gracechurchnyc.org ; 800-804
Broadway à la hauteur de E 10th St ;
10h-17h, services religieux tlj ; R,
W jusqu'à 8th St-NYU, 6 jusqu'à Astor Pl
Sur un bout de terrain étonnamment
verdoyant, non loin d'Astor Place,

A

Union
Square

Park Ave South

14th St-
Union Sq

B

C

Stuyvesant
Square

D

E 15th St

Irving Pl

1

Voir carte Union Square,
le Flatiron District et
Gramercy Park p. 141

E14th S t

18

3rd Ave

19

E 13th St

10

E 13th St

27

28

Fourth Ave

Broadway

2

E 12th St

E 12th St

Second Ave

23

E 11th St

44

Third Ave

E 11th St

15

7

E 10th St

4

Voir carte Greenwich
et West Village p. 106

3

E 9th St

GREENWICH
VILLAGE

8th St-
NYU

Stuyvesant St

31

E 9th St

12

E 8th St

Astor Pl

St Marks Pl

Astor Pl

4

Mercer St

Greene St

Waverly Pl

Washington Pl

3

2

Colonnade Row

20

E 7th St

17

E 6th St

Fourth Ave

9

W 4th St

New York
University

39

16

W 3rd St

Great Jones St

5

E 5th St

E 4th St

35

40

NOHO

Broadway

Mercer St

Voir carte
Soho, Noho
et Nolita p. 78

Lafayette St

Bond St

Bleecker St

6

Crosby St

Mulberry St

Mott St

Bleecker St

13

14

Elizabeth St

Bowery

Second Ave

E 3rd St

New Yor
CityMarb
Cemeter

E 2nd St

E 1st St

32

Lower East Side-
Second Ave

E Houston St

cette belle église néogothique fut dessinée par James Renwick Jr et construite en marbre par des détenus de Sing Sing. C'est également une école très recherchée, dont les recoins, les vitraux et les vieilles bibliothèques rappellent l'atmosphère des livres dont Harry Potter est le héros.

⊙ MERCHANT'S HOUSE MUSEUM

☎ 212-777-1089 ; www.merchants house.com ; 29 E 4th St entre Lafayette St et The Bowery ; adulte/ senior et étudiant 10/5 $; ⏲ 12h-17h jeu-lun ; ⊕ 6 jusqu'à Bleecker St

Ce musée permet de découvrir la vie des riches marchands new-yorkais au XIXᵉ siècle. Bâtie en 1831, l'ancienne demeure du négociant Seabury Tredwell a été conservée en l'état par sa famille (meubles, vêtements, et même évier de cuisine). Un saisissant voyage dans le passé.

⊙ ST MARK'S IN THE BOWERY

☎ 212-674-6377 ; http://stmarksbowery. org ; 131 E 10th St à la hauteur de Second Ave ; ⏲ 10h-18h lun-ven ; ⊕ 6 jusqu'à Astor Pl, L jusqu'à Third Ave

Toujours en activité, cette église épiscopale fut érigée en 1799 sur les terres agricoles du gouverneur hollandais Peter Stuyvesant, qui est

Tompkins Square Park (ci-contre), un petit parc à l'histoire mouvementée

enterré dans la crypte. Outre la messe du dimanche, très fréquentée, les manifestations culturelles organisées ici remportent un franc succès. Les lectures de poésie comme **Poetry Project** (☎ 212-674-0910) et les spectacles de danse tels que **Danspace** (☎ 212-674-8194) trouvent leur point d'orgue au Nouvel An avec 24 heures de prestations diverses, notamment poésie et chant.

⬤ TOMPKINS SQUARE PARK
www.nycgovparks.org ; E 7th St et 10th St entre Ave A et Ave B ; ⏲ 6h-minuit ; ⬤ 6 jusqu'à Astor Pl ; ♿
En 1874, 7 000 ouvriers en colère et 1 600 policiers s'affrontèrent dans cette enclave verdoyante, et l'histoire s'est répétée à maintes reprises depuis : le Tompkins Square Park est au cœur de toutes les manifestations dans l'East Village. Ce grand parc est champêtre la journée, animé le soir et légèrement mal famé tard dans la nuit.

⬤ UKRAINIAN MUSEUM
☎ 212-228-0110 ; www. ukrainianmuseum.org ; 222 E 6th St entre Second Ave et Third Ave ; adulte 8 $, senior et étudiant 6 $, moins de 12 ans gratuit ; ⏲ 11h30-17h mer-dim ; ⬤ F, V jusqu'à Lower East Side-Second Ave, L jusqu'à First Ave
Les Européens de l'Est sont implantés de longue date à New York et la présence ukrainienne, en

particulier, est bien marquée. Ce musée retrace cette histoire à travers une collection d'art populaire : céramique, tissage, sans oublier les traditionnels œufs de Pâques.

🛍 SHOPPING
🏠 APT 141 *Boutique*
☎ 212-982-4227 ; www. threefreedesign.com ; 141 E 13th St ; ⏲ 12h-20h mer-sam, 13h-20h dim, appt uniquement lun et mar ; ⬤ L, N, Q, R, W, 4, 5, 6 jusqu'à 14th St-Union Sq
Des robes juvéniles et gaies aux couleurs vives, à rayures ou encore à pois sont ici cousues main dans de la fibre de bambou, de la soie, du lin, du lycra et du coton. Apt 141 a le truc pour créer de jolies robes et jupes bien coupées qui sont le comble du chic.

🏠 AUH2O *Boutique*
☎ 212-466-0844 ; www.auh2odesigns. com ; 84 E 7th St entre First Ave et Second Ave ; ⏲ 13h-20h mar-dim ; ⬤ N, R, W jusqu'à 8th St-NYU, 6 jusqu'à Astor Pl
La propriétaire, Kate Goldwater, se sert de vieux T-shirts, chemises et robes qu'elle recycle en ravissants modèles originaux taillés sur mesure (service gratuit). Tout est cousu main, et Kate agrémente fréquemment ses chemises de slogans politiques, parmi lesquels les slogans pro-féministes se taillent la part du lion.

🖼 CADILLAC CASTLE
Mode et accessoires
☎ 212-475-0406 ; 333 E 9th St ;
🕐 12h-20h ; 🚇 6 jusqu'à Astor Pl,
L jusqu'à First Ave

Chaussures, sacs, robes et accessoires à très bons prix sont le grand atout de cette boutique (sans compter l'adorable chien du propriétaire). Beaucoup de grandes marques – créateurs contemporains ou plus classiques, comme Chanel.

🖼 JOHN DERIAN
Déco et objets divers
☎ 212-677-3917 ; 6 E 2nd St ;
🕐 12h-19h mar-dim ; 🚇 F, V
jusqu'à Lower East Side-Second Ave

Vous cherchez une assiette, un presse-papier, un dessous de verre, une lampe ou un vase sortant de l'ordinaire ? Poussez la porte de cette pittoresque boutique qui recèle bien d'autres curiosités : T-shirts ornés de motifs facétieux du XIXe siècle, terres cuites, gravures sur lino, etc. Les draps et autres articles sont vendus à proximité, chez **John Derian's Dry Goods** (☎ 212-677-8408 ; 10 E 2nd St ; 🕐 12h-19h mar-dim).

🖼 ODIN *Mode et accessoires*
☎ 212-475-0666 ; http://odinnewyork. com ; 328 E 11th St ; 🕐 12h-20h ;
🚇 L jusqu'à First Ave, L, N, Q, R, W, 4, 5, 6 jusqu'à 14th St-Union Sq

Les hommes à la pointe de la mode se pressent dans cette boutique pleine de T-shirts artistiques et de styles avant-gardistes originaux. L'atmosphère est plutôt chic, mais on trouve aussi bien des couvre-chefs hippies que des costumes pour jeunes cadres dynamiques.

🖼 OTHER MUSIC *Musique*
☎ 212-477-8150 ; www.othermusic. com ; 15 E 4th St ; 🕐 12h-21h lun-ven, 12h-20h sam, 12h-19h dim ; 🚇 6 jusqu'à **Bleecker St**

Ce magasin indépendant propose des disques neufs ou d'occasion : musique d'ambiance, psychédélique, électronique, rock indépendant, etc. Les aimables vendeurs sont d'une aide précieuse.

🖼 TOKIO 7 *Mode et accessoires*
☎ 212-353-8443 ; 83 E 7th St près de First Ave ; 🕐 12h-20h30 lun-sam, 12h-20h dim ; 🚇 6 jusqu'à Astor Pl

En bas d'un escalier dans un coin ombragé, ce dépôt-vente est apprécié pour ses vêtements de créateurs en bon état mais assez coûteux. Excellente sélection de costumes pour homme, dans des prix avoisinant les 100-150 $.

🖼 TRADER JOE'S
Nourriture et boissons
☎ 212-529-4612 ; 142 E 14th St ;
🕐 9h-22h ; 🚇 L, N, Q, R, W, 4, 5, 6 jusqu'à 14th St-Union Sq

Tout le monde aime Trader Joe's, ses cafés issus du commerce équitable,

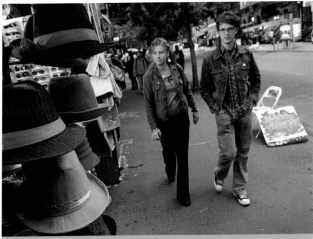

L'East Village est le domaine des punks, des poètes, des professeurs, des philosophes – et des chapeaux.

ses fruits, ses légumes, son bœuf et son poulet bio et ses produits exotiques rares. On aime tellement ce magasin qu'il faut s'armer de patience pour faire ses courses : petit et assez mal conçu, il est vite bondé.

SE RESTAURER

ARTICHOKE BASILLE'S PIZZA *Pizzéria* $

☎ 212-228-2004 ; 328 E 14th St entre First Ave et Second Ave ; 🕑 déj et dîner ; ⊙ L, N, Q, R, W, 4, 5, 6 jusqu'à 14th St-Union Sq ; ⑤ Ⓥ ⑤

Certains disent que cette pizzéria se trouve dans l'East Village,

d'autres prétendent qu'elle est dans Union Sq, mais une chose est sûre : on y mange très bien. Tenue par deux Italiens de Staten Island, elle sert des pizzas authentiques et abondamment garnies. La spécialité de la maison est celle au fromage, aux artichauts et aux épinards ; la "sicilienne", plus fine, met l'accent sur la pâte croustillante et la sauce savoureuse. Généralement ouverte de midi à minuit, mais parfois seulement à partir de 15h. Attendez-vous à faire la queue.

🍴 B & H DAIRY
Crémerie casher $

☎ 212-505-8065 ; 127 Second Ave entre St Marks Pl et E 7th St ; 🕐 petit-déj, déj et dîner ; 🚇 6 jusqu'à Astor Pl ; 🚻 🅥 👶

Produits casher frais, végétariens et faits maison, avec tous les jours six sortes de soupes à accompagner d'une bonne tranche de pain *challah*. Joignez-vous à la foule au comptoir et captez l'attention d'un serveur avant de mourir de faim !

🍴 CARACAS AREPAS BAR
Sud-américain $

☎ 212-529-2314 ; www. caracasarepasbar.com ; 93 1/2 E 7th St entre First Ave et Ave A ; 🕐 12h-23h ; 🚇 6 jusqu'à Astor Pl ; 🚻 🅥 👶

Dans ce minuscule restaurant, choisissez entre les *empanadas*,

les plats du jour (soupe de queue de bœuf, par exemple) ou les 17 sortes d'*arepas* (tortillas de maïs fourrées aux légumes et à la viande) chaudes et croustillantes, dont la Pepi Queen (poulet et avocat) et La Pelua (bœuf et cheddar), servies avec de la *nata* (crème sigre) et des bananes plantains frites.

🍴 EU *Pub européen* $$$

☎ 212-254-2900 ; www.theeunyc. com ; 235 E 4th St entre Ave A et Ave B ; 🕐 dîner tlj, brunch sam-dim ; 🚇 F, V jusqu'à Lower East Side-Second Ave

La mode des pubs haut de gamme a atteint l'East Village, mais avec une touche minimaliste dans le décor. Le EU ("European Union") propose de bons petits plats comme le chapon braisé aux

L'EMPIRE MOMOFUKU

Les New-Yorkais raffolent des établissements du chef David Chang, réputés pour leurs fabuleux bars à fruits de mer crus, leurs *ramen*, leurs ris de veau, leurs salades de poulpe grillé, leur langue de bœuf grillée et leurs délicieux *bib bim bap* (plats de riz aux légumes). Dans le plus couru, le **Momofuku Ko** (www.momofuku.com ; 163 First Ave près de E 10th St ; 🕐 déj et dîner ; 🚇 L jusqu'à First Ave, 6 jusqu'à Astor Pl), les réservations s'effectuent uniquement par Internet une semaine à l'avance. Le **Momofuku Ssam** (207 2nd Ave près de E 13th St ; 🚇 6 jusqu'à Astor Pl) propose une cuisine asiatique fusion créative, le **Momofuku Noodle Bar** (171 First Ave près de E 10th St ; 🚇 L jusqu'à First Ave, 6 jusqu'à Astor Pl) est célèbre pour ses *ramen*, quant au tout dernier de la série, **Ma Peche** (15 W 56th St entre Sixth Ave et Fifth Ave ; 🚇 F jusqu'à 57th St), d'influence française, il est installé à Midtown dans les Chambers Hotel, et ouvert matin, midi et soir. Enfin, le **Milk Bar** (au Ma Peche à Midtown et au Momofuku Ssam dans l'East Village ; 🕐 9h-minuit) sert de délicieux cookies, gâteaux, tourtes et cocktails de fruits.

gnocchis, le sanglier sur fondue de blettes et le poulpe grillé aux coings braisés. Il y a aussi un choix de tapas, des fruits de mer et des assiettes de charcuterie.

KANOYAMA Sushis $

☎ 212-777-5266 ; http://kanoyama. com ; 175 Second Ave près de E 11th St ; 🕐 dîner ; 🚇 L jusqu'à Third Ave, L, N, Q, R, W, 4, 5, 6 jusqu'à 14th St-Union Sq ; 🚻 V

De bons sushis sans prétention, au cœur de l'East Village. Ce restaurant très apprécié des habitants du quartier n'a pas encore été repéré par les critiques gastronomiques, ce qui explique peut-être son atmosphère simple et sans fioritures. Les sushis sont servis à la carte ou en rouleaux, et il existe des *tempura* de toutes sortes.

LAVAGNA Italien $$

☎ 212-979-1005 ; www.lavagnanyc. com ; 545 E 5th St près de Ave B ; 🕐 dîner ; 🚇 F, V jusqu'à Lower East Side-Second Ave ; 🚻 V

Ses boiseries sombres, ses bougies et la chaleur rougeoyante de sa cuisine semi-ouverte en font le refuge des amoureux tard le soir. L'endroit est assez décontracté pour que l'on puisse y venir avec des enfants, du moins tôt dans la soirée car la petite salle se remplit vite. En plus des pâtes délicieuses et des pizzas à pâte fine,

Lavagna propose quelques plats comme le ragoût de lapin.

S'MAC Américain $

☎ 212-358-7912 ; www.smacnyc.com ; 345 E 12th St à la hauteur de First Ave ; 🕐 13h-22h lun, 11h-23h mar-jeu et dim, 11h-1h ven et sam ; 🚇 6 jusqu'à Astor Pl ; V

S'Mac est le maître incontesté des macaronis au fromage. Il en existe ici de toutes sortes : au cheddar et au fromage du Vermont (le "All-American", avec ou sans bacon), au gruyère, au *manchego*, ou encore en version cajun.

TUCK SHOP Australien $

☎ 212-979-5200 ; www.tuckshopnyc. com ; 68 E 1st St près de First Ave ; 🕐 8h-2h lun-jeu, 8h-5h ven et sam, 12h-22h dim ; 🚇 F, V jusqu'à Lower East Side-Second Ave ; V

Chaussons à la viande, petits pains aux saucisses et sandwichs maison, préparés avec des produits bio, ainsi que diverses tourtes du jour : poulet au curry, viande hachée, légumes, crevettes, chili, entre autres. Les desserts sont délicieux, notamment le Dame Edna Delight et la Peter Allen Pie, mais on apprécie aussi beaucoup le petit-déjeuner, composé de viande, d'œufs et de fromage, servis avec une tasse fumante de café bio issu du commerce équitable.

PRENDRE UN VERRE

11TH STREET BAR *Bar*

☎ 212-982-3929 ; www.11thstbar.com ; 510 E 11th St entre Ave A & Ave B ; ⏰ 12h-2h ; ⓣ F, V jusqu'à Lower East Side-Second Ave

Le point de chute le plus fréquenté du quartier, avec ses canapés, son grand bar, son ambiance animée et sa clientèle de hippies et de jeunes étudiants.

ANGEL'S SHARE *Bar*

☎ 212-777-5415 ; 2e étage, 8 Stuyvesant St près de Third Ave et E 9th St ; ⏰ 17h-minuit ; ⓣ 6 jusqu'à Astor Pl

Le DBA, paradis de la bière

Un petit bijou situé derrière un restaurant japonais au même étage. Calme et élégant, il sert des cocktails originaux. Venez de bonne heure, car les tables se remplissent vite et on ne peut pas consommer s'il n'y a plus de place assise.

BOWERY WINE COMPANY *Bar à vins*

☎ 212-614-0800 ; www.bowerywineco.com ; 13 E 1st St ; ⏰ 17h-1h lun-jeu, 17h-2h ven, 12h-2h sam, 12h-1h dim ; ⓣ F, V jusqu'à Lower East Side-Second Ave

Les amateurs de vin seront comblés par la carte changeante du Bowery Bar, qui propose quantité de crus délicieux (certains locaux, d'autres plus insolites). Vous pourrez danser au son du jazz live si le cœur vous en dit, et également vous régaler de savoureux amuse-gueules.

DBA *Pub*

☎ 212-475-5097 ; www.drinkgoodstuff.com ; 41 First Ave ; ⏰ 13h-4h ; ⓣ F, V jusqu'à Lower East Side-Second Ave

Le patron, Ray Deter, est le grand spécialiste de la bière à la pression de style britannique. Il en propose plus de 150, dont la "High and Mighty Ale". DBA offre également toute une sélection de whiskies pur malt et de tequilas. On peut les déguster dans le jardin, à l'arrière.

★ IN VINO *Bar*
☎ 212-539-1011 ; www.invino-ny.com ; 215 E 4th St ; 🕙 17h-23h dim-jeu, 17h-minuit ven et sam ; ⊕ F, V jusqu'à Lower East Side-Second Ave

Oubliez un moment l'agitation des rues dans ce petit bar aux allures de cave offrant des centaines de vins italiens et une atmosphère calme et tranquille, sur un fond musical jazzy (live ou enregistré). Petites assiettes d'en-cas italiens (paninis, olives, anchois).

★ KGB BAR *Bar*
☎ 212-505-3360 ; 2ᵉ étage, 85 E 4th St près de Second Ave ; 🕙 17h-1h ; ⊕ 6 jusqu'à Astor Pl, F, V jusqu'à Lower East Side-Second Ave

Dans les années 1940, ce lieu était le siège du parti socialiste ukrainien. Les murs rouges écaillés et les affiches de propagande jaune vif sont donc authentiques. Le KGB s'est transformé en un bar littéraire voici quelques années. Les lectures sont toujours couronnées de succès et la vodka coule à flots.

★ LOUIS 649 *Bar*
☎ 212-673-1190 ; www.louis649.com ; 649 E 9th St près de Ave C ; 🕙 18h-4h ; ⊕ L jusqu'à First Ave

Le bar de Zachary Sharaga, originaire du Bronx, est une figure

de l'East Village, apprécié des clients pour ses prix abordables et son cadre sans prétention. Des soirées dégustation gratuites sont organisées le mardi : le propriétaire fait alors venir un spécialiste qui parle de sa production et l'alcool coule à flots. Alors que le bar recevait traditionnellement des groupes de jazz, il programme désormais un mélange éclectique de pop, de hip-hop et de rock tiré de l'iPod du premier client venu. Avis aux amateurs.

★ NUBLU *Bar, discothèque*
☎ 212-375-1500 ; www.nublu.net ; 62 Ave C ; 🕙 20h-4h ; ⊕ 6 jusqu'à Astor Pl, F, V jusqu'à Lower East Side-Second Ave

Ne vous laissez pas rebuter par la façade couverte de tags : si vous voyez la lampe bleue à la porte, vous êtes au bon endroit (il n'y a pas d'enseigne). À l'intérieur, vous trouverez des parquets en bois, de grandes portes-fenêtres ouvrant sur un patio et une ambiance décontractée. Tard le soir, les choses s'animent quand tout le monde se met à danser.

★ SORTIR
☆ EASTERNBLOC *Discothèque*
☎ 212-777-2555 ; www.easternblocnyc.com ; 505 E 6th St entre Ave A et B ; 🕙 19h-4h ; ⊕ F, V jusqu'à Lower East Side-Second Ave

Décor kitsch sur le thème du rideau de fer, avec vidéos de Bettie Page, affiches de l'époque communiste et serveurs à l'allure slave. Des go-go girls assurent l'animation du jeudi au samedi.

☆ JOSEPH PAPP PUBLIC THEATER *Théâtre*
☎ 212-260-2400 ; www.publictheater. org ; 425 Lafayette St ; 🕑 horaires variables ; 🚇 N, R jusqu'à 8th St-NYU, 6 jusqu'à Astor Pl

Chaque été, le Papp présente son fabuleux et très attendu festival "Shakespeare in the Park", au Delacorte Theater, à Central Park – c'est l'une de ses multiples contributions au dynamisme culturel de la ville. Fondé par un riche progressiste il y a plus de 50 ans, le Joseph Papp Public Theater accueille aussi le très populaire Joe's Pub, où ont lieu concerts, lectures et contes.

☆ LA MAMA ETC *Théâtre*
☎ 212-475-7710 ; www.lamama.org ; 74A E 4th St ; 🕑 horaires variables ; 🚇 F, V jusqu'à Lower East Side-Second Ave

Axé depuis longtemps sur l'expérimentation scénique (ETC signifie "Experimental Theater Club"), La MaMa comporte désormais trois théâtres, un café, une galerie d'art et un atelier séparé où sont présentés

des pièces d'avant-garde, des spectacles comiques et des lectures de toutes sortes.

☆ NUYORICAN POETS CAFÉ *Arts*
☎ 212-505-8183 ; www.nuyorican.org ; 236 E 3rd St ; 🕑 18h-1h mar-dim ; 🚇 F jusqu'à Lower East Side-Second Ave

Fondé en 1973 par le poète portoricain Miguel Algarin, ce club devenu légendaire accueille des spectacles de hip-hop, du slam, des pièces de théâtre, des films et des vidéos. Cette dynamique association à but non lucratif (qui fonctionne grâce aux revenus tirés de son café) représente tout un pan de l'histoire de l'East Village.

☆ ORPHEUM THEATER *Théâtre*
☎ 212-477-2477 ; www.stomponline. com ; 126 Second Ave à la hauteur de E 8th St ; 🕑 horaires variables ; 🚇 F jusqu'à Lower East Side-Second Ave ; 🚻 ♿

Théâtre yiddish au début du XXe siècle, l'Orpheum se nourrit de l'énergie créatrice de l'East Village. Il accueille actuellement *Stomp*, un spectacle de danse et de percussions.

☆ PYRAMID CLUB *Discothèque*
☎ 212-228-4888 ; www. thepyramidclub.com ; 101 Ave A ; droit d'entrée 5-10 $; 🕑 23h-4h lun,

LES QUARTIERS

EAST VILLAGE

20h30-1h mar et dim, 21h-4h jeu et sam, 22h-4h ven ; ⊕ F, V jusqu'à Lower East Side-Second Ave
Lanternes rouges alignées le long d'un bar étroit, vieux tabourets abîmés et parquets collants forment le décor de ce club où les consommations sont bon marché et où les serveuses parlent fort. Si vous aimez transpirer en dansant sur des tubes des années 1980, alors venez le jeudi soir. Soirée gay le vendredi.

☆ WEBSTER HALL *Discothèque*
☎ 212-353-1600 ; 125 E 11th St près de Third Ave ; 🕑 22h-4h jeu-sam ; ⊕ L, N, Q, R, W, 4, 5, 6 jusqu'à 14th St-Union Sq
Cette boîte de nuit existe depuis tellement longtemps qu'on envisage de la classer bâtiment historique. On y trouve des boissons à bas prix, une clientèle jeune toujours prête à danser, des tables de billard et assez de place pour se déhancher sérieusement.

>GREENWICH VILLAGE ET WEST VILLAGE

Toujours aussi plein de charme, Greenwich Village occupe une place à part dans le cœur des New-Yorkais, même si ce quartier autrefois progressiste et haut en couleur s'est beaucoup assagi.

Rien n'est plus agréable que d'explorer cette petite enclave par un après-midi ensoleillé. Le lacis de ruelles dissimule des magasins aux devantures insolites, des cafés biscornus et de nombreux bâtiments historiques en briques. Edna St Vincent Millay (1892-1950), poétesse et dramaturge vivait au 75½ Barrow St, et son voisin n'était autre que l'écrivain William S. Burroughs (1914-1997). L'un comme l'autre allait parfois boire une bière à l'Ear Inn (p. 88).

Quelques cabarets et cafés-théâtres à l'ancienne bordent Seventh Ave, et certains lieux mythiques de la scène gay – le Duplex, le Monster et le Stonewall – sont encore là. Bienvenue dans le quartier le plus romantique de Manhattan.

GREENWICH VILLAGE ET WEST VILLAGE

👁 VOIR

Christopher Street Piers Hudson River Park	1	A5
LGBT Community Center	2	C1
Université de New York	3	G4
Sheridan Square	4	D3
Washington Mews	5	F3
Washington Square Park	6	F4
Terrains de basket de West 4th Street	7	E4

🛍 SHOPPING

CO Bigelow Chemists	8	E3
Duane Reade	9	D3
Ludivine	10	D4
Marc Jacobs	11	B3
Marc Jacobs	12	C3
Mick Margo	13	D4
Murray's Cheese	14	D4
Pleasure Chest	15	C2
Ricky's	16	E2
Verve	17	C3

🍴 SE RESTAURER

Babbo	18	E3
Blue Hill New American	19	E3
Blue Ribbon Bakery	20	D5
Blue Ribbon Downing Street Bar	21	D5
Caffe Reggion	22	E4
Cru	23	F2
Ditch Plains	24	E5
Mas	25	D5
Minetta Tavern	26	E4
Pearl Oyster	27	E4
Spotted Pig	28	B3

🍸 PRENDRE UN VERRE

Art Bar	29	B1
Bar Next Door	30	E4
Employees Only	31	C4
Fat Cats	32	C3
Kettle of Fish	33	D3
Sullivan Room	34	F5

⭐ SORTIR

55 Bar	35	D3
Cherry Lane Theater	36	C5
Comedy Cellar	37	E4
Duplex	38	D3
Film Forum	39	D6
Le Poisson Rouge	40	F5
SOBs	41	D6
Village Underground	42	E4
Village Vanguard	43	C2

Voir carte p.106

⊙ VOIR

⊙ CHRISTOPHER STREET PIERS/HUDSON RIVER PARK

**Angle Christopher St et West Side Hwy ;
🚇 1 jusqu'à Christopher St-Sheridan Sq**
Comme beaucoup d'endroits du
Village, ce secteur était jadis un
lieu à l'abandon accueillant des
rencontres sexuelles anonymes
et fugaces. Aujourd'hui, on peut
se balader en toute sécurité au
bord de l'eau, sillonner les sentiers
piétonniers et les pistes cyclables
et profiter du coucher du soleil.

⊙ NEW YORK UNIVERSITY

**☎ 212-998-4636 ; www.nyu.ed ; 50 W
4th St (centre d'information) ; 🚇 N, R, W
jusqu'à 8th St-NYU, 6 jusqu'à Astor Pl**
En 1831, Albert Gallatin (enterré au
cimetière de Trinity Church, p. 47),
ministre des Finances de Thomas
Jefferson, décida de fonder un petit
centre d'enseignement supérieur
ouvert à tous, sans considération
de race ou de classe sociale.
Aujourd'hui, cet immense campus
accueille 50 000 étudiants. On peut
admirer les bâtiments principaux
autour de Washington Square Park.

⊙ SHERIDAN SQUARE

**Angle Christopher St et Seventh Ave ;
🚇 1 jusqu'à Christopher St-Sheridan Sq**
Accessible par un vieux portail en
fer forgé, Sheridan Square compte
quelques bancs entourés d'arbres.

Située au milieu du quartier gay de
Greenwich Village, cette place a vu
défiler toutes les manifestations
pour les droits des homosexuels.
Elle abrite deux paires de statues
blanches connues sous le nom
de "Gay Liberation" : un couple
d'hommes et un couple de
femmes, discutant main dans
la main.

⊙ TERRAINS DE BASKET DE WEST 4TH STREET

**Sixth Ave à la hauteur de W 4th St ;
🕐 horaires variables ; 🚇 A, C, E, F, V
jusqu'à W 4th St**
Aventurez-vous dans la "Cage",
un petit terrain de basket clos, si
vous voulez disputer un match
acharné. Il est tout aussi amusant
de profiter du spectacle au milieu
d'un nombreux public, surtout le
week-end. Le tournoi de la W 4th St
Summer Pro-Classic League se tient
ici chaque été.

⊙ WASHINGTON MEWS

**Entre Fifth Ave et University Pl, et entre
E 8th St et Washington Sq Park ; 🚇 R, W
jusqu'à 8th St-NYU ; ♿**
Des écuries privées reconverties en
appartements bordent un côté de
la pittoresque Washington Mews.
Les becs de gaz et les chevaux ont
disparu, mais cette allée minuscule
incarne l'ancien New York. De
célèbres écrivains comme Sherwood
Anderson et Walter Lippman ont

habité ici, ainsi que l'artiste Gertrude Vanderbilt Whitney, fondatrice du Whitney Museum. La New York University voisine possède une partie des bâtiments.

WASHINGTON SQUARE PARK

www.washingtonsquareparkcouncil.org ; Fifth Ave à la hauteur de Washington Sq ; A, B, C, D, E, F, V jusqu'à W 4th St, R, W jusqu'à 8th St-NYU, 6 jusqu'à Astor Pl

Ce parc concentre ce qu'il reste du côté bohème de Greenwich Village. Pourtant, la municipalité a prévu de le réaménager entièrement, en l'entourant d'une clôture, en déplaçant la célèbre fontaine Garibaldi où Bob Dylan aurait fredonné sa première chanson et en surélevant tout le site de 1,20 m, au risque de déranger le repos de ceux qui y ont été enterrés (c'était autrefois un cimetière) ou pendus (repérez l'orme qui servait de potence dans l'angle nord-ouest). Des associations de défense ont engagé une procédure pour retarder les travaux, mais la ville a fait appel. Le jugement n'interviendra pas avant des années, il est donc encore temps d'en profiter. Le site Internet présente les événements organisés dans le parc. Les après-midi de week-end, la "Quiet Disco" réunit 300 personnes, iPod rivé aux oreilles, qui dansent sur une musique qu'elles sont les seules à entendre.

Washington Square Park : jadis cimetière et lieu d'exécution, puis salle de concert en plein air

🛍 SHOPPING

🛍 CO BIGELOW CHEMISTS
Pharmacie

☎ 212-533-2700 ; 414 Sixth Ave entre W 8th St et W 9th St ; 🕙 7h30-21h lun-ven, 8h30-19h sam, 8h30-17h dim ; 🚇 A, B, C, D, E, F, V jusqu'à W 4th St

S'il existe des pharmacies moins chères et plus efficaces, aucune ne possède le charme de Bigelow, présentée comme la "plus ancienne officine" d'Amérique. Elle vend encore des médicaments, mais est surtout réputée pour ses produits de beauté bio, comme les crèmes à l'hamamélis ou les baumes au miel.

🛍 LUDIVINE *Boutique*

☎ 646-336-6576 ; www.boutiqueludivine.com ; 172 W 4th St entre Cornelia St et Jones St ; 🕙 11h-19h30 lun-sam, 12h-18h dim ; 🚇 A, B, C, D, E, F, V jusqu'à W 4th St, 1 jusqu'à Christopher St-Sheridan Sq

Cette boutique chic du West Village est emplie d'articles des marques Et Vous, Vanessa Bruno et Les Prairies de Paris, ainsi que des créations de Sissi, Chisato et Burfitt.

🛍 MARC JACOBS
Mode et accessoires

☎ 212-343-1490 ; www.marcjacobs.com ; 403, 405 et 385 Bleecker St ; 🕙 11h-19h lun-sam, 12h-18h dim ; 🚇 1 jusqu'à Christopher St-Sheridan Sq

Les énormes magasins de Marc Jacobs dominent Bleecker St : sacs et accessoires au 385, vêtements pour homme au 403 et la célèbre collection pour femme au 405.

🛍 MICK MARGO *Boutique*

☎ 212-463-0515 ; www.mickmargo.com ; 19 Commerce St ; 🕙 12h-19h mar-sam, jusqu'à 18h dim ; 🚇 A, B, C, D, E, F, V jusqu'à W 4th St, 1 jusqu'à Christopher St-Sheridan Sq

Bottes en cuir Aigle, chemises Alexander Wang et dernières créations de Rachel Comey, Jerome Dreyfuss et consorts. Chaussures, sacs à main et lunettes de soleil viennent à point nommé accessoiriser ces fabuleux vêtements pour femmes.

🛍 MURRAY'S CHEESE
Nourriture et boissons

☎ 212-243-3289 ; www.murrayscheese.com ; 254 Bleecker St ; 🕙 8h-20h lun-sam, 9h-18h dim ; 🚇 1 jusqu'à Christopher St-Sheridan Sq, A, B, C, D, E, F, V jusqu'à W 4th St

Fondée en 1914, cette fromagerie est considérée comme la meilleure de la ville. Le propriétaire Rob Kaufelt déniche les meilleurs fromages de la planète. Vous trouverez une succursale à Grand Central Terminal.

🛍 PLEASURE CHEST *Sex Shop*

☎ 212-242-2158 ; www.thepleasurechest.com ; 156 Seventh Ave entre Charles St et

GREENWICH VILLAGE ET WEST VILLAGE

Perry St ; ⏱ 10h-minuit ; Ⓜ 1 jusqu'à Christopher St-Sheridan Sq

Nulle balade au Village ne serait complète sans un arrêt au Pleasure Chest, sex-shop gay à l'ambiance enjouée sans rien de sordide. La devanture très colorée est remplie de crèmes, huiles, cartes rigolotes (attention tout de même) et jouets qui attirent une clientèle très variée.

🏠 RICKY'S *Pharmacie*

☎ 212-924-3401 ; 466 Sixth Ave à la hauteur de W 11th St ; ⏱ 9h-23h lun-sam, 9h-22h dim ; Ⓜ A, C, E jusqu'à 14th St, L jusqu'à Eighth Ave-14th St

Pour la première fois de votre vie, vous prendrez plaisir à acheter une savonnette ou du gel pour les cheveux. L'endroit a quelque chose d'une boîte de nuit : musique tonitruante, dentifrice rose fluo, profusion de paillettes, perruques et fringues exubérantes – et quelques gadgets érotiques dans le fond.

🏠 VERVE *Chaussures*

☎ 212-675-6693 ; www.vervenyc. com ; 338 Bleecker St ; ⏱ 11h-20h lun-sam, 12h-18h dim ; Ⓜ 1 jusqu'à Christopher St-Sheridan Sq

L'adresse parfaite pour les femmes qui cherchent à assortir leurs chaussures à leur sac à main, puisque la boutique vend les deux. Sacs, bourses et chaussures de tous modèles et de toutes tailles sont appariés de façon très tentantes sur les rayonnages qui courent le long des murs. On trouve notamment les créations de magiciennes de la chaussure comme Bettye Muller et Pura Lopez. Bon à savoir : les soldes ont lieu en janvier.

🍴 SE RESTAURER

🍴 BABBO *Italien* $$$

☎ 212-777-0303 ; www.babbonyc. com ; 110 Waverly Pl ; ⏱ dîner ; Ⓜ A, B, C, D, E, F, V jusqu'à W 4th St, 1 jusqu'à Christopher St-Sheridan Sq ; ♿

Le célèbre chef Mario Batali possède plusieurs restaurants à Manhattan, mais le Babbo, installé dans une maison à deux niveaux, est sans doute son chouchou. Cuisine novatrice et variée, avec notamment de la cervelle d'agneau aux *francobolli* (petits raviolis fourrés) et des pieds de porc à la milanaise. Réservation indispensable.

🍴 CAFFE REGGIO *Café* $

☎ 212-475-9557 ; www.cafferreggio. com ; 119 MacDougal St près de W 3rd St ; ⏱ 8h-3h lun-jeu et dim, jusqu'à 4h30 ven et sam ; Ⓜ A, B, C, D, E, F, V jusqu'à W 4th St

Écho de la bohème d'antan, ce café décoré de tableaux Renaissance et de tables au plateau de marbre est un régal pour les yeux. Servant depuis 1927 des pâtisseries fraîches, des paninis, des gâteaux, des milk-shakes italiens (goûtez au "delizioso") et un café délicieux, l'établissement se prétend l'inventeur du cappuccino. Mythe ou réalité, peu importe : l'adresse, très prisée, attire du monde toute la nuit.

☐ CRU *Français* $$$
☎ 212-529-1700 ; http://cru-nyc.com ; 24 Fifth Ave à la hauteur de 9th St ; ☸ 11h-19h lun-sam, 12h-18h dim ; ☻ 1 jusqu'à Christopher St-Sheridan Sq ; ♿
Très apprécié des Européens, ce restaurant possède plus de 150 000 bouteilles de vin et vous aidera à trouver le bon cru pour accompagner des plats comme le cabillaud aux lentilles de Castelluccio, aux brocolis et au chou-fleur sauté sauce airelles-vin rouge, ou le blanc de canard braisé au chou romanesco, à la pancetta, aux champignons *maitake* et à la purée de patate douce sauce porto. À savoir : le beau bar en acajou à l'avant de la salle offre les mêmes vins et un meilleur point de vue sur la rue, et vous pouvez y commander des plats.

☐ DITCH PLAINS *Fruits de mer* $
☎ 212-633-0202 ; www.ditch-plains. com ; 29 Bedford St ; ☸ déj et dîner ; ☻ A, B, C, D, E, F, V jusqu'à W 4th St ; ♿ ☗
L'élégant intérieur métallique agrémenté d'alcôves en bois et de sols rutilants est un lieu agréable pour s'attarder tout en savourant les spécialités de fruits de mer du

MANGER LOCAL
Fer de lance de la croisade en faveur des produits bio locaux, le **Blue Hill New American** (☎ 212-539-1776 ; www.bluehillnyc.com ; 75 Washington Pl ; ☸ dîner ; ☻ A, B, C, D, E, F, V jusqu'à W 4th St) est l'un des trésors cachés de West Village. Il s'est associé à la **Stone Barn** (www.stonebarnscenter. org), une ferme écologique de la vallée de l'Hudson qui partage sa production entre son propre restaurant et le Blue Hill. La viande, garantie sans hormones, est issue d'animaux élevés en liberté, et les légumes sont d'une fraîcheur incomparable : à déguster sur place ou au Blue Hill.

célèbre chef Marc Murphy : huîtres, moules, tacos au poisson, palourdes sautées, po' boys et autres délices régalent une clientèle nombreuse tous les jours jusqu'à 2h.

☐ MAS *Franco-américain* $$$
☎ 212-255-1790 ; www.masfarmhouse. com ; 39 Downing St ; ☸ dîner et souper tardif lun-sam ; ☻ A, B, C, D, E, F, V jusqu'à W 4th St ; ♿
Le chef Galen Zamarra puise son inspiration dans le sud de la France, depuis le nom de son restaurant jusqu'à la belle porte en chêne massif en passant par le menu : huîtres "beau soleil", côte braisée, panse de porc et risotto aux orties. Idéal pour manger en fin de soirée.

LES QUARTIERS

GREENWICH VILLAGE ET WEST VILLAGE

MINETTA TAVERN *Bistrot* $$

☎ 212-475-3850 ; www. minettatavernny.com ; 113 MacDougal St ; ⏱ dîner tlj, brunch sam et dim ; Ⓜ A, B, C, D, E, F, V jusqu'à W 4th St

Réservez à l'avance ou arrivez tôt pour dénicher une table en semaine, car l'établissement est toujours bondé. Les douillettes banquettes de cuir rouge, les panneaux de bois sombre décorés de photos noir et blanc, le sol en damier noir et blanc, le plafond revêtu de zinc et les lampes jaunes de style bistrot confèrent à l'endroit énormément de cachet. Si les plats de bistrot d'inspiration française (pieds de cochon, os a moelle, poulet rôti, soufflé au chocolat et crème brûlée) ont la part belle, les classiques américains (bifteck d'aloyau, frites et énormes burgers) ne déçoivent pas.

PEARL OYSTER
Américain, fruits de mer $$

☎ 212-691-8211 ; 18 Cornelia St près de Bleecker St ; ⏱ déj et dîner lun-ven, dîner sam ; Ⓜ A, B, C, D, E, F, V jusqu'à W 4th St ; ♿

Les petits pains au homard ou aux huîtres remportent un tel succès que ce restaurant a déjà dû s'agrandir deux fois ! La liste des vins est plus longue que la carte, qui offre poisson frais, homards du Maine, palourdes, crevettes, noix de Saint-Jacques et un épais potage aux palourdes façon Nouvelle-Angleterre.

SPOTTED PIG
cuisine de Pub $$

☎ 212-620-0393 ; www.thespottedpig. com ; 314 W 11th St ; ⏱ déj et dîner jusqu'à 2h ; Ⓜ A, C, E, L jusqu'à Eighth Ave-14th St ; ♿ Ⓥ ⛾

Si vous venez prendre un verre, n'espérez pas des cacahouètes en accompagnement. Ici, on fait dans le raffinement : toast au foie de poulet, *bruschetta* à la mozzarella et aux fèves, œuf de canard à la *bottarga* (pâte d'œufs de thon salés), etc. Bondé le soir, sympa en journée avec des enfants et offrant au moins deux plats végétariens par jour, le Spotted Pig convient à tous.

ⓨ PRENDRE UN VERRE

ⓨ ART BAR *Bar*

☎ 212-727-0244 ; 52 Eighth Ave près de Horatio St ; ⏱ 16h-4h, *happy hour* 16h-19h ; Ⓜ L jusqu'à Eighth Ave-14th St, A, C, E jusqu'à 14th St

Fréquenté par une clientèle bohème, ce lieu ne paie pas de mine au premier abord (les box ovales sont trop près du bar en bois) mais l'arrière est plus accueillant. Prenez votre bière ou l'un des cocktails maison (généralement des martini) et allez vous asseoir sur un canapé, sous une immense *Cène* où figurent des stars, entre autres James Dean et Marilyn Monroe.

☿ BAR NEXT DOOR *Bar*
☎ 212-529-5945 ; 129 MacDougal St entre W 3rd St et W 4th St ; ☽ 18h-2h dim-jeu, 18h-3h ven et sam ; ☻ A, B, C, D, E, F, V jusqu'à W 4th St

L'une des plus jolies boîtes du quartier, au sous-sol d'une maison restaurée, avec plafonds bas, briques apparentes et éclairage romantique. Musiciens de jazz tous les soirs et cuisine italienne savoureuse au restaurant voisin, La Lanterna di Vittorio.

☿ EMPLOYEES ONLY *Bar*
☎ 212-242-3021 ; 510 Hudson St près de Christopher St ; ☽ 18h-4h ; ☻ 1 jusqu'à Christopher St-Sheridan Sq

Faufilez-vous derrière l'enseigne au néon "Psychic" pour dénicher ce bar, de plus en plus animé au fur et à mesure que la soirée avance. Les barmen sont des as des cocktails et concoctent de divins breuvages répondant aux noms de "Ginger Smash" ou de "Mata Hari". L'adresse idéale pour prendre un verre ou manger tard le soir grâce au restaurant qui sert après minuit.

☿ FAT CATS *Pub*
☎ 212-675-6056 ; http://fatcatmusic.org ; 75 Christopher St près de Seventh Ave ; ☽ 14h-2h lun-ven, 12h-2h sam et dim ; ☻ 1 jusqu'à Christopher St-Sheridan Sq, A, B, C, D, E, F, V jusqu'à W 4th St

Un peu décrépit, c'est l'endroit idéal pour tuer le temps, jouer au billard, aux échecs, au scrabble, au backgammon ou même au ping-pong. Ici, on apprécie le cadre, la musique, la bière à bas prix et l'ambiance festive.

☿ KETTLE OF FISH *Bar*
☎ 212-414-2278 ; www.kettleoffishnyc.com ; 59 Christopher St au croisement de Seventh Ave ; ☽ 15h-4h lun-ven, 14h-4h sam et dim ; ☻ 1 jusqu'à Christopher St-Sheridan Sq

Une fois dans ce bar à l'éclairage tamisé, empli de canapés et sièges profonds, vous aurez du mal à repartir car la clientèle est captivante. C'est à la fois un bistrot,

Le Spotted Pig, apprécié de tous

un bar des sports, et un bar gay, où la clientèle se mêle joyeusement. On peut jouer au Monopoly, aux échecs, aux dames ou aux fléchettes, et si l'on a un petit creux, les barmen proposent les menus de restaurants voisins qui livrent sur place. Le propriétaire est un fan des Packers, attendez-vous à une folle ambiance les jours de match.

▼ SULLIVAN ROOM *Bar à DJ*
☎ 212-252-2151 ; 218 Sullivan St entre Bleecker St et W 3rd St ; ⏾ 21h-5h mer-sam ; ◉ A, B, C, D, E, F, V jusqu'à W 4th St
Difficile de trouver l'entrée de ce lieu en sous-sol, qui attire du beau

---

POUR LES INITIÉS

Les clubs les plus tendance du moment sont bien cachés. À vous de les trouver…
Le Poisson Rouge (http://lepoissonrouge. com ; 158 Bleecker St, West Village). Seuls les artistes les plus branchés se produisent dans ce "cabaret multimédia".
Santos Party House (carte p. 54 ; www. santospartyhouse.com ; 100 Lafayette St, Chinatown). Deux pistes immenses, des DJ, des concerts : côté danse, toute inhibition est abolie.
Village Underground (☎ 212-777-7745 ; www.thevillageunderground.com ; 130 W 3rd St, Greenwich Village). La fièvre de la danse frappe les vendredis et samedis soir. Le dimanche, place aux chanteurs amateurs grâce aux soirées "open-mic" (micro ouvert). Il y a aussi des concerts durant la semaine.

---

monde venu danser et boire des bières étrangères ou des cocktails bien tassés. Animation garantie après 1h du matin.

⭐ SORTIR

⭐ 55 BAR *Jazz*
☎ 212-929-9883 ; www.55bar.com ; 55 Christopher St ; entrée 3-15 $, 2 consommations min ; ⏾ 13h-4h ; ◉ 1 jusqu'à Christopher St-Sheridan Sq, A, B, C, D, E, F jusqu'à W 4th St
Il n'occupe pas une place prépondérante dans le monde du jazz, mais ce bar est connu des aficionados qui veulent entendre de la bonne musique sans payer un droit d'entrée exagéré. Situé à côté du célèbre Stonewall (théâtre des émeutes du même nom), il accueille d'excellents musiciens dans une ambiance sans prétention.

⭐ CHERRY LANE THEATER
Théâtre, arts
☎ 212-989-2020 ; www. cherrylanetheater.com ; 38 Commerce St ; ⏾ horaires variables ; ◉ 1 jusqu'à Christopher St-Sheridan Sq
Niché dans le West Village, ce théâtre possède un charme singulier et une longue histoire. Fondé par la poétesse Edna St Vincent Millay, il a vu passer bon nombre de metteurs en scène et de comédiens célèbres, et a pour vocation de créer du théâtre

"vivant" accessible à tous. Au programme : pièces, lectures et slam.

⭐ COMEDY CELLAR
Café-théâtre

☎ 212-254-3480 ; www.comedycellar. com ; 117 MacDougal St ; entrée 20 $; 🕐 début du spectacle vers 21h dim-ven, 19h et 21h30 sam ; Ⓜ A, C, E, F, S, V jusqu'à W 4th St

Une institution de Greenwich Village. Beaucoup de carrières ont débuté ici, et des comiques en devenir, en pleine gloire ou en perdition se produisent tous les soirs sur ses planches.

⭐ DUPLEX *Cabaret, karaoké*

☎ 212-255-5438 ; www.theduplex. com ; 61 Christopher St ; entrée 10-20 $; 🕐 16h-4h ; Ⓜ 1 jusqu'à Christopher St-Sheridan Sq

Ce lieu légendaire offre karaoké, spectacles de cabaret et piste de danse. Un endroit amusant et sans prétention, à déconseiller aux pudiques et aux timides.

⭐ FILM FORUM *Cinéma*

☎ 212-727-8110 ; www.filmforum.com ; 209 W Houston St ; billets 12 $; 🕐 tlj ; Ⓜ 1 jusqu'à Houston St ; ♿ 🚻

Il projette les meilleurs films américains et étrangers de l'histoire du cinéma, et consacre souvent plusieurs semaines à un réalisateur

ou un acteur particulier. Prenez vos billets à l'avance, car les places partent vite.

⭐ SOBS *Discothèque*

☎ 212-243-4940 ; www.sobs.com ; 204 Varick St ; entrée 10-20 $; 🕐 18h30-3h ; Ⓜ 1 jusqu'à Houston St ; ♿

SOBs (pour "Sounds of Brazil") conviendra aux amateurs de samba, lambada, rumba, salsa et reggae. Le décor joyeux (voire kitsch) et la nourriture de qualité en font un rendez-vous prisé à la sortie des bureaux ; les danseurs sérieux entrent en piste à partir de 2h du matin. Un droit d'entrée est parfois exigé.

⭐ VILLAGE VANGUARD *Jazz*

☎ 212-255-4037 ; www. villagevanguard.com ; 178 Seventh Ave ; entrée 15-40 $, 2 consommations min ; 🕐 19h-1h ; Ⓜ 1 jusqu'à Christopher St-Sheridan Sq

Sans doute le club de jazz le plus prestigieux de New York : toutes les stars des 50 dernières années y sont passées. Ayant accueilli à ses débuts des spectacles de slam, il revient parfois à ses racines, mais en principe c'est le jazz qui est roi. Attention, l'escalier est raide. Oubliez la décoration un peu fanée et profitez de l'une des meilleures acoustiques du monde.

>LE MEATPACKING DISTRICT

Si vous aimez courir les boutiques, les restaurants et les bars, le Meatpacking District vous fera l'effet d'un paradis.

Lors de vos flâneries dans les larges rues pavées, ne manquez pas les trois hôtels qui ont contribué à la spectaculaire métamorphose du quartier autrefois mal famé : l'Hotel Gansevoort, le Maritime Hotel et le Standard, qui enjambe littéralement la High Line, et dont les grandes baies vitrées donnent sur la "coulée verte" new-yorkaise. Arpentez la célèbre Gansevoort St, qui abrita jadis un marché hollandais, puis un abattoir. Le quartier était également connu pour ses activités de prostitution, touchant principalement les gays et les transsexuels. Vestige de cette époque, le LGBT Community Center (carte p. 106) a joué, au cours des années 1980 et 1990, un rôle crucial dans les débats sur l'épidémie du sida.

Aujourd'hui, ce secteur est beaucoup moins sulfureux. Avec la transformation annoncée de la High Line en un parc verdoyant et l'installation de nouveaux restaurants, galeries et boutiques chic, il est définitivement tourné vers l'avenir.

LE MEATPACKING DISTRICT

⊙ VOIR

High Line	1	D4
Hotel Gansevoort	2	E3
Maritime Hotel	3	F1
White Columns	4	G3

🛍 SHOPPING

Adam	5	E3
Alexander McQueen	6	D2
An Earnest Cut & Sew	7	D4
Apple Store	8	E2
Buckler	9	F3
Carlos Miele	10	E3
Catherine Malandrino	11	E3
Helmut Lang	12	D4
Iris	13	D4
Rubin Chapelle	14	D2
Stella McCartney	15	C2

🍴 SE RESTAURER

5 Ninth	16	E4
Bill's Bar & Burger	17	E3
Paradou	18	D4
STK	19	E4

🍸 PRENDRE UN VERRE

675 Bar	20	E3
Brass Monkey	21	C4
G2	22	E2

★ SORTIR

Cielo	23	D4
Griffin	24	D4
Kiss & Fly	25	E3
Sunset Salsa	26	E2

Voir carte p. 118

VOIR

HIGH LINE

☎ 212-500-6035 ; www.thehighline.org ; Gansevoort St ; entrée libre ; 7h-22h, dernière entrée 21h45 ; A, C, E, 1, 2, 3 jusqu'à 14th St ;

Voie ferrée aérienne désaffectée, la High Line est un parc très apprécié des New-Yorkais. Royaume des fleurs et des abeilles, elle doit bientôt être prolongée jusqu'à 34th St. L'accès pour les personnes à mobilité réduite est aménagé aux entrées de 14th St et 16th St. Il y a des stations pour garer les vélos à toutes les entrées sauf à celle de 14th St. Consommation d'alcool interdite.

WHITE COLUMNS

☎ 212-924-4212 ; www.whitecolumns.org ; 320 W 13th St ; entrée libre ; 12h-18h mar-sam ; A, C, E, L jusqu'à Eighth Ave-14th St

Géographiquement, cette galerie se trouve dans le Meatpacking District, mais esthétiquement parlant, elle fait plutôt partie de Chelsea. Ses quatre salles empreintes de calme accueillent des installations et des expositions, dont beaucoup sont centrées sur des artistes assez connus comme Andrew Serrano, Alice Aycock, Lorna Simpson, et l'un des fondateurs du lieu, Gordon Matta-Clark. Une exposition d'œuvres en rapport avec Michael Jackson, prêtée par la galerie londonienne Studio

Voltaire, a récemment remporté un franc succès.

SHOPPING

ADAM *Mode et accessoires*

☎ 212-229-2838 ; www.shopadam.com ; 678 Hudson St entre W 13th St et W 14th St ; 11h-19h lun-mer et ven, 11h-20h jeu, 10h-19h sam, 12h-18h dim ; A, C, E jusqu'à Eighth Ave-14th St

Adam Lippes vend ici les vêtements modernes et élégants qui font de lui une étoile montante de la mode. Les lignes pour homme se trouvent du côté gauche, celles pour femme du côté droit, mais on trouve aussi des polos, des t-shirts et des pulls. L'accent est mis sur des matériaux inhabituels et sensuels, comme le daim et les tissus matelassés.

ALEXANDER MCQUEEN *Mode et accessoires*

☎ 212-645-1797 ; www.alexandermcqueen.com ; 417 W 14th St ; 11h-19h lun-sam, 12h-18h dim ; A, C, E, L, 1, 2, 3 jusqu'à Eighth Ave-14th St

Idéalement mises en valeur dans une immense boutique, les audacieuses créations du couturier s'intègrent parfaitement dans ce quartier à la pointe de la mode.

AN EARNEST CUT & SEW *Tailleur*

☎ 212-242-3414 ; www.earnestsewn.com ; 821 Washington St ; 11h-19h

Chelsea
Piers

A **B** **C** **D**

1

W 16th St

Voir carte
Chelsea p. 128 Marché
de Chelsea

W 15th St

Eleventh Ave (West Side Hwy)

Tenth Ave

2

15 W 14th S t 6

14

High Line

3 Washington St W 13th St

4 Little W 12th St 21

13 MEATPACKING
DISTRICT

1 7

12 29

Washington St

5 Gansevoort St

Hudson River
Park

Horatio St

West Side Hwy

6 Hudson

Jane St

Carlos Miele, le Brésil à New York

19h lun-ven, 11h-20h sam, 11h-19h dim ; A, C, E, L, 1, 2, 3 jusqu'à Eighth Ave-14th St

Faites-vous faire un jean sur mesure : ici, le denim est coupé, formé, taillé et clouté en fonction de votre silhouette.

APPLE STORE
Ordinateurs et accessoires
☎ 212-444-3400 ; www.apple.com ; 401 W 14th St à la hauteur de Ninth Ave ; 9h-21h lun-sam, 9h-19h dim ; A, C, E, F, V jusqu'à Eighth Ave-14th St
Tout de verre et de chrome, ce magasin Apple vend accessoires et produits Mac dernier cri. Essayez les jeux et consultez vos e-mails sur les MacBooks du rez-de-

chaussée, ou montez jusqu'au rayon des iPod et au "genius bar" des 1er et 2e étages.

BUCKLER *Mode et accessoires*
☎ 212-255-1596 ; www.bucklershowroom.com ; 13 Gansevoort St ; 11h-19h lun-sam, 12h-18h dim ; A, C, E, L, 1, 2, 3 jusqu'à Eighth Ave-14th St
Buckler a bâti sa réputation sur ses vêtements masculins en jean qui mêlent "l'espièglerie américaine et l'audace britannique". Si vous aimez le look de Lenny Kravitz ou celui d'Iggy Pop, vous êtes au bon endroit.

CARLOS MIELE
Mode et accessoires
☎ 646-336-6642 ; www.carlosmielebr.com ; 408 W 14th St ; 11h-19h lun-sam, 12h-18h sam ; A, C, E, L jusqu'à Eighth Ave-14th St
La boutique principale de Carlos Miele offre un bel intérieur lumineux et de sensuelles tenues inspirées du carnaval brésilien, des robes glamour avec lesquelles on peut danser.

CATHERINE MALANDRINO
Mode et accessoires
☎ 212-929-8710 ; www.catherinemalandrino.com ; 652 Hudson St ; 11h-20h lun-sam, 12h-18h dim ; A, C, E, L, 1, 2, 3 jusqu'à Eighth Ave-14th St

Des vêtements modernes, chic et d'un prix abordable, très appréciés des rondes, qui rappellent les tenues pour femme active de Donna Karan, mais en plus jeune et en plus tendance.

☐ HELMUT LANG
Mode et accessoires

☎ 212-242-3240 ; www.helmutlang. com ; 819 Washington St ; ⏰ 11h-19h lun-sam, 12h-18h dim ; ⊕ A, C, E, L jusqu'à Eighth Ave-14th St
Voici la plus récente des boutiques Helmut Lang : ce petit bijou aux murs de briques, près de Little W 12th St, offre des vêtements pour homme et femme parfaitement coupés, à des prix légèrement inférieurs à ceux de ses autres magasins.

☐ IRIS *Chaussures*

☎ 212-645-0950 ; www.irisnyc.net ; 827 Washington St ; ⏰ 11h-19h mar-ven, 10h-19h sam, 12h-18h dim ; ⊕ A, C, E, L jusqu'à Eighth Ave-14th St
Toutes les chaussures haut de gamme dont on peut rêver : Chloé, Viktor & Rolf, Galliano, Marc Jacobs ou encore Branquinho. Sortez votre Carte bleue !

☐ RUBIN CHAPELLE *Boutique*

☎ 212-647-8636 ; www.rubinchapelle. com ; 410 W 14th St ; ⏰ 11h-19h lun-ven, 12h-19h sam, 12h-16h dim ; ⊕ A, C, E, L jusqu'à Eighth Ave-14th St

Dans ce loft rustique, les célébrités viennent acheter des jeans cousus main et des bottes en cuir fabriquées sur mesure. Vous pouvez également vous faire plaisir si vous êtes prêt à vous inscrire sur la liste d'attente et patienter environ un mois. Outre les articles sur mesure, vous trouverez aussi d'élégants sacs en cuir modèles uniques, et de vaporeuses robes en soie.

☐ STELLA MCCARTNEY
Boutique de créateur

☎ 212-255-1556 ; www. stellamccartney.com ; 429 W 14th St ; ⏰ 11h-20h mar-sam, 12h-18h dim ; ⊕ A, C, E, L jusqu'à Eighth Ave-14th St
Tenant plus du showroom que de la vraie boutique, l'enseigne Stella McCartney du Meatpacking propose un choix assez restreint, mais quel choix ! Les drapés

---

CIRCUITS GASTRONOMIQUES

Goûtez la meilleure cuisine de New York en suivant un circuit à travers les quartiers gastronomiques de la ville. **Noshwalks** (www.noshwalks.com) vous emmène dans le Meatpacking District, le Lower East Side, à Harlem, et même à Brooklyn et dans le Queens, où vous aurez plus de chance de déguster de la cuisine indienne, chinoise et latino-américaine que de la cuisine juive et italienne.

LES QUARTIERS

LE MEATPACKING DISTRICT

vaporeux et transparents aux tons neutres, très féminins, sont mis en valeur dans un intérieur sobre et dépouillé. Les créations de Stella McCartney sont uniquement fabriquées avec des matériaux naturels, en harmonie avec la philosophie de la jeune femme qui est végétarienne.

🍴 SE RESTAURER

🍴 5 NINTH
Nouvelle cuisine américaine $$
☎ 212-929-9460 ; www.5ninth.com ; 5 Ninth Ave près de Gansevoort St ; 🕑 déj et dîner ; 🚇 A, C, E, L jusqu'à Eighth Ave-14th St ; Ⓥ ♿

Ce *brownstone* de deux étages, doté d'une terrasse et d'un petit jardin, vous réserve une excellente surprise. La carte est inventive et change souvent : lard braisé au poivre noir sur lit de laitue avec sauce à l'ail, à la confiture de piment et aux anchois, terrine de légumes, raviolis aux courges *butternut*, esturgeon, aloyau ou encore porc à la coréenne.

🍴 BILL'S BAR & BURGER
burgers $
☎ 212-414-3003 ; www. brguestrestaurants.com ; 22 Ninth Ave près de 13th St ; 🕑 déj et dîner ; 🚇 A, C, E, L jusqu'à Eighth Ave-14th St ; ♿ Ⓥ ♿

Une cuisine délicieuse dans un cadre splendide à 5 Ninth

Les végétariens peuvent trouver leur bonheur (burgers végétariens, salades fraîches, frites croustillantes) mais ce restaurant est avant tout le paradis des amateurs de viande. Et bien sûr, le burger est à l'honneur, sous toutes ses formes : classique, bacon et cheddar, *mushroom 'n' swiss*, burger aux *short-ribs*… On se régale aussi de "disco fries" (noyées de sauce et de fromage fondu), de frites de patate douce, de toutes sortes de hot dogs (au piment, avec de la choucroute, etc.), de sandwichs au poisson-chat noirci, d'ailes de poulet, et de crumble aux pommes au dessert.

PARADOU *Bistrot français* $$
☎ 212-463-8345 ; www.paradounyc.com ; 8 Little W 12th St entre Ninth Ave et Washington St ; ✦ dîner ; ◉ A, C, E, L jusqu'à Eighth Ave-14th St ; Ⓥ

À l'arrière, le jardin débordant d'hortensias, paradisiaque au printemps, est le lieu idéal pour déguster un assortiment de jambon, de saucisson, de pâté, d'asperges et de haricots verts, ou une assiette de thon, de sardines et de truite fumée aux herbes avec des petits légumes et de l'aïoli au safran. On peut aussi se régaler de cuisses de grenouille aux champignons sauvages, pommes de terre sautées et crème fraîche au paprika.

BEast
Si le Meatpacking District n'est pas à la hauteur de vos attentes, direction le **BEast** (☎ 212-228-3100 ; 171 E Broadway près de Rutgers St ; ✦ 22h-4h jeu-sam). Aménagé sous un restaurant, ce lounge propose des vins bio, une musique endiablée, et des "soirées vidéo" alliant programmation de DJ et arts visuels. L'établissement est tenu par les gérants de la Santos Party House (p. 114).

STK *Grill* $$$
☎ 646-624-2444 ; www.stkhouse.com ; 26 Little W 12th St près de Ninth Ave ; ✦ dîner jusqu'à 2h ; ◉ A, C, E, L jusqu'à Eighth Ave-14th St ; ♿

Dans un cadre insolite, avec des banquettes élégantes, un décor noir métallique et une paire de cornes trônant au-dessus du bar, STK se targue de ne pas être "un grill ordinaire". Effectivement, on y trouve des salades (melon, avocat, mâche et citron vert *cumbava*, ou bleu, tomates et bacon fumé), du poulet rôti bio, du tartare de thon à l'ananas, à l'échalote et aux chips de banane plantain, et du *ceviche* aux noix de Saint-Jacques… sans oublier bien sûr les incontournables grillades : aloyau, flanchet, filet mignon, etc. Vous pouvez choisir une portion petite, moyenne ou grosse, et ajouter des accompagnements (truffes, par exemple).

⍜ PRENDRE UN VERRE

⍜ 675 BAR *Bar*

☎ 212-699-2410 ; www. brguestrestaurants.com ; 675 Hudson St ; 🕑 20h-2h ; Ⓜ A, C, E, L jusqu'à Eighth Ave-14th St

Salle sombre en sous-sol, le 675 Bar est à la fois une boîte où l'on danse (en fonction de la musique et de la clientèle), le rendez-vous des amoureux (grâce à ses petits recoins), et un lieu où l'on drague sans vergogne (le samedi). Pas de droit d'entrée, videurs sympathiques et DJ convenable.

⍜ BRASS MONKEY *Pub*

☎ 212-675-6686 ; 55 Little W 12th St à la hauteur de Washington St ; 🕑 11h30-4h ; Ⓜ A, C, E, L jusqu'à Eighth Ave-14th St

Situé dans un quartier de "bars à cocktails" prétentieux, voici un endroit sans chichis pour faire un billard et s'asseoir sur un tabouret de bar usé. Idéal pour les gens plus soucieux de ce qu'ils boivent que des vêtements qu'ils portent.

⍜ G2 *Bar*

☎ 212-807-8444 ; www.gaslightnyc. com ; 39 Ninth Ave à la hauteur de 14th St ; pas de droit d'entrée ; 🕑 20h-4h lun-sam ; Ⓜ A, C, E, L jusqu'à Eighth Ave-14th St

Le Cielo : pour danser au son de la house jusqu'au bout de la nuit…

👁 VOIR

🟢 AGORA GALLERY

☎ 212-226-4151 ; www.agora-gallery.
com ; 530 W 25th St ; entrée libre ;
🕐 11h-18h mar-sam ; Ⓜ C, E
jusqu'à 23rd St

Ouverte depuis les années 1980, cette
galerie d'art progressiste expose
des artistes internationaux dont le
travail porte sur le réchauffement
climatique, l'éducation, le féminisme,
les droits de l'homme et autres
grands mouvements idéologiques.
Elle accueille chaque année le
concours Chelsea International Fine
Arts et publie le magazine ARTis
Spectrum. Les expositions récentes
ont mis en lumière des peintres et
sculpteurs français comme Laurence
Brisson et Elisabeth Guerrier, et
permis d'admirer les œuvres de
Ruth Gilmore Langs, entre autres. En
2010, l'Agora a reçu des critiques très
élogieuses pour sa longue exposition
des sculptures en Lego grandeur
nature de Nathan Sawaya.

🟢 ALEXANDER & BONIN

☎ 212-367-7474 ; www.
alexanderandbonin.com ; 132 Tenth Ave
près de 18th St ; 🕐 11h-18h mar-sam ;
Ⓜ C, E jusqu'à 23rd St

Depuis qu'elle a déménagé de Soho
à Chelsea en 1997, cette galerie
aménagée sur 3 étages tire le
meilleur parti de son vaste espace
d'exposition en accueillant des

artistes de grande envergure, parmi
lesquels plusieurs ont remporté le
prestigieux Turner Prize. Rien qu'en
2010, elle a participé à ARCO 10, Zona
Maco, Art 41 et à la New York Gallery
Week. Carolyn Alexander et Ted
Bonin, ses directeurs, se rencontrent
parfois dans leurs bureaux du
2e étage. Récemment, on a pu voir
les œuvres de Willie Cole et les vidéos
de Willie Doherty.

🟢 ANDREA ROSEN GALLERY

☎ 212-627-6000 ; www.
andrearosengallery.com ; 525 W 24th St ;
entrée libre ; 🕐 10h-18h mar-sam ;
Ⓜ C, E, 1 jusqu'à 23rd St ; ♿

D'intéressantes installations
occupent cette spacieuse galerie
(et son annexe voisine, la Gallery 2).
Andrea Rosen a ouvert ce lieu en
1990 et s'est rapidement fait un
nom en présentant notamment les
"portraits pâles" de John Currin, les
"vautours" de Felix Gonzalez-Torres
et les peintures à l'huile de Tetsumi
Kudo.

🟢 CHELSEA ART MUSEUM

☎ 212-255-0719 ; www.
chelseaartmuseum.org ; 556 W 22nd St ;
adulte/étudiant et senior/- 16 ans 8/4 $/
gratuit ; 🕐 12h-18h mar, mer, ven et
sam, 12h-20h jeu ; Ⓜ C, E jusqu'à
23rd St ; ♿

Ce musée occupe un bâtiment de
3 étages en briques rouges de 1850,
sur un terrain ayant appartenu à

Voir carte
Midtown West p. 163

A B C D

1
2
3
4
5
6

W 30th St
W 29th St
W 28th St

Tenth Ave

⭐ 37

13 🕐

Chelsea
Park

Ninth Ave

⭐ 39

14 🕐
33 🍸
41 ⭐

W 27th St

W 26th St

Eleventh Ave

🕐
8
1 🕐

W 25th St

3
🕐 7 🕐🕐 10

W 24th St

26 🍽

Chelsea
Waterside Park

34 🍸

London
Terrace
Gardens

W 23rd St

🍽 27

Hudson River
Park

20

30 🍽

W 22nd St

🕐 4

11 🕐

17

🕐 6

32
🍸

W 21st St

W 20th St

Chelsea
Piers

Tenth Ave

W 19th St

2
🕐

🍽 28

W 18th St

🍸 35

⭐ 36

W 17th St

W 16th St

High Line

Marché de Chelsea

📷 22

W 15th St

Voir carte
Meatpacking
District p. 118

W 14th S t

Hudson

Twelfth Ave (West Side Hwy)

Eleventh Ave (West Side Hwy)

Ninth Ave

Washington St

Hudson

MEATPACKING
DISTRICT

E   F   G   H

Broadway

1

W 29th St

0 ———— 300 m
0 ———— 0.2 miles

28th St

28th St

W 28th St

12

W 27th St

Sixth Ave (Avenue of the Americas)

2

Eighth Ave

42

Seventh Ave

W 26th St

W 25th St

18

FLATIRON
DISTRICT

43

W 24th St

23rd St

W 23rd St

23rd St

23rd St

5

Voir carte Union Square,
Flatiron District et Gramercy
Park p. 141

3

W 22nd St

W 21st St

CHELSEA

31

W 20th St

4

29

38

W 19th St

40

Seventh Ave

Sixth Ave (Avenue of the Americas)

19

18th St

W 18th St

21

23

16

24

W 17th St

15

25

9

W 16th St

5

W 15th St

8th Ave-
14th St

6th Ave-
14th St

W 14th S t

14th St

Voir carte Greenwich
et West Village p. 106

6

W 13th St

Greenwich Ave

W 13th St

La galerie d'art Gagosian

l'écrivain Clement Clarke Moore. Il est consacré à l'expressionnisme abstrait de l'après-guerre, avec des artistes américains et étrangers. La collection permanente compte des œuvres d'Antonio Corpora, de Laszlo Lakner et du sculpteur Bernar Venet. Le musée héberge également la Miotte Foundation, dédiée aux travaux de Jean Miotte, un artiste français établi à Soho qui a joué un rôle prépondérant dans le mouvement informel (Informal Art).

ⓒ CHELSEA HOTEL
☎ 212-243-3700 ; www.hotelchelsea. com ; 222 W 23rd St entre Seventh Ave et Eighth Ave ; ⓒ C, E, 1, 2 jusqu'à 23rd St

Le site le plus intéressant de la bruyante 23rd St est cet hôtel de briques rouges agrémenté de balcons en fer forgé. Pas moins de 7 plaques signalent son intérêt littéraire. Avant que Nancy Spungeon, la petite amie de Sid Vicious, y trouve la mort, l'établissement était connu pour avoir accueilli des auteurs comme Mark Twain, Thomas Wolfe, Dylan Thomas et Arthur Miller. Jack Kerouac y aurait écrit *Sur la route* d'une traite. Les musiciens apprécient depuis toujours le Chelsea, qui compte parmi ses résidents permanents beaucoup d'excentriques du coin. Avec l'arrivée d'une nouvelle direction, sa devise, "l'art avant le profit", pourrait bien changer…

ⓒ CHELSEA PIERS COMPLEX
☎ 212-336-6000 ; www.chelseapiers. com ; au bord de l'Hudson à l'extrémité de W 23rd St ; ⓒ C, E jusqu'à 23rd St

Dans cet énorme complexe sportif au bord de l'eau, on peut effectuer un parcours de golf sur 4 niveaux, s'élancer sur une patinoire couverte ou louer des rollers pour se promener jusqu'à Battery Park le long de la piste cyclable d'Hudson Park. Il comprend aussi un élégant bowling, un espace dédié au basket, une école de voile pour enfants, des terrains de base-ball et une immense salle de sport avec piscine couverte. Des kayaks sont prêtés gratuitement à la Downtown Boathouse, juste au nord de Pier 64.

GAGOSIAN

☎ 212-741-1111 ; www.gagosian.com ; 555 W 24th St ; entrée libre ; 🕙 10h-18h sam ; 🚇 C, E jusqu'à 23rd St ; ♿

Les deux galeries Gagosian, celle de Chelsea et celle d'**Uptown** (carte p. 183 ; ☎ 212-741-1111 ; 980 Madison Ave ; 🕙 10h-18h mar-sam ; 🚇 6 jusqu'à 77th St- Lexington Ave ; ♿) présentent des expositions temporaires d'artistes internationaux comme Julian Schnabel, William de Kooning, Andy Warhol et Basquiat.

GREENE NAFTALI

☎ 212-463-7770 ; www.greenenaftali gallery.com ; 526 W 26th St ; entrée libre ; 🕙 10h-18h mar-sam ; 🚇 C, E jusqu'à 23rd St ; ♿

Jeune et innovante, cette galerie propose régulièrement des expositions de toutes sortes : film/vidéo, installation, peinture, dessin et performance-art. La colonne qui occupe le centre de la salle sert souvent à exposer des œuvres.

MATTHEW MARKS GALLERY

☎ 212-243-0200 ; www.matthewmarks. com ; 522 W 22nd St à la hauteur de Tenth Ave ; entrée libre ; 🕙 10h-18h lun-ven ; 🚇 C, E jusqu'à 23rd St ; ♿

Aménagées dans d'anciennes usines, les deux galeries de Matthew Marks (la seconde est située 523 W 24th St) ont été parmi les premières à s'installer à Chelsea. Aujourd'hui, elles exposent des artistes prestigieux comme Nan Goldin ou Andreas Gursky.

MUSEUM AT FIT

☎ 212-217-5800 ; www.fitnyc.edu ; Seventh Ave à la hauteur de W 27th St ; entrée libre ; 🕙 12h-20h mar-ven, 10h-17h sam ; 🚇 1 jusqu'à 28th St

Le Fashion Institute of Technology (FIT) est une école d'art, de mode et de design située en lisière du Fashion District de Manhattan. On peut en admirer les richesses dans les expositions temporaires du musée, qui permet également de voir les travaux des étudiants. Inaugurée fin 2005, la collection permanente est la plus importante du pays en matière de mode et d'histoire du textile. Elle comprend plus de 50 000 vêtements et accessoires datant du XVIIIe siècle à nos jours.

PAUL KASMIN

☎ 212-563-4474 ; www. paulkasmingallery.com ; 293 Tenth Ave à la hauteur de W 27th St ; entrée libre ; 🕙 10h-18h mar-sam, 9h-17h lun-ven juil et août ; 🚇 C, E jusqu'à 23rd St ; ♿

Attendez-vous à être surpris : cette galerie représente en effet le légendaire Frank Stella. Ici, tous les moyens d'expression sont acceptés : collages, peintures, photos, sculptures, entre autres. Les expositions sont variées, exubérantes et provocatrices. Il existe une annexe située 511 W 27th St.

⭘ RUBIN MUSEUM OF ART
☎ 212-620-5000 ; www.rmanyc. org ; 150 W 17th St à la hauteur de Seventh Ave ; adulte/étudiant et senior 10/7 $, gratuit 19h-22h jeu ; ⏱ 11h-17h lun et jeu, 11h-19h mer, 11h-22h ven, 11h-18h sam-dim ; ⭘ 1 jusqu'à 18th St
Voici le premier musée du monde occidental dédié à l'art de la région himalayenne. Son impressionnante collection comprend des tissus brodés de Chine, des sculptures en métal du Tibet, des statues en pierre du Pakistan, des peintures du Bhoutan, des objets rituels et des masques de diverses régions tibétaines, couvrant une

période comprise entre les IIe et XIXe siècles.

SHOPPING
⭘ 192 BOOKS *Librairie*
☎ 212-255-4022 ; 192 Tenth Ave entre W 21st St et W 22nd St ; ⏱ 11h-19h mar-sam, 12h-19h dim et lun ; ⭘ C, E jusqu'à 23rd St
En plein quartier des galeries, cette petite librairie indépendante propose des romans et des ouvrages sur les voyages, l'histoire, l'art et la critique littéraire. Elle accueille également des expositions temporaires qui sont l'occasion de mettre l'accent sur des livres en rapport avec le thème ou l'artiste présentés.

⭘ AUTHENTIQUES PAST & PRESENT
Déco vintage, objets divers
☎ 212-675-2179 ; 255 W 18th St entre Seventh Ave et Eighth Ave ; ⏱ 12h-18h mer-sam, 13h-18h dim ; ⭘ 1 jusqu'à 18th St

---

ANTIQUES GARAGE FLEA MARKET
Le week-end, l'**Antiques Garage Flea Market** (☎ 212-243-5343 ; 112 W 25th St ; ⏱ 9h-17h sam et dim ; ⭘ 1 jusqu'à 23rd St) investit les deux niveaux d'un parking avec plus de 100 stands où les amateurs d'antiquités achètent vêtements, chaussures, disques, livres, globes terrestres, meubles, tapis, lampes, verrerie, peintures, œuvres d'art et autres témoignages du passé. Si vous ne trouvez pas votre bonheur ici, une navette vous conduira, moyennant 1 $, au Hell's Kitchen Flea Market, à Midtown. Sinon, essayez le **Chelsea Outdoor Market** (carte p. 141 ; 29 W 25th St entre Fifth Ave et Sixth Ave ; ⏱ 9h-17h sam et dim ; ⭘ L, N, R, 4, 5, 6 jusqu'à Union Sq) ou le **17th Street Market** (W 17th St ; ⏱ 9h-17h sam et dim ; ⭘ L, N, R, 4, 5, 6 jusqu'à Union Sq).

Dans une petite rue tranquille, cette boutique rétro 100% kitsch vend des lampes fantaisie des années 1950 et 1960, des vases aux tons pastel, des verres originaux, des figurines de personnages de dessins animés et des bijoux voyants.

🎭 BALENCIAGA
Mode et accessoires
☎ 212-206-0872 ; 522 W 22nd St à la hauteur de Eleventh Ave ;
🕒 10h-19h lun-sam, 12h-17h dim ;
🚇 C, E jusqu'à 23rd St
Dans un cadre paisible et zen, venez admirer les collections artistiques et avant-gardistes de cette grande marque française, qui a parfaitement trouvé sa place dans ce coin de Chelsea. Lignes insolites, motifs gothiques et pantalons pour clientes longilignes (et aisées).

🎭 BARNEYS CO-OP
Mode et accessoires
☎ 212-593-7800 ; 236 W 18th St ;
🕒 11h-20h lun-ven, 11h-19h sam , 12h-18h dim ; 🚇 1 jusqu'à 18th St
Installée dans une sorte de loft, cette version plus jeune et plus branchée de Barneys (p. 187) présente une petite collection très choisie de vêtements pour homme et femme, de chaussures et de cosmétiques à des prix (relativement) abordables. Les soldes de février et d'août sont littéralement pris d'assaut.

Pétrissage du pain à Amy's Bread (marché de Chelsea)

🎭 GIRAUDON *Chaussures*
☎ 212-633-0999 ; 152 Eighth Ave entre W 17th St et W 18th St ; 🕒 11h30-19h30 ven-mer, 11h30-23h jeu ; 🚇 A, C, E, L jusqu'à Eighth Ave-14th St
Cette petite boutique vendait déjà de belles chaussures en cuir avant l'embourgeoisement du quartier. Style classique avec une pointe d'originalité, pour toutes les occasions. Les vendeurs sont très accueillants.

🎭 HOUSING WORKS
THRIFT SHOP *Mode et accessoires, objets divers*
☎ 212-366-0820 ; 143 W 17th St ;
🕒 10h-18h lun-sam, 12h-17h dim ;
🚇 1 jusqu'à 18th St

Avec sa vitrine joliment présentée, cette boutique gérée par une association caritative a tout d'un magasin classique, si ce n'est que les vêtements, les accessoires, les meubles et les livres (d'un excellent rapport qualité/prix) sont vendus au bénéfice des sans-abri séropositifs ou malades du sida.

⌂ LOEHMANN'S
Mode et accessoires
☎ 212-352-0856 ; www.loehmanns.com ; 101 Seventh Ave à la hauteur de W 16th St ; ⏰ 9h-21h lun-sam, 11h-19h dim ; ◉ 1 jusqu'à 18th St
Repaire des branchés en quête d'articles de marque à des prix abordables, Loehmann's est un magasin de 5 étages qui aurait, dit-on, incité le jeune Calvin Klein à se lancer dans la mode. Le premier magasin de cette chaîne se trouve dans le Bronx. Le site web indique les coordonnées des autres succursales.

⌂ MARCHÉ DE CHELSEA
Alimentation, marché
www.chelseamarket.com ; 75 Ninth Ave entre W 15th St et W 16th St ; ⏰ 7h-21h lun-sam, 10h-20h dim ; ◉ A, C, E, L jusqu'à Eighth Ave-14th St
Ce marché couvert de 240 m de long regorgeant de produits frais donnera aux gourmets l'impression de pénétrer dans la caverne d'Ali Baba. Il n'occupe en fait qu'une

NEW YORK >134

petite partie du pâté de maisons qui abritait dans les années 1930 l'usine de cookies Nabisco et qui accueille actuellement les chaînes de télévision Food Network, Oxygen Network et NY1. Plus de 25 magasins sont regroupés ici, notamment Amy's Bread, Fat Witch Brownies, The Lobster Place, Ronnybrook Farm Dairy et la boucherie Frank.

🍴 SE RESTAURER
🍴 202 *Cuisine de pub* $$
☎ 646-638-0115 ; www.nicolefarhi.com ; 75 Ninth Ave ; ⏰ déj et dîner ; ◉ 1 jusqu'à 18th St ; ♿ Ⓥ ♿
Entre deux emplettes, venez vous asseoir dans ce pub irlando-britannique installé au beau milieu du magasin de Nicole Farhi, dans le marché de Chelsea (il doit son nom au premier restaurant ouvert par la propriétaire à Londres). Ici, vous mangerez du *fish 'n' chips* ou un petit-déjeuner anglais complet au milieu des clients de la boutique. L'endroit est bondé au déjeuner, mais vous pouvez simplement prendre un café au comptoir.

🍴 BUDDAKAN *Asiatique* $$$
☎ 646-989-6699 ; www.buddakannyc.com ; 75 Ninth Ave ; ⏰ déj et dîner ; ◉ 1 jusqu'à 18th St ; ♿ Ⓥ ♿
Venez tôt si vous voulez manger sans être obligé de crier pour vous faire entendre : vite bondé, ce vaste

restaurant devient *très* bruyant. Également situé dans le marché de Chelsea, son allure est saisissante, moitié décor de cinéma, moitié salle de banquet. La cuisine asiatique fusion privilégie les produits de la mer, relevés d'épices et de saveurs exquises.

EL QUINTO PINO *Tapas* $$
☎ 212-206-6900 ; 401 W 24th St ; déj et dîner ; C, E jusqu'à 23rd St ;

Il n'est pas difficile de trouver des tapas à New York, mais les vrais amateurs sont souvent déçus. Heureusement, ils peuvent compter sur El Quinto Pino, une longue salle étroite bordée de 16 tabourets (et rien d'autre). Comme à Madrid, vous devrez rester debout au bar pour avaler olives, anchois, crevettes sautées à l'ail, mini-sandwichs, bâtonnets de cabillaud, calamars et autres délices. Si vous voulez vous asseoir, les mêmes propriétaires gèrent, au coin de la rue, **Tia Pol** (205 Tenth Ave) : la cuisine est identique, mais la salle plus spacieuse

GREEN TABLE *Cuisine bio* $$
☎ 212-741-9174 ; http://cleaverco.com ; 75 Ninth Ave ; déj et dîner, dim juin-août ; C, E, L, 1, 2, 3 jusqu'à Eighth Ave-14th St ;

Dans le marché de Chelsea, ce restaurant n'utilise que des produits bio livrés quotidiennement par Satur Farms, une exploitation agricole du nord de l'État. La viande, les œufs et les produits laitiers sont issus d'animaux élevés en liberté et les nombreux plats végétariens vous séduiront par leur fraîcheur. La carte change tous les jours.

KLEE BRASSERIE *Brasserie* $$
☎ 212-633-8033 ; 200 Ninth Ave entre W 22nd St et W 23rd St ; dîner ; C, E jusqu'à 23rd St ;

UPRIGHT CITIZENS BRIGADE
Offrez-vous une bonne tranche de rire au plus ancien théâtre d'improvisation et de one-man-show de New York, créé par de célèbres humoristes comme Amy Poehler du Saturday Night Live (SNL). Le spectacle de référence de l'**UCBT** (☎ 212-366-9176 ; www.newyork. ucbtheatre.com ; 307 W 26th St près de Eighth Ave ; tickets 7-15 $; spectacles tous les soirs ; C, E jusqu'à 23rd St) est l'Assscat 3000, qui a lieu le dimanche soir. On y entend les comiques les plus drôles de l'UCBT faire de longues improvisations, et parmi les fréquents invités surprise, on retrouve des humoristes du SNL, Jon Stewart de *The Daily Show* ou encore Conan O'Brien. Le spectacle de 19h30 coûte 10 $; celui de 21h30 est gratuit mais sans réservation. Les billets sont distribués vers 20h15 devant le théâtre.

Voici une brasserie chaleureuse, gaie et légèrement romantique, mais sans ostentation. Dans la cuisine ouverte, on s'affaire devant des ingrédients frais : en entrée, salade d'endives aux chanterelles accompagnée d'un œuf poché ; en guise de plat principal, poulet aromatisé à la réglisse et risotto aux crevettes et au citron. Les végétariens trouveront également leur bonheur avec une belle composition de légumes de saison et de quinoa.

🍴 OMAI *Vietnamien* $

☎ 212-633-0550 ; 158 Ninth Ave entre W 19th St et W 20th St ; 🕑 dîner ; 🚇 A, C, E jusqu'à 14th St

Une petite salle romantique, où les habitués viennent déguster de la lotte aux arachides, au piment et au basilic avec des galettes de riz au sésame, des crêpes de riz aux crevettes, au poulet et aux germes de haricot, ou des mélanges inattendus, comme les crevettes grillées au sucre de canne accompagnées de vermicelles et d'une sauce aux arachides.

🍴 SOCCARAT PAELLA BAR
Espagnol $$

☎ 212-462-1000 ; www.soccaratpaellabar. com ; 259 W 19th St près de Eighth Ave ; 🕑 déj et dîner ; 🚇 1 jusqu'à 18th St ; Ⓥ Salle douillette et étroite que domine une grande table commune

Salivez d'avance en lisant le menu de la Klee Brasserie

à plateau de verre, où l'on sert de divines paellas parfumées au safran avec légumes, fruits de mer et/ou viande. On peut aussi déguster des tapas, qui n'arrivent toutefois pas à la cheville de la paella. Pas de réservation mais possibilité de patienter dans le bar à vins, juste à côté. Il y a moins de monde au déjeuner qu'au dîner.

PRENDRE UN VERRE

BAR VELOCE *Bar*
☎ 212-629-5300 ; 176 Seventh Ave près de W 20th St ; 🕒 17h-3h ; 🚇 C, E jusqu'à 23rd St

Boire un bon vin, manger quelques paninis, contempler les passants bien habillés ou engager la conversation avec un ou deux étrangers, que demander de plus ? Petit et accueillant, le Bar Veloce s'adresse à une clientèle assez raffinée qui vient se détendre après une dure journée.

CHELSEA BREWING COMPANY *Pub*
☎ 212-336-6440 ; Chelsea Piers, Pier 59, W Side Highway à la hauteur de W 23rd St ; 🕒 midi-minuit ; 🚇 C, E jusqu'à 23rd St

Pour les amateurs de bières artisanales, cette grande terrasse au bord de l'eau est parfaite pour se réhabituer à la vie urbaine après

une journée de piscine, de golf ou d'escalade au Chelsea Piers Complex (p. 130).

GLASS *Bar*
☎ 212-904-1580 ; 287 Tenth Ave à la hauteur de W 26th St ; 🕒 21h-4h mer-sam ; 🚇 C, E jusqu'à 23rd St

Carrelage translucide, tabourets de bar et plateaux de table bordés de rose et de bleu vif, clientèle chic. On vient surtout ici pour les cocktails, forts et variés : martini bleu, caipirinha d'un vert profond, cosmo d'un joli rose. L'endroit compte une petite piste de danse et exige parfois un droit d'entrée de 10 $, mais laisse entrer tout le monde sans faire de favoritisme.

HALF KING *Pub*
☎ 212-462-4300 ; 505 W 23rd St à la hauteur de Tenth Ave ; 🕒 11h-4h lun-ven , 9h-4h sam et dim ; 🚇 C, E jusqu'à 23rd St

Mélange de pub douillet et de repaire pour écrivains, cet établissement accueille souvent des soirées littéraires au milieu de boiseries éclairées à la bougie. Vous trouverez forcément votre bonheur parmi la myriade de sièges et de fauteuils, surtout par temps chaud, quand vous pouvez choisir entre la terrasse à l'avant, l'espace intérieur principal, la petite salle du fond et le patio à l'arrière.

🍸 PARK *Bar*
☎ 212-352-3313 ; 118 Tenth Ave près de W 17th St ; 🕙 11h-2h lun-mer, 11h-4h jeu-dim ; Ⓜ A, C, E, L jusqu'à Eighth Ave-14th St
Cet immense bar à l'ancienne offre une grande salle à l'avant, un jardin encore plus grand à l'arrière (ouvert toute l'année), une autre salle immense décorée de jolies lanternes chinoises rouges, un atrium lumineux et même un espace couvert sur le toit, agrémenté d'un Jacuzzi. Le jardin a vraiment l'air d'un parc et abrite quelques répliques de biches disposées çà et là. La clientèle mêle branchés et professionnels du monde de l'art.

⭐ SORTIR
⭐ 1OAK *Discothèque*
☎ 212-242-1111 453 W 17th St ; entrée 10-25 $; 🕙 22h-4h mar-sam ; Ⓜ A, C, E, L jusqu'à Eighth Ave-14th St
Mélange de pavillon de chasse scandinave et de bar à narguilé marocain, cette discothèque très appréciée des célébrités et bondée jusqu'à l'aube où un DJ passe de la house et de la techno, offre un feu de cheminée et un service assis.

⭐ EAGLE NYC *Discothèque*
☎ 646-473-1866 ; www.eaglenyc. com ; 555 W 28th St entre Tenth Ave et Eleventh Ave ; entrée 10 $; 🕙 22h-4h lun-sam ; Ⓜ C, E jusqu'à 23rd St

Fréquentée par des hommes vêtus de cuir, ce club comporte deux niveaux et une terrasse qui offrent largement la place de danser et de boire, activités auxquelles on s'adonne ici sans aucune retenue. Le jeudi, il faut respecter le code vestimentaire (tout en cuir). Situé dans une écurie rénovée du XIXᵉ siècle, la plaisanterie qui court sur ce lieu est qu'il continue à accueillir des "étalons".

⭐ G LOUNGE *Bar*
☎ 212-929-1085 ; www.glounge. com ; 223 W 19th St entre Seventh Ave et Eigth Ave ; pas de droit d'entrée ; 🕙 16h-4h ; Ⓜ 1 jusqu'à 18th St
Déco luxueuse mais sans prétention pour ce bar gay qui accueille volontiers les hétéros, et dont l'atout maître est la musique. Les DJ changent tous les jours, mais le mardi est invariablement la soirée BoyBox. Consultez le site Internet pour savoir quel DJ est aux platines. Pour boire et danser sans payer de droit d'entrée, c'est l'adresse imbattable. Il faudra toutefois peut-être patienter dans la file d'attente. Côté code vestimentaire, on est ici agréablement décontracté. Paiement en espèces uniquement.

⭐ HOME *Discothèque*
☎ 212-273-3700 ; 532 W 27th St près de Tenth Ave ; entrée 20 $; 🕙 22h-4h mar-dim ; Ⓜ C, E jusqu'à 23rd St, 1 jusqu'à 28th St

Cette immense boîte de nuit est aménagée sur plusieurs niveaux, avec des canapés en cuir sombre le long des murs et de petits coins et recoins reliés par des couloirs faiblement éclairés. Aux platines, le DJ balance de la musique électronique, de la funk et de la pop. La porte donnant sur la discothèque voisine, la Guesthouse, reste parfois ouverte, ce qui permet de passer de l'une à l'autre.

⭐ JOYCE THEATER *Arts*
☎ 212-242-0800 ; www.joyce.org ; 175 Eighth Ave ; 🕑 horaires variables ; 🚇 C, E jusqu'à 23rd St, A, C, E jusqu'à Eighth Ave-14th St, 1 jusqu'à 18th St
Ce théâtre original et intime reçoit chaque année les compagnies de danse Merce Cunningham et Pilobolus. Il vient d'être rénové et la vue sur la scène est parfaite où que l'on soit assis : la salle compte 470 sièges confortables.

⭐ MARQUEE *Discothèque*
☎ 646-473-0202 ; 289 Tenth Ave entre W 26th St et W 27th St ; entrée 20 $; 🕑 23h-4h mer-sam ; 🚇 C, E jusqu'à 23rd St

Un public chic et glamour, avec son contingent de célébrités, se presse pour passer le cordon de velours et se défouler toute la nuit sur de la musique électronique, de la house et de la funk. À moins d'avoir un coup de chance ou de taper dans l'œil du videur, préparez-vous à une longue attente.

⭐ XES LOUNGE *Bar*
☎ 212-604-0212 ; www.xeslounge.com ; 157 West 24th St près de Seventh Ave ; pas de droit d'entrée ; 🕑 14h-2h ; 🚇 C, E jusqu'à 23rd St
Ce bar gay de quartier, à l'allure un peu louche avec jardin à l'arrière, reçoit une clientèle presque exclusivement masculine. Le lieu s'anime tard le soir, surtout du jeudi au samedi. Idéal pour vous déhancher sur une chanson de Beyoncé debout sur la table ou sur une chaise, mais si vous préférez la piste de danse, pas de problème non plus. Pour les boissons en *happy hour*, comptez deux pour le prix d'une. Soirées karaoké en milieu de semaine.

>UNION SQUARE, LE FLATIRON DISTRICT ET GRAMERCY PARK

C'est à Union Square, terrain de prédilection des manifestations, protestations et rassemblements populaires, que bat le cœur contestataire de New York. Cette place de taille moyenne, trépidante et animée, accueille également le plus célèbre marché de produits frais de la ville.

Gramercy Park, à quelques rues au nord-est, offre un tout autre visage, aussi exclusif qu'Union Square est égalitaire. Ses *brownstones* chic abritent de vieilles fortunes et d'excellentes tables. Son superbe parc, dont les grilles en réservent l'accès aux quelques nantis vivant alentour, domine le tout.

À l'opposé, le Flatiron District, immédiatement au nord d'Union Square, est devenu une artère commerçante où se bousculent les grandes enseignes comme Home Depot et ABC Carpet & Home.

Tous trois composent un quartier commode et cossu, bien pourvu en grands restaurants (mais gare au portefeuille !).

UNION SQUARE, LE FLATIRON DISTRICT ET GRAMERCY PARK

A B C D

W 36th St · E 36th St

W 35th St · E 35th St

Macy's

34th St-Herald Sq

W 34th St · E 34th St

HERALD SQUARE

Empire State Building

33rd St

W 33rd St · E 33rd St

W 32nd St (Korea Way) · E 32nd St

LITTLE KOREA

Broadway

Sixth Ave (Avenue of the Americas)

Fifth Ave

Madison Ave

Park Ave South

Lexington Ave

Third Ave

W 31st St · E 31st St

W 30th St · E 30th St

Voir carte Midtown East p. 151

W 29th St · E 29th St

W 28th St · E 28th St

28th St · 28th St

14

W 27th St · E 27th St

12

W 26th St · E 26th St

3

15 · 7

W 25th St · E 25th St

FLATIRON DISTRICT

Madison Square Park

2

W 24th St · E 24th St

23rd St · 16 · 23rd St

W 23rd St · E 23rd St

1

W 22nd St · E 22nd St

W 21st St · E 21st St

18

Gramercy Park

W 20th St · E 20th St

CHELSEA

19 · 4

W 19th St · E 19th St

Voir carte Chelsea p. 128

GRAMERCY PARK

6

W 18th St · E 18th St

22

21 · 10

W 17th St · E 17th St

24

17

UNION SQUARE

25

W 16th St · E 16th St

11

20 · 23

W 15th St · E 15th St

Union Square

5

6th Ave-14th St

14th St-Union Sq

W 14th St · E 14th St · E 14th St

3rd Ave

University Pl

Broadway

Fourth Ave

8 · 13 · 9

Voir carte East Village p. 92

W 13th St · E 13th St

GREENWICH VILLAGE

Voir carte Greenwich et West Village p. 106

EAST VILLAGE

W 12th St · E 12th St

0 — 300 m
0 — 0,2 miles

⊙ VOIR

⊙ FLATIRON BUILDING

**Broadway, angle Fifth Ave et 23rd St ;
◉ N, R, 6 jusqu'à 23rd St**

Triangle en trois dimensions surgi de terre, cet immeuble inédit de 22 étages en pierre calcaire et à la façade recouverte de terre cuite date de 1902. Doutant de la solidité de l'édifice en forme de fer à repasser (*flatiron*) conçu par Daniel Burnham, les habitants le surnommèrent "la folie de Burnham". Large de deux mètres en son point le plus étroit, il est devenu le monument emblématique du quartier.

⊙ MADISON SQUARE PARK

www.nycgovparks.org ; de 23rd à 26th St, entre Broadway et Madison Ave ; ⊙ 6h-1h ; ◉ N, R, 6 jusqu'à 23rd St ; ♿

L'endroit est adorable, que vous veniez pour ses élégantes statues, ses représentations artistiques gratuites en été, son aire de jeux pour enfants ou, comme tout le monde, pour

Shake Shack (☎ 212-989-6600 ; www.shakeshack.com ; 23rd St et Madison Ave ; ⊙ 11h-23h), un kiosque gourmand et écolo qui a transformé le sud du parc en un endroit branché du Flatiron District où l'on peut dîner.

⊙ MUSEUM OF SEX

**☎ 212-689-6337 ; www.museumofsex.com ; 233 Fifth Ave ; adulte/senior et étudiant 14,50/13,50 $; ⊙ 10h-20h dim-jeu, 10h-21h ven-sam (dernière entrée 45 min avant la fermeture) ;
◉ N, R, 6 jusqu'à 28th St**

Réservé aux plus de 18 ans, ce musée du sexe n'a pourtant rien de particulièrement illicite, ayant davantage pour objectif d'informer que de titiller. Sa collection permanente revient sur les révolutions sexuelles qu'ont connues les États-Unis, du strip-tease au droit des homosexuels. Certaines des expositions temporaires et en ligne sont un peu plus sulfureuses. La boutique offre des jouets érotiques haut de gamme.

GREENMARKETS

Festins pour les yeux, ces marchés, dits également "*farmers markets*", visent à sensibiliser les New-Yorkais aux produits locaux, majoritairement en provenance de l'Hudson Valley. Le **Union Square Greenmarket** (17th St entre Broadway et Park Ave S ; ⊙ 10h-18h lun, mer, ven et sam), sans doute le plus célèbre d'entre eux, attire bon nombre de chefs réputés qui viennent s'y approvisionner en herbes aromatiques, maïs frais et courges orange vif. Mais quantité d'autres marchés de produits frais se tiennent en ville. Pour en savoir plus, consultez le site du **Conseil de l'environnement de New York** (☎ 212-788-7476 ; www.cenyc.org) qui les chapeaute depuis 1976.

La proue du Flatiron Building semble s'élancer vers Broadway

UNION SQUARE, LE FLATIRON DISTRICT ET GRAMERCY PARK

NATIONAL ARTS CLUB

☎ 212-475-3424 ; www.nationalartsclub.
org ; 15 Gramercy Park S ; ⊖ 6 jusqu'à
23rd St

Le bar en bois de ce club est
surmonté d'une magnifique voûte
ornée de vitraux. Pensé par Calvert
Vaux, l'un des concepteurs de
Central Park, l'édifice accueille des
expositions artistiques gratuites, de la
sculpture à la photographie, parfois
ouvertes au public de 13h à 17h.

UNION SQUARE

17th St entre Broadway et Park Ave S ; ⊖
L, N, Q, R, W, 4, 5, 6 jusqu'à 14th St-Union Sq

Ouvert en 1831, ce petit parc,
théâtre en 1882 du premier
rassemblement pour la fête du
Travail, continue à être associé
au mouvement contestataire.
Son nom ne fait pourtant pas
référence aux syndicats (*unions*
en anglais), même si beaucoup
d'entre eux vinrent s'installer à
proximité (dont l'Union américaine
pour les libertés civiles, les
partis communiste et socialiste
et le syndicat des ouvrières
de l'industrie du textile), mais
à "l'union" entre Broadway et
Bowery. Il accueille désormais
un superbe marché de produits
frais (voir ci-contre), plusieurs
statues comme celles de George
Washington et de Gandhi, des
œuvres d'art et, à son extrémité
nord rénovée, un nouveau
restaurant et une aire de jeux.

Union Square (p. 143), un petit parc chargé d'histoire

SHOPPING

ABC CARPET & HOME
Articles pour la maison

☎ 212-473-3000 ; 888 Broadway ;
🕐 10h-19h lun-mer et ven, 10h-20h
jeu, 11h-19h sam ; ⓜ L, N, Q, R, W, 4,
5, 6 jusqu'à 14th St-Union Sq

Une ribambelle de boutiques
d'ameublement et de décoration
intérieurs s'alignent du nord d'Union
Square à 23rd St. ABC Carpet & Home
ressemble à un musée où vous
trouverez, répartis sur six étages,
toutes sortes d'articles pour la
maison, des bibelots, des bijoux de
créateurs, des cadeaux passe-partout
ainsi que des tapis et des meubles
anciens (plus encombrants)... À Noël,
les décorations et les illuminations en
font un véritable plaisir pour les yeux.

FILENE'S BASEMENT
Centre commercial

☎ 212-358-0169 ; 4 Union Sq ; 🕐 9h-22h
lun-sam, 11h-20h dim ; ⓜ L, N, Q, R, W,
4, 5, 6 jusqu'à 14th St-Union Sq

Malgré son nom (*basement* signifie
sous-sol), cette succursale d'une
chaîne implantée à Boston se situe
trois étages plus haut dans un petit
centre commercial ayant vu le jour
à l'extrémité sud d'Union Square
(autour du Whole Foods). Les
fashionistas les plus déterminées
dénicheront peut-être des trésors
notamment des vêtements de
chez Dolce & Gabbana, Michael
Kors et Versace. Les étages
inférieurs rassemblent des grandes
enseignes bon marché et Whole
Foods, un supermarché toujours
bondé.

🛍 NORDSTROM RACK
Grand magasin

☎ 212-220-2080 ; www.shop.
nordstrom.com ; 60 E 14th St ; ⏰ 9h-22h
lun-sam, 11h-19h dim ; 🚇 L, N, Q, R, W,
4, 5, 6 jusqu'à 14th St-Union Sq

Paradis des amateurs de bonnes
affaires, cette boutique Nordstrom
pour petits budgets propose
25 000 paires de chaussures à prix
réduits, 2 000 paires de jeans de
créateurs, et 2 400 sacs à main. Les
vêtements et accessoires L.A.M.B.,
Badgley Mischka, Alexander
Wang, Nanette Lepore, etc., sont
rassemblés par marque dans tout
le magasin. Les rabais vont de 30%
à 70%, et il y a même un tailleur sur
place pour être sûr que vos achats
vous vont parfaitement. Rayons
homme et enfant également.

🛍 SHAREEN VINTAGE
Mode et accessoires

☎ 212-206-1644 ; www.shareenvintage.
com ; 13 W 17th St près de Fifth Ave ;
⏰ 17h-22h mer et jeu, 12h-18h sam
et dim ; 🚇 L, N, Q, R, W, 4, 5, 6 jusqu'à
14th St-Union Sq

Gagnez le 2e étage pour farfouiller
dans les rayons et portants
garnis de fabuleux articles
vintage. La propriétaire se rend
régulièrement à Los Angeles afin de
réapprovisionner la boutique qui
abonde en imprimés et couleurs
éclatantes des années 1960, 1970
et 1980.

🍴 SE RESTAURER

🍴 15 EAST *Japonais* $$

☎ 212-647-0015 ; www.
15eastrestaurant.com ; 15 E 15th St ;
⏰ déj et dîner lun-ven, dîner sam ;
🚇 L, N, Q, R, W, 4, 5, 6 jusqu'à 14th St-
Union Sq ; 🅥

Voici le paradis des amateurs de
sushis traditionnels. Les abat-jour
géométriques semblables à de
grandes lanternes en papier et la
déco minimaliste marron foncé
et blanc cassé avec des fioritures
rouges vous transportent au
Japon. Le chef Masato Shimizu
fait venir quotidiennement du
poisson frais (poisson argenté,
saumon, maquereau, anguille et
toutes sortes de variétés à queue
jaune) de son île natale pour
confectionner ses délicieux sushis
et sashimis.

🍴 BLUE SMOKE
Cuisine du Sud, grillades $$

☎ 212-447-7733 ; www.bluesmoke.
com ; 116 E 27th St ; ⏰ déj et dîner ;
🚇 6 jusqu'à 28th St ; 🚭 👶

Mieux vaut venir le midi ou en
début d'après-midi pour éviter
l'attente car le Blue Smoke fait le
plein le soir. Il compte un club de
jazz mais l'action se concentre
à l'étage, dans la salle spacieuse
adaptée aux groupes et aux
familles. Jetez votre dévolu sur les
entrées à l'ancienne – *hush puppies*
(beignets de maïs) ou *mac 'n' cheese*

– ou passez directement au plat de résistance : poitrine de bœuf texane, poulet grillé bio, travers de porc de Kansas City (sucrés), côtes levées de Memphis (maigres), côtelettes sel et poivre du Texas (fumées) ou choisissez l'assortiment.

🍴 CHOCOLATE BY THE BALD MAN *Américain éclectique* $

☎ 212-388-0030 ; www.maxbrenner. com ; 841 Broadway ; 🕙 9h-minuit lun-jeu, 9h-2h ven-dam, 9h-23h dim ; 🚇 L, N, Q, R, W, 4, 5, 6 jusqu'à 14th St-Union Sq

La passion de l'australien Max Brenner pour le chocolat a gagné Union Square, et son café/bar à chocolat aux allures de maison en pain d'épices fait fureur. Outre les sucreries, la carte affiche de vrais plats, un excellent petit-déjeuner et des recettes légères préparées sur place. Irrésistible !

🍴 HILL COUNTRY
Américain, grillades $$

☎ 212-255-4544 ; 30 W 26th entre Broadway et Sixth Ave ; 🕙 déj et dîner ; 🚇 N, R, W jusqu'à 28th St

Saucisses, généreuse poitrine et épaule de bœuf mais aussi côtes de porc à la texane figurent à la carte du Hill Country (du nom de la région entre Austin et San Antonio). Les clients peuvent déguster leur plat de viande agrémenté de haricots blancs à la sauce tomate et de biscuits beurrés dans l'immense salle en bois et en briques ou écouter des concerts country au sous-sol. Des matchs de football américain sont retransmis sur grand écran le dimanche. Le bar reste animé jusqu'à 2h.

🍴 STEAK FRITES
Bistrot français $$

☎ 212-675-4700 ; www.steakfritesnyc. com ; 9 E 16th St près de Union Sq ; 🕙 déj, dîner, brunch sam et dim ; 🚇 L, N, Q, R, W, 4, 5, 6 jusqu'à 14th St-Union Sq ; ♿ Ⓥ ♿

Le menu est typiquement celui d'un bistrot français, mais le

CURRY HILL

Quoique cela ne soit pas politiquement correct, Murray Hill, composée de quatre petits pâtés de maisons au nord d'Union Square et de Gramercy, est parfois surnommée Curry Hill (colline du curry), en référence à sa myriade de restaurants, de boutiques et de traiteurs indiens. En remontant Lexington Ave vers le nord de E 28th St jusqu'à E 33rd St, vous trouverez certaines des meilleures tables indiennes new-yorkaises, à des prix souvent imbattables. L'adresse indétrônable ? **Curry in a Hurry** (☎ 212-683-0900 ; 119 Lexington Ave angle E 28th St ; 🕙 déj et dîner ; 🚇 de 6th St à 28th St). L'endroit n'a rien de sophistiqué mais on a même pu y croiser Bono, de U2.

cadre est authentiquement américain : lumières éclatantes, hauts plafonds, décor futuriste et beaucoup d'espace entre les tables. Les formules du jour proposent entre autres du coq au vin, du thon sauté au fenouil et aux olives, des moules frites à volonté et du magret de canard au gingembre et au cumin. Le steak frites est si tendre qu'il fond dans la bouche, et le risotto aux asperges est divin. Les végétariens se régaleront de copieuses salades, ou de plats d'accompagnement comme les champignons sauvages grillés. Desserts maison préparés chaque jour.

☿ PRENDRE UN VERRE

☿ BLACK BEAR LODGE *Bar*
☎ 212-253-2974 ; www.bblnyc.com ; 274 Third Ave près de 21st St ; ⏱ 16h-2h ; 🚇 6 jusqu'à 23rd St
Un pavillon de chasse en plein Manhattan, c'est l'idée générale. Si vous avez envie de vous attabler à de grandes tables de pique-nique aux côtés des autres convives et de commander de grands pichets d'une bière correcte (15 $), vous êtes à la bonne adresse. Il y a des fléchettes et des jeux de plateau, mais les habitués semblent préférer de loin le *beer pong*.

☿ FLATIRON LOUNGE *Bar*
☎ 212-727-7741 ; 37 W 19th St entre Fifth et Sixth Ave ; ⏱ 17h-2h dim-mer, 17h-4h jeu-sam ; 🚇 F, N, R, V, W jusqu'à 23rd St
Ce bar simple à l'ambiance classique possède un comptoir en acajou de 1927. Ses cocktails maison déclinent les produits de saison (grenade, pomme verte, menthe et litchis) dans un cadre rétro chargé d'histoire avec alcôves en cuir rouge et lampes en vitrail. La spectaculaire arcade à la lumière tamisée de l'entrée ajoute à l'élégance du lieu.

☿ HEARTLAND BREWERY *Brasserie*
☎ 212-645-3400 ; www. heartlandbrewery.com ; 35 Union Sq W au croisement de 17th St ; ⏱ 11h-2h ; 🚇 L, N, Q, R, W, 4, 5, 6 jusqu'à 14th St-Union Sq ; ♿
Le pub Heartland d'origine se trouve ici, à Union Square, et reste le meilleur de la ville pour passer l'après-midi à observer les clients et les passants, ou prendre un verre après le travail. Depuis les tables en terrasse, on est aux premières loges pour assister au spectacle souvent drôle qu'offre Union Square. À l'intérieur, on côtoie des New-Yorkais de tous horizons en sirotant des bières spéciales. L'établissement propose aussi un choix appétissant d'en-cas de pub : ailes de poulet, croquettes de fromage et *potato skins*.

Tournée générale au Pete's Tavern

Y LILLIE'S *Pub irlandais*
☎ 212-337-1970 ; www.lilliesnyc.com ;
13 E 17th St près de Fifth Ave ;
🕓 11h-4h ; ⊕ L, N, Q, R, W, 4,
5, 6 jusqu'à 14th St-Union Sq
Atmosphère victorienne pour ce
pub irlandais qui rend hommage à
Lillie Langtry, actrice britannique du
XIXe siècle. Dénichez une table si vous
y parvenez, sinon, accoudez-vous
au superbe bar en acajou (venu
d'Irlande) pour siroter l'une des bières
belges que propose l'établissement.

Y PETE'S TAVERN *Pub*
☎ 212-473-7676 ; 129 E 18th St angle
Irving Pl ; 🕓 12h-2h ; ⊕ L, N, Q, R, W,
4, 5, 6 jusqu'à 14th St-Union Sq

Dans une belle ambiance tamisée,
ce troquet est un classique new-
yorkais, décoré de fer repoussé et
de bois sculpté avec un air de café
littéraire. On y sert d'honnêtes
hamburgers et plus de 15 sortes
de bière pression. La clientèle
hétéroclite réunit couples sortant
du théâtre, expatriés irlandais
et étudiants de l'université de
New York.

⭐ SORTIR

⭐ IRVING PLAZA *Concerts*
☎ 212-777-6800 ; 17 Irving Pl angle
E 15th St ; entrée 12-35 $; 🕓 19h-minuit
mar-sam ; ⊕ L, N, Q, R, W, 4, 5, 6 jusqu'à
14th St-Union Sq
La programmation variée de cette
ancienne salle va du hard rock à
l'emo, en passant par le punk, parfois
dans la même soirée selon celui ou
celle qui assure la première partie.
U2, Prince, Rufus Wainwright et bien
d'autres s'y sont succédé. Parmis
les artistes assurant fréquemment
le show : Sylvain Sylvain et Cheetah
Chrome, Ryan Star, Railroad Earth et
Donna the Buffalo, Killing Joke ainsi
que the Dan Band.

⭐ KARAOKE ONE 7 *Karaoké*
☎ 212-675-3527 ; www.karaoke17.
com ; 29 W 17th St ; 🕓 14h-4h, *happy
hour* 14h-19h ; ⊕ L, N, Q, R, W, 4, 5, 6
jusqu'à 14th St-Union Sq
Karaoke One 7 dispose de plus de
800 000 titres en stock (dont des

chansons en français, en espagnol ou en tagalog !) pour pousser la chansonnette en compagnie d'un joyeux mélange d'hommes d'affaires japonais, d'étudiants survitaminés et d'employés venus se défouler après le travail. La carte du bar est restreinte mais l'on peut apporter à manger de l'extérieur.

⭐ **UNION SQUARE THEATER**
Théâtre
☎ 212-674-2267 ; www.nytheater.com ; 100 E 17th St ; prix variables ; 🚇 L, N, Q, R, W, 4, 5, 6 jusqu'à 14th St-Union Sq

Le grand charme de ce théâtre est d'occuper ce qui était autrefois Tammany Hall, siège de l'organisation du parti démocrate la plus corrompue qu'ait jamais connue New York. Aujourd'hui, la salle scandalise le public d'une tout autre façon, en programmant des œuvres virulentes comme Le Projet Laramie, ou encore le drôlissime (et politiquement incorrect) spectacle de marionnettes Stuffed and Unstrung (pour les adultes). Il y a également de temps à autre des comédies musicales parodiques.

>MIDTOWN EAST

Une bonne dose d'énergie vous sera nécessaire pour épuiser les nombreux lieux emblématiques que rassemble ce quartier aéré, situé entre l'Empire State Building (W 34th St) et la lisière de Central Park (W 59th St).

Les amateurs de shopping pourront succomber à l'opulence de Fifth Ave, où la Trump Tower est entourée d'enseignes comme Prada, Ferragamo et Bulgari. Quelques rues plus à l'est, la très cossue Park Ave vous conduira aux portes dorées de l'hôtel Waldorf Astoria, un chef-d'œuvre Art déco toujours aussi magistral.

Le Chrysler Building, la gare Grand Central Terminal, le Rockefeller Center et les Nations unies figurent parmi les autres sites à visiter, sans oublier la luxueuse artère de Sutton Pl, résidence d'une poignée de New-Yorkais chanceux le long de l'esplanade d'East River, entre 54th St et 59th St. Enfin, le pont de Queensboro et l'East River offrent une vue fabuleuse, s'il vous reste des forces pour vous y rendre...

MIDTOWN EAST

A

Central Park

Voir carte
Central Park p. 175

The Pond

Central Park South

Sixth Ave (Avenue of the Americas)

57th St

W 58th St
W 57th St
W 56th St
Fifth Ave
W 55th St
W 54th St
Fifth Ave-
53rd St
W 53rd St
W 52nd St
W 51st St
W 50th St
Rockefeller Plaza
W 49th St
W 48th St
n-50th Sts-
ckefeller
Center

W 47th St

Voir carte
Midtown West p. 163

42 St-
Bryant
Park
5th Ave
W 43rd St
W 44th St
W 45th St

Bryant
Park
W 40th St
W 39th St
W 38th St
W 37th St
W 36th St
W 35th St
34th St-
Herald Sq
HERALD
SQUARE
W 33rd St
W 32nd St
W 31st St

Broadway

East D

5th Ave-
59th St
12

26

10
13

14

Madison Ave

22

29

15

5
8   6

31

24

30

32   4

Fifth Ave

Madison Ave

23

B

Lexington
Ave-59th St

Park Ave

Lexington Ave

51st St

Vanderbilt Ave

Grand
Central
Terminal
3

Park Ave South

Lexington Ave

33rd St

C

E 62nd St
E 61st St
E 60th St
E 59th St

11

Pont de Queensboro-59th St

E 58th St
E 57th St
E 56th St
E 55th St
E 54th St
E 53rd St

Lexington
Ave-53rd St
● Bureau de poste
Franklin D. Roosevelt

E 52nd St
MIDTOWN
E 51st St
E 50th St
E 49th St
E 48th St
E 47th St
E 46th St
E 45th St
E 44th St
E 43rd St
E 42nd St

27

13

25
21

20

1

Grand-
Central-
42nd St

E 41st St
E 40th St
E 39th St
E 38th St
E 37th St
E 36th St
E 35th St

Second Ave

Tunnel Exit St

Tunnel Entrance St

Second Ave

Third Ave

St Gabriels
Park

E 34th St
E 33rd St
E 32nd St
E 31st St

D

York Ave

Sutton Pl

First Ave

28

Franklin D Roosevelt Dr

Mitchell Pl

United
Nations

9

Tudor City Pl

Queens-
Midtown
Tunnel

East River (West Channel)

Franklin D Roosevelt Dr

FDR Dr / Seasonal Dr

Vers le Bellevue
Hospital (250 m)

New York
University
Medical
Center

Ave D

VP

0   400 m
0   0.2 miles

🌙 VOIR

🌙 CATHÉDRALE SAINT-PATRICK

☎ 212-753-2261 ; www.ny-archdiocese.org/pastoral/cathedral_about.html ; Fifth Ave entre 50th et 51st St ; 🕑 7h-20h45 ; 🚇 V jusqu'à Fifth Ave-53rd St, 4, 6 jusqu'à Lexington Ave-53rd St ; ♿

Hautes de 100 m, les deux flèches dominent tout Midtown autour de Saint-Patrick, même le Rockefeller Center voisin. Cette gracieuse cathédrale de style néogothique, siège de l'archidiocèse catholique romain de New York, accueille toutes les grandes cérémonies de la ville.

🌙 CHRYSLER BUILDING

405 Lexington Ave à la hauteur de E 42nd St ; 🕑 hall 9h-19h ; 🚇 toutes les lignes desservant Grand Central-42nd St

La somptueuse flèche en acier est souvent citée par les New-Yorkais comme leur symbole préféré de la ville. Il n'y a pas de plate-forme d'observation mais la prestigieuse entrée Art déco et les élégants ascenseurs en bois valent le coup d'œil.

🌙 EMPIRE STATE BUILDING

☎ 212-736-3100 ; www.esbnyc.com ; 350 Fifth Ave angle W 34th St ; adulte/6-12 ans/senior 18,45/12,92/16,61 \$;

🕑 8h-2h ; 🚇 B, D, F, N, Q, R, V, W jusqu'à 34th St-Herald Sq

Plus haut gratte-ciel de New York, ce mastodonte de briques et d'acier de 102 étages constitue un belvédère exceptionnel sur la ville, surtout au coucher du soleil. Sachez que la file d'attente est longue et la sécurité draconienne (astuce : acheter son billet en ligne et l'imprimer permet de réduire de moitié le temps d'attente). Depuis 1976, les trente étages supérieurs de l'édifice sont éclairés dans des couleurs de saison (vert pour la Saint-Patrick en mars, noir le 1er décembre pour la journée mondiale contre le sida, rouge et vert à Noël, couleur lavande le week-end de la Gay Pride en juin – le site Internet indique les thématiques et leurs significations). Lors de notre passage, l'achat de billets en ligne concernait uniquement l'observatoire du 86e étage et non la plate-forme du 102e étage.

🌙 GRAND CENTRAL TERMINAL

☎ 212-340-2210 ; www.grandcentralterminal.com ; Park Ave angle 42nd St ; 🕑 5h30-1h30 ; 🚇 toutes les lignes desservant Grand Central-42nd St

La plus grande et la plus grosse gare du monde (76 hectares ; 500 000 usagers par jour entre trains et métros) est aussi une prouesse technique et architecturale. Admirez sa façade flamboyante depuis E 42nd St, superbement éclairée la nuit, puis, à l'intérieur, les arches en marbre aux veines dorées et le dôme bleu vif, constellé d'étoiles scintillantes en fibre optique. Vous pourrez le comparer au coin non restauré du plafond d'origine : il témoigne de l'ampleur de la tâche. Repérez l'angle nord-ouest du plafond de 8 000 m², à l'extrémité de la ligne méridienne, où les concepteurs ont laissé un petit carré noir pour marquer le contraste avec la voûte céleste brillante. Grand Central abrite un marché alimentaire haut de gamme regorgeant de délices gourmandes – caviar, bons vins, fromages, poisson frais et produits bio, entre autres.

NATIONS UNIES

☎ 212-963-8687 ; www.un.org ; E 46th St et First Ave ; visites guidées adulte/enfant 14/7 $; ⊙ toutes les 45 min 9h45-16h45, téléphoner au préalable pour les visites dans une autre langue ; ⊕ toutes les lignes desservant Grand Central-42nd St ; ♿

Ce bâtiment construit en 1953 par Le Corbusier est fascinant. Les visites guidées quotidiennes se réservent par téléphone car les places sont en nombre limité et les horaires fluctuent. On se demande quels secrets se trament derrière ses vitres vertes.

Patience et *Fortitude* gardent l'entrée de la New York Public Library (p. 154)

LA TERRASSE TOP OF THE ROCK

Quoique pas aussi célèbre que celle de l'Empire State Building, la terrasse du Rockefeller Center offre une vue tout aussi époustouflante. **Top of the Rock** (☎ 212-698-2000 ; www. topoftherocknyc.com ; 30 Rockefeller Plaza, entrée côté W 50th St entre Fifth et Sixth Ave ; 🕒 8h-minuit, dernier ascenseur 23h ; 🚇 B, D, F jusqu'à 47th-50th St-Rockefeller Center) comporte un spectacle préliminaire au niveau de la mezzanine pour patienter avant de monter dans les ascenseurs (très rapides et pleins de néons bleus scintillants afin de susciter encore plus de sensations). Cette animation multimédia retrace l'historique du centre, évoque l'héritage des Rockefeller et propose une promenade virtuelle sur ces étroites poutres en acier sur lesquelles évoluaient quotidiennement sans harnais les ouvriers lors de la construction du Rockefeller Center, à 260 m au-dessus de la ville.

🟢 NEW YORK PUBLIC LIBRARY

☎ 212-930-0800 ; www.nypl.org ; Fifth Ave à la hauteur de W 42nd St ; 🕒 11h-19h30 mar-mer, 10h-18h jeu-sam ; 🚇 toutes les lignes desservant Grand Central-42nd St ou Times Sq-42nd St ; ♿ Joyau de style Beaux-Arts datant de 1911, son intérieur se distingue par des plafonds ornés de moulures, des fenêtres en saillie arrondies et des escaliers en marbre menant notamment à la superbe salle de lecture. Celle-ci affiche une hauteur sous plafond de près de 16 m, et comporte des milliers d'ouvrages, d'immenses lustres et de confortables sièges devant les ordinateurs (à côté de lampes en laiton). Deux lions en pierre, *Patience* et *Fortitude*, accueillent les visiteurs sur les marches de l'édifice.

🟢 RADIO CITY MUSIC HALL

☎ 212-247-4777 ; www.radiocity.com ; W 51st St à la hauteur de Sixth Ave ; hall :

entrée libre, spectacles 15-40 $; 🚇 B, D, F, V jusqu'à 47th-50th St-Rockefeller Center Superbement restauré, ce cinéma Art déco de 6 000 places a retrouvé ses sièges en velours et son mobilier d'origine (1932). Les concerts sont vite complets et les billets du spectacle de Noël, interprété par la troupe de danseuses des Rockette, coûtent jusqu'à 70 $. Pour découvrir l'intérieur, une visite guidée est proposée quotidiennement toutes les demi-heures (11h-15h). Les billets s'écoulent selon la règle du premier arrivé, premier servi.

🟢 ROCKEFELLER CENTER

☎ 212-632-3975 ; www.rockefellercenter. com ; entre Fifth et Sixth Ave et 48th et 51st St ; 🕒 24h/24, horaires des boutiques variables ; 🚇 B, D, F, V jusqu'à 47th-50th St-Rockefeller Center Construit dans les années 1930 au plus sombre de la Grande Dépression et s'étendant sur 9 ha, ce complexe donna du travail à 70 000 ouvriers pendant neuf ans et sollicita quantité d'artistes, notamment pour sculpter et peindre les nombreuses créations artistiques du bâtiment, chef-d'œuvre Art déco. Ne manquez pas en hiver sa patinoire et son sapin de Noël illuminé, et, en été, les danseurs de salsa, de rock et de pop qui se donnent en spectacle le soir. On peut découvrir ses boutiques et ses restaurants, ou participer à une visite guidée du Rockefeller Center ou des studios NBC. Autre idée : se joindre à la foule présente tous les matins pour assister à l'enregistrement du *Today Show*.

SHOPPING

BLOOMINGDALE'S

Grand magasin

☎ 212-705-2000 ; www.bloomingdales. com ; 1000 Third Ave angle E 59th St ; 🕒 10h-20h30 lun-ven, 10h-19h sam, 11h-18h dim ; 🚇 4, 5, 6 jusqu'à 59th St, N, R, W jusqu'à 59th St-Lexington Ave Grand, exubérant et plein de caractère, "Bloomie" est le chouchou des New-Yorkais pour une séance de shopping effréné. Outre les grands noms de la mode, le magasin est un découvreur de talents et propose des collections à prix corrects tout droit sorties des défilés.

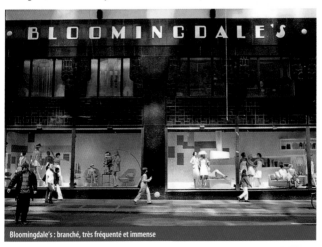

Bloomingdale's : branché, très fréquenté et immense

🏠 **CALVIN KLEIN** *Mode et accessoires pour la maison*
☎ 212-292-9000 ; www.calvinklein.com ;
654 Madison Ave angle E 60th St ;
🕙 10h-18h lun-sam, 12h-18h dim ;
🚇 4, 5, 6 jusqu'à 59th St, N, R, W
jusqu'à 59th St-Lexington Ave

La ligne à l'effigie de la marque occupe tout son magasin phare, à l'exception de l'étage inférieur, consacré à une vaste collection d'articles ménagers, des lampes au linge de maison. Aux autres étages, on trouve de quoi s'habiller de la tête aux pieds, dans une multitude de matières allant du jean à la peau de lézard.

🏠 **DIOR** *Mode et accessoires*
☎ 212-931-2950 ; www.dior.com ;
21 E 57th St près de Madison Ave ;
🕙 10h-19h lun-sam, 12h-18h dim ;
🚇 E, V jusqu'à Fifth Ave-53rd St,
N, R, W jusqu'à 59th St-Lexington Ave

LES CINQ MEILLEURES BOUTIQUES DE LA CINQUIÈME AVENUE

De 59th St en allant vers le sud, la Cinquième Avenue aligne des grands noms comme **Trump Towers Galleries** (725 Fifth Ave), **Tiffany's** (727 Fifth Ave), **Louis Vuitton** (1 E 57th St angle Fifth Ave) et **Prada** (724 Fifth Ave), mais voici cinq adresses à ne pas manquer :

Bergdorf Goodman (☎ 212-753-7300 ; www.bergdorfgoodman.com ; 754 Fifth Ave ; 🕙 10h-19h lun-mer et ven, 10h-20h jeu, 12h-20h dim ; 🚇 N, R, W arrêt Fifth Ave, F arrêt 57th St). Une boutique à l'ambiance singulière, où il est agréable de flâner parmi les étages consacrés aux bijoux, aux parfums, aux sacs à main, aux vêtements pour hommes et aux chaussures.

Henri Bendel (☎ 212-247-1100 ; www.henribendel.com ; 712 Fifth Ave ; 🕙 10h-19h lun-mer et ven-dim, 10h-20h jeu ; 🚇 E, V arrêt Fifth Ave-53rd St, N, R, W arrêt 59th St-Lexington Ave). La ravissante vitrine Lalique d'Henri Bendel encadre parfaitement son adorable petit salon de thé, ce qui donne l'impression de faire ses emplettes chez un particulier.

Jimmy Choo (☎ 212-593-0800 ; www.jimmychoo.com ; 645 Fifth Ave ; 🕙 10h-18h lun-sam, 12h-17h dim ; 🚇 E, V arrêt Fifth Ave-53rd St, 6 arrêt 51st St). Le paradis des talons aiguilles vertigineux, des sandales et des bottes.

Saks Fifth Ave (☎ 212-753-4000 ; www.saksfiftheavenue.com ; 611 Fifth Ave angle 50th St ; 🕙 10h-20h lun-ven, 10h-19h sam, 12h-19h dim ; 🚇 B, D, F, V arrêt 47th-50th Sts-Rockefeller Center, E, V arrêt Fifth Ave-53rd St). Ce somptueux magasin de dix étages occupe un bâtiment entier et propose articles de créateurs, vêtements *casual* et un café (8e étage) pour souffler.

Takashimaya (☎ 212-350-0100 ; www.nytakashimaya.com ; 693 Fifth Ave ; 🕙 10h-19h lun-sam, 12h-17h dim ; 🚇 E, V arrêt Fifth Ave-53rd St). Produits de beauté, prêt-à-porter, accessoires, décoration d'intérieur, compositions florales ainsi qu'un spa (dernier niveau) et une boutique de thé se succèdent sur sept étages.

Les présentoirs débordent de lunettes de soleil, de sacs à main et de chaussures griffées. Les articles féminins et la bijouterie se trouvent au fond du magasin. La boutique noir et blanc Dior Homme est attenante.

☐ MULBERRY
Mode et accessoires

☎ 212-453-4722 ; www.mulberry. com ; 605 Madison Ave près de 57th St ; ⏱ 10h-19h lun-sam, 12h-18h dim ; 🚇 4, 5, 6 jusqu'à 59th St-Lexington Ave

Distingué sans être crispé, le personnel avenant de Mulberry aide sans sourciller les clientes à faire leur choix parmi les sacs de créateurs, les vêtements, les chaussures et autres accessoires, et confectionne des paquets cadeaux.

☐ SHANGHAI TANG
Mode et accessoires

☎ 212-888-0111 ; www.shanghaitang. com ; 600 Madison Ave angle E 57th St ; ⏱ 10h-18h lun-sam, 12h-18h dim ; 🚇 4, 5, 6 jusqu'à 59th St, N, R, W jusqu'à 59th St-Lexington Ave, N, R, W jusqu'à Fifth Ave-59th St

La marque asiatique Shanghai Tang bouscule la très guindée Madison Ave avec ses créations à motifs novateurs. La boutique, qui vise une clientèle jeune, est à l'image de sa collection : colorée et amusante. Elle propose vestes chinoises en soie, chemisiers bien coupés, robes audacieuses et bien plus encore.

🍴 SE RESTAURER

🍴 99 CENT PIZZA *Pizzéria* $

☎ 212-922-0257 ; 151 E 43rd St près de Third Ave ; ⏱ petit-déj, déj et dîner ; 🚇 4, 5, 6, 7, S jusqu'à Grand Central-42nd St ; 🚻 Ⓥ 🚼

Dans une ville où la part de pizza coûte souvent autour de 2,50 $, cet établissement, avec son tarif à 99 cents et son service rapide, tourne à plein régime : toujours le signe d'une bonne affaire. Sans faire dans la haute gastronomie ni l'originalité, l'adresse ne décevra pas les amateurs de bonnes pizzas garnies équitablement de sauce tomate relevée et de fromage crémeux. Avec la TVA, comptez environ 1,10 $ la part.

🍴 ABURIYA KINNOSUKE
Japonais $$$

☎ 212-867-5454 ; www. aburiyakinnosuke.com/aburiya.htm ; 213 E 45th St près de Third Ave ; ⏱ déj et dîner ; 🚇 4, 5, 6, 7, S jusqu'à Grand Central-42nd St ; 🚻 Ⓥ

Cuisine japonaise authentique (avec quelques variations américaines) servie dans une salle agrémentée de lanternes en papier et de tables épurées en merisier dissimulées derrière des paravents, ou au gril Robata du bar. Sashimis, saké et des spécialités tels le saumon *harasu* (gras), les chinchards séchés, la viande de porc bio au *soju* sucré et le pot-au-feu nippon figurent au menu.

LES QUARTIERS

MIDTOWN EAST

🍴 ARTISANAL *Français* $$$

☎ 212-725-8585 ; www.artisanalbistro. com ; 2 Park Ave S ; 🕐 déj et dîner ; 🚇 6 jusqu'à 33rd St ; 🚹 🚻

L'adresse incontournable pour les mordus de fromage. La carte affiche plus de 250 variétés, plus ou moins odorantes, ainsi que des classiques de la cuisine française comme le steak au poivre, quatre fondues différentes (dont une au chocolat) et des gougères garnies de toutes sortes de fromage, du brie à l'Ossau-Iraty.

🍴 DISHES *Traiteur* $

☎ 212-687-5511 ; www.dishestogo. com ; 6 E 45th St près de Fifth Ave ; 🕐 7h-17h lun-ven ; 🚇 S, 4, 5, 6, 7 jusqu'à Grand Central-42nd St ; 🚹 🚻

Rien à voir avec le petit magasin de plats à emporter de votre quartier. Nous sommes ici chez un traiteur haut de gamme proposant des plats de grande cuisine concoctés chaque jour avec des produits et légumes bio frais pour la clientèle affairée de Midtown. C'est un peu la cohue à l'heure de pointe (12h à 13h30), lorsque les employés de bureau affamés viennent en nombre déjeuner de soupe de légumes, salade de boulgour aux baies de goji, sushis, nouilles froides au sésame, énormes sandwichs à la sopressata italienne, beignets de crabes épicés à la sauce rémoulade, mezze, et de bien d'autres délices encore.

🍴 GRIFONE *Italien* $$$

☎ 212-490-7275 ; www.grifonenyc. com ; 244 E 46th St près de Second Ave ; 🕐 déj et dîner lun-sam, fermé 15h-17h ; 🚇 4, 5, 6, 7, S jusqu'à Grand Central-42nd St ; 🚹 🚻 🚼

Cette table secrète et onéreuse non loin des Nations unies a la cote chez les diplomates. La décoration ornementale rouge va de pair avec les délicieuses spécialités généreuses en fromage et en sauces, mais dont l'assaisonnement raffiné empêche toute gloutonnerie. Les fans de pâtes se délecteront des spaghettis *carbonara*, à la pancetta et au parmesan et des sauces au *pesto* préparées sous leurs yeux dans la cuisine ouverte. De la viande tendre de veau et de bœuf, du poulet et une marée de poissons et de fruits de mer sont également proposés.

🍴 ROUGE TOMATE *Belge* $$

☎ 646-237-8977 ; www.rougetomate. com ; 10 E 60th St entre Madison et Fifth Ave ; 🕐 déj et dîner ; 🚇 F jusqu'à 57th St, 4, 5, 6 jusqu'à 59th St-Lexington Ave

Midtown East, quartier des déjeuners d'affaires copieux, avait grand besoin d'une adresse haut de gamme à l'addition et aux plats légers comme Rouge Tomate. Ce restaurant belge soigné a troqué les frites et les gaufres pour les légumes bio et la viande maigre. Tous les menus – y compris la formule trois plats plus dessert à 72 $ – font au plus 550 calories sans rogner sur le goût ni la présentation. Le chef, transfuge du DB Bistro Moderne de Daniel Boulud, travaille avec un nutritionniste et cuisine à l'huile d'olive et au yaourt plutôt qu'avec du beurre et de la crème épaisse. On ne repart pas pour autant affamé : les portions sont généreuses, comme les aiment les Américains, et les desserts tiennent leurs promesses.

SIP SAK *Turc* $
☎ 212-583-1900 ; www.sip-sak.com ; 928 Second Ave ; ☽ déj et dîner ; ⊕ 6 jusqu'à 51st St, E, V jusqu'à Lexington Ave-53rd St ; ♿ Ⓥ ♨
Le propriétaire, Orhan Yeger, supervise souvent les fourneaux pour s'assurer de l'authenticité de la cuisine turque, en harmonie avec son restaurant au plafond orangé, aux murs jaune vif et au carrelage bleu pétillant. Les spécialités d'agneau et de la mer ne déçoivent jamais, ni les *mezze* traditionnels avec *borek filo* (feuilleté à la feta), houmous et *cacik* (sauce au yaourt épais, à l'ail et au concombre).

SOFRITO *Portoricain* $
☎ 212-754-5999 ; www.sofrito.com ; 400 E 57th St près de First Ave ; ☽ dîner jusqu'à 2h ; ⊕ 4, 5, 6 jusqu'à 59th St ; ♿ Ⓥ ♨

Vous y trouverez de l'animation (et une longue file d'attente) jusque tard ainsi que des délices caribéens : *mofongo* (purée de plantains), *tostones* (purée de plantains frits), rôti de porc au riz et aux pois, grillades de poisson, délicieuse paella, yucca, calmars, etc. Le groupe du Sofrito (lun-jeu) et un DJ mixant de la musique salsa et du hip-hop (autres soirs) contribuent à la bonne ambiance.

Ⓨ PRENDRE UN VERRE

Ⓨ BILL'S GAY NINETIES *Bar*
☎ 212-355-0243 ; www.billsnyc. com ; 57 E 54th St près de Madison Ave ; ☽ 11h-1h30 lun-sam ; ⊕ E, V jusqu'à Fifth Ave-53rd St, 6 jusqu'à 51st St
En dépit du nom, la clientèle de ce bar est majoritairement hétéro. Il remonte aux Années folles, époque à laquelle le premier propriétaire, Bill Hardy, transforma le rez-de-chaussée de son *brownstone* en bar clandestin. Bill's a conservé son atmosphère canaille, en partie parce qu'il faut passer une série de portes à battant sculptées à la main pour gagner l'immense salle intérieure avec ses poutres au plafond, sa lumière tamisée et ses photos de combats de boxe et de courses. Une excellente adresse pour décompresser devant un verre et faire des connaissances.

CAMPBELL APARTMENT *Bar*
☎ 212-953-0409 ; 15 Vanderbilt Ave
angle 43rd St ; 🕐 12h-1h lun-jeu, 12h-2h
ven, 15h-2h sam, 15h-23h dim ; 🚇 S, 4,
5, 6, 7 jusqu'à Grand Central-42nd St
Empruntez l'ascenseur près de
l'Oyster Bar, ou l'escalier menant
au West Balcony et dirigez-vous
à gauche vers l'entrée de ce
sublime bar à cocktails. Il occupe
l'ancien appartement d'un magnat
des chemins de fer, comme en
témoignent le velours, l'acajou et
les peintures murales. Les fumeurs
de cigares sont les bienvenus, mais
pas les baskets ni les jeans. Voici un
endroit privilégié pour apprécier
la splendeur de la gare, en sirotant
un martini.

LE DJ NOMADE
Natif de Greenwich Village et adoré à New
York, le DJ Danny Krivit attire une foule
nombreuse lors de ses **718 Sessions**
(consultez la programmation sur www.
dannykrivit.net), qui ont fréquemment
lieu dans des clubs comme la Santos Party
House, et à l'occasion de la croisière annuelle
718 dans le port. Pour se préparer à une
718 Session, il faut d'abord prendre des
cours de salsa gratuits et passer une heure
à s'entraîner chez **Sunset Salsa at the
Triangle** (Ninth Ave et 14th St ; 🕐 18h30
jeu juin-août), dans le Meatpacking District.
Les danseurs de tous niveaux, débutants ou
experts, sont bienvenus. Joignez-vous à
cette immense fête de la danse !

**MORRELL WINE BAR &
CAFÉ** *Bar, café*
☎ 212-262-7700 ; 1 Rockefeller Plaza,
W 48th St entre Fifth et Sixth Ave ;
🕐 11h30-23h lun-sam, 12h-18h dim ;
🚇 B, D, F, V jusqu'à 47th-50th St
Rockefeller Center
Cet immense paradis pour les
amoureux du vin fut l'un des
pionniers de la mode des bars à
vins à New York. La carte propose
plus de 2 000 bouteilles et la
bagatelle de 150 crus servis au
verre. Aussi séduisante que les
vins, la salle à mezzanine, claire
et spacieuse, donne sur la célèbre
patinoire du Rockefeller Center.

⭐ SORTIR
BRYANT PARK *Espace ouvert*
☎ 212-768-4242 ; www.bryantpark.
org ; Sixth Ave entre W 40th et
W 42nd St ; 🕐 7h-23h lun-ven, 7h-20h
sam-dim en été, 7h-19h jan-avr et sept-
déc ; 🚇 B, D, F, V jusqu'à 42nd St-
Bryant Park, 7 jusqu'à Fifth Ave ; ♿
Fashion Week, films gratuits, danses
latinos, concerts et spectacles de
Broadway (ainsi qu'une patinoire en
hiver) : il se passe toujours quelque
chose dans ce paradis verdoyant
situé derrière la Public Library. On
vient même y travailler en profitant
du Wi-Fi gratuit et du charmant
café. L'été, il faut arriver tôt pour
les films gratuits, et prévoir une
couverture.

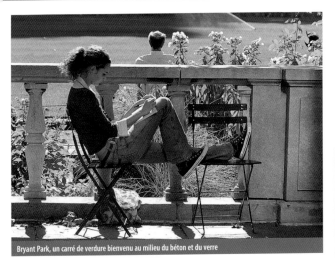

Bryant Park, un carré de verdure bienvenu au milieu du béton et du verre

⭐ LQ *Discothèque*

☎ 212-593-7575 ; www.lqny.com ;
511 Lexington Ave au croisement de
48th St ; droit d'entrée 40 $; ⏱ 17h-2h
mer-sam ; Ⓜ S, 4, 5, 6, 7 jusqu'à Grand
Central-42nd St

Midtown semble un quartier
peu approprié pour une méga-
discothèque de plusieurs étages, ce
dont ne semblent pas s'émouvoir les
propriétaires du LQ, qui reçoivent
chaque week-end une clientèle
nombreuse venue se faire plaisir
sur la piste de danse. La musique,
salsa et hip-hop principalement, va
également voir de temps en temps
du côté de la pop et de la house.
Lors des soirées latino, un cours
rapide a lieu en début de soirée sur
la piste pour apprendre les quelques
pas de base. Les soirs d'affluence, le
droit d'entrée peut s'élever à 60 $.

>MIDTOWN WEST

Midtown West déborde d'énergie et de néons éblouissants, en grande partie grâce à la frénésie éclatante de Times Square et à l'animation de Broadway. Cette zone bouillonnante regorge de stands gourmands destinés aux employés pressés arpentant Sixth Ave et de joailleries et bijouteries regroupées dans le Diamond District, un quartier souvent ignoré s'étendant sur quatre pâtés de maisons.

Seventh Ave et Eighth Ave réunissent quantité de boutiques d'électronique où l'on fait de bonnes affaires, tandis que Little Brazil, une enclave alignant les savoureux restaurants et les bars à l'ambiance tropicale, résonne de conversations en portugais et de rythmes de samba. Au sud de Midtown, le célèbre Garment District (quartier du vêtement) rassemble bureaux de créateurs et commerces de gros et de détail. Enfin, à l'extrémité nord de Midtown se trouve Columbus Circle, une place à partir de laquelle on rejoint l'Upper West Side et Central Park, et où se dresse l'étincelant Time Warner Center.

MIDTOWN WEST

👁 VOIR
Herald Square	1	C6
International Center of Photography	2	C4
Museum of Modern Art (MoMA)	3	C2
Paley Center for Media	4	D2
Times Square	5	C3

🛍 SHOPPING
B & H Photo-Video	6	A6
Clothingline/SSS Sample Sales	7	B6
Drama Bookshop	8	B5
Duane Reade	9	B1
Macy's	10	C6
Omo Norma Kamali	11	D2
Time Warner Center	12	B1

🍴 SE RESTAURER
Bann	13	A3
Benoit	14	D2
Best Halal	15	C2
BLT Market	16	D1
Brazil Brazil Grille	17	B4
Empanada Mama	18	A3
Flame Diner	19	A1
Hourglass Tavern	20	A4
Kashkaval	21	A2
Via Brasil	22	D4
Virgil's Real Barbecue	23	B4

🍸 PRENDRE UN VERRE
Divine Bar West	24	B2
High Bar	25	B3
Jimmy's Corner	26	C4

⭐ SORTIR
Ambassador Theater	27	B3
Birdland	28	B4
Carnegie Hall	29	C2
City Center	30	C2
Don't Tell Mama	31	B4
Little Korea	32	D6
Majestic Theater	33	B4
New Amsterdam Theater	34	C5
New Victory Theater	35	B4
Samuel J Friedman Theater	36	B3
TKTS Booth	37	C4

A B C D

Lincoln Center
W 61st St
Central Park
59th St-Columbus Circle
West Dr
Voir carte Central Park p. 175
5th Ave-59th St
W 60th St
Columbus Ave
Broadway
Central Park South
W 59th St
12
16
W 58th St
Eighth Ave
Ninth Ave
19
Columbus Circle
9
57th St-7th Ave
Central Park South
57th St
5th Ave
W 57th St
29
W 57th St
Seventh Ave
W 56th St
11
21
W 55th St
30
14
W 55th St
W 54th St
24
W 54th St
W 53rd St
7th Ave
W 53rd St
Fifth Ave-53rd St
NYC & Co
3
W 52nd St
15
4
18
W 51st St
W 52nd St
Tenth Ave
W 50th St
50th St
Worldwide Plaza
13
27
W 50th St
Radio City Music Hall
Rockefeller Center
Rockefeller Plaza
W 49th St
49th St
W 49th St
Broadway
Cyber Café
25
47th-50th Sts-Rockefeller Center
W 48th St
W 48th St
THEATER DISTRICT
36
5
47th-50th Sts
AAA Dental Care
Fifth Ave
W 47th St
37
DIAMOND DISTRICT
20
31
W 46th St
W 47th St
Restaurant Row
17
TIMES SQUARE
22
W 45th St
W 45th St
HELL'S KITCHEN
28
33
W 44th St
W 44th St
23
26
W 43rd St
W 43rd St
35
Times Sq-42nd St
2
5th Ave
W 42nd St
42nd St
34
42 St-Bryant Park
Bryant Park
New York Public Library
Gare routière de Port Authority
W 41st St
Ninth Ave
Eighth Ave
W 40th St
W 40th St
Sixth Ave (Avenue of the Americas)
Seventh Ave
W 39th St
8
W 39th St
Fifth Ave
Renwick St
GARMENT DISTRICT
W 38th St
W 38th St
W 37th St
W 37th St
Tenth Ave
7
Broadway
W 36th St
Lincoln Tunnel
W 35th St
34th St-Penn Station
0   300 m
0   0.2 miles
MIDTOWN
10
HERALD SQUARE
32
W 34th St
34th St-Herald Sq
Empire State Building
6
W 33rd St
W 33rd St

◉ VOIR

◉ HERALD SQUARE

Angle Broadway, Sixth Ave et 34th St ;
◉ B, D, F, N, Q, R, V, W jusqu'à 34th
St-Herald Sq

Située au carrefour entre Broadway, Sixth Ave et 34th St, cette place est un haut lieu du shopping, où trône l'une des enseignes historiques de New York, le grand magasin Macy's (p. 166). Elle s'agrémente d'un petit parc arboré où l'on peut se reposer après une séance de lèche-vitrines. Au sud de Macy's, le long de Sixth Ave, Daffy's, qui propose des marques de créateurs dégriffées, se distingue au milieu d'une enfilade de magasins de chaîne sans intérêt.

◉ INTERNATIONAL CENTER OF PHOTOGRAPHY

☎ 212-857-0000 ; www.icp.org ;
1133 Sixth Ave à la hauteur de W 43rd St ;
adulte/moins de 12 ans 12 $/gratuit, sauf 17h-20h ven contribution libre ; ⏱ 10h-18h mar-jeu, sam-dim, 10h-20h ven ;
◉ B, D, F, V jusqu'à 42nd St-Bryant Park
Ce musée comprend une école de photographie proposant des cours. Il expose par rotation son immense collection de 60 000 photos allant des daguerréotypes aux clichés plus récents – signées notamment Henri Cartier-Bresson, Man Ray, Robert Capa ou encore Weegee. Les nombreuses photos de ce dernier retracent le New York nocturne et voyou des années 1930.

◉ PALEY CENTER FOR MEDIA

☎ 212-621-6800/6600 ; www.paleycenter.org ; 25 W 52nd St ; adulte/senior et étudiant/moins de 14 ans 10/8/5 $; ⏱ 12h-18h mar-mer, ven-dim, 12h-20h jeu ; ◉ Fifth Ave-53rd St (E, V), 49th St (N, R, W), 50th St (1), 47th-50th Sts-Rockefeller Center (B, D, F, V) ; ♿

LE MOMA

L'architecte japonais Yoshio Taniguchi a privilégié le verre, l'acier et l'aluminium pour rénover, en 2004, le **Museum of Modern Art** (MoMA ; ☎ 212-708-9400 ; www.moma.org ; 11 W 53rd St entre Fifth et Sixth Ave ; adulte/étudiant 20/12 $, gratuit 16h-20h ven ; ⏱ 10h30-17h30 sam-lun et mer-jeu, 10h30-20h ven ; ◉ E, V jusqu'à Fifth Ave-53rd St, B, D, F jusqu'à 47th-50th Sts-Rockefeller Center). Le somptueux édifice, un univers en soi, rassemble près de 100 000 œuvres. La plupart des grands maîtres, Matisse, Picasso, Cézanne, Rothko, Pollock, sont exposés dans l'atrium central, sur cinq niveaux. Les galeries, claires et paisibles, présentent des œuvres des différents départements (peinture et sculpture, architecture et design, dessins, gravures et livres illustrés, films et médias). Vous pourrez faire une agréable pause dans le jardin des sculptures, qui a retrouvé sa disposition d'origine plus aérée, conçue par Philip Johnson au début des années 1950.

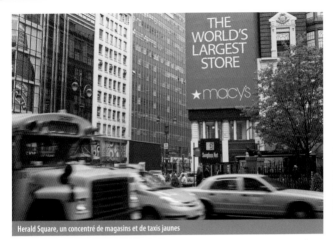
Herald Square, un concentré de magasins et de taxis jaunes

Ce centre (l'ancien Museum of Television and Radio) est consacré au petit écran et aux grands moments de la radio. Ses archives rassemblent plus de 100 000 bandes magnétiques : l'occasion de vous passer en boucle votre épisode favori de *Star Trek*. Des expositions fréquentes sur l'essor des médias modernes et des rétrospectives y sont aussi organisées.

SHOPPING
◌ B & H PHOTO-VIDEO
Appareils photo et accessoires
☎ 212-502-6200 ; www.bhphotovideo.com ; 420 Ninth Ave ; ◌ 9h-19h lun-jeu, 9h-13h ven, 10h-17h dim ; ◌ A, C, E jusqu'à 34th St-Penn Station

La visite du magasin est une expérience en soi : l'espace, vaste et bourdonnant, est empli de tous les appareils photo, les caméras et les équipements DVD imaginables.

◌ CLOTHINGLINE/SSS SAMPLE SALES
Mode et accessoires
☎ 212-947-8748 ; www.clothingline.com ; 1er ét., 261 W 36th St ; ◌ consultez le site web pour les soldes hebdomadaires et les heures d'ouverture ; ◌ 1, 2, 3, jusqu'à 34th St-Penn Station
Il faut venir tôt pour mettre la main sur des modèles de marque comme ceux de Helmut Lang, Rag & Bone et Ben Sherman, avec des réductions allant jusqu'à 75%. Le site Internet

indique les prochaines ventes, qui changent chaque semaine.

DRAMA BOOKSHOP *Livres*
☎ 212-944-0595 ; www.dramabookshop.com ; 250 W 40th St ; ⏰ 11h-19h lun-mer et ven-sam, jusqu'à 20h (vin et fromage offerts de 18h à 20h) jeu ; Ⓜ A, C, E jusqu'à 42nd St-gare routière de Port Authority
Cette vaste librairie consacrée au théâtre et aux comédies musicales ravit les fans de Broadway depuis 1917. Le personnel conseille de bons ouvrages. Des événements et des débats avec des dramaturges sont régulièrement organisés.

MACY'S *Grand magasin*
☎ 212-695-4400 ; www.macys.com ; 151 W 34th St angle Broadway ; ⏰ 10h-20h30 lun-sam, 11h-19h dim ; Ⓜ B, D, F, N, Q, R, V, W jusqu'à 34th St-Herald Sq
Gare à vos doigts dans les vieux ascenseurs en bois qui font la célébrité de Macy's ! L'enseigne vend essentiellement linge de maison, vêtements, meubles, accessoires de cuisine, chaussures et autres articles simples et abordables. C'est le plus grand magasin du monde.

OMO NORMA KAMALI
Mode et accessoires
☎ 212-957-9797 ; www.normakamalicollection.com ; 11 W 56th St à la hauteur de Sixth Ave ; ⏰ 10h-19h lun-sam, 12h-18h dim ; Ⓜ N, Q, R, W jusqu'à 57th St

Vous ne voudrez plus quitter ces quatre étages scintillants aux murs blancs, maison mère de la styliste Norma Kamali. Pièces uniques, ses robes, manteaux et maillots de bain habillent des mannequins suspendus. Si un modèle vous plaît, un employé vous trouvera votre taille. La mode prend ici le pas sur les bonnes affaires.

TIME WARNER CENTER
Centre commercial
☎ 212-484-8000 ; www.timewarner.com ; 1 Time Warner Center ; ⏰ 10h-21h ; Ⓜ A, B, C, D, 1 jusqu'à 59th St-Columbus Circle ; ♿
Dépensez à l'envi dans ce centre commercial miroitant, censé figurer une montagne couverte de verre et contenant plus de quarante boutiques, un marché bio, quelques clubs et théâtres, mais aussi des appartements chic et des restaurants à 500 $ le repas.

🍴 SE RESTAURER

🍴 BANN *Coréen* $$
☎ 212-582-4446 ; www.bannrestaurant.com ; 350 W 50th St entre Eighth et Ninth Ave ; ⏰ déj et dîner ; Ⓜ C, E jusqu'à 50th St
L'entrée de cette adresse discrète du Worldwide Plaza est bien cachée. Cuisines coréennes traditionnelle et moderne se marient dans ce restaurant proposant des barbecues individuels et des associations originales telles que le *dak nalke*

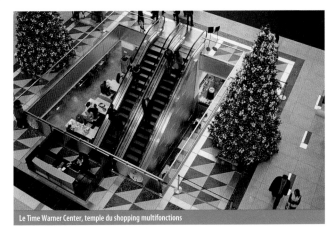
Le Time Warner Center, temple du shopping multifonctions

jorim (ailes de poulet glacées aux piments et banane plantain frite) ou le *cham chi hwe* (tartare de thon et ses lamelles de pomme verte). L'élégance épurée est appréciée des hommes d'affaires le midi, tandis que la lumière tamisée et les tables intimistes confèrent un aspect romantique le soir.

🍴 BENOIT *Bistrot* $$
☎ 646-943-7373 ; http://benoitny.com ; 60 W 55th St près de Sixth Ave ; 🕙 petit-déj, déj et dîner lun-sam, brunch, déj et dîner dim ; 🚇 F jusqu'à 57th St
Bois blond, banquettes rouges, appliques et comptoir noir et blanc décontracté caractérisent le restaurant new-yorkais d'Alain Ducasse. Croissants frais, escargots

à l'ail, canard à l'orange, cassoulet et poulet rôti (pour deux) régaleront les nostalgiques de la France. Les inconditionnels du chef pourront aussi tester au St Regis Hotel sa table plus haut de gamme l'**Adour** (carte p. 151 ; ☎ 212-710-2277 ; 2 E 55th St angle Fifth Ave) et sa superbe carte des vins.

🍴 BLT MARKET *Américain* $$$
☎ 212-521-6125 ; www.bltmarket. com ; 1430 Sixth Ave près de W 58th St ; 🕙 petit-déj, déj et dîner ; 🚇 F, N, Q, R, W jusqu'à 57th St ; ♿
Bien que située au Ritz-Carlton de Central Park, l'adresse est champêtre. La cuisine correspond au décor : saine, fraîche et de saison. Lors de notre passage, le chef Laurent Tourondel proposait

LE PLATTER CLUB

Une longue file se forme chaque soir jusque très tard devant **Best Halal** (www.53rdand6th.com ; angle W 53rd St et Sixth Ave ; plats 3-5 \$; 😋 dîner ; 🚇 B, D, F, V jusqu'à 47th-50th Sts-Rockefeller Center, E, V jusqu'à Fifth Ave-53rd St), un stand familial surnommé "le coin des gyros", "le poulet-riz" ou plus communément le "Platter Club" par les nombreux aficionados. Un autre stand s'y tient en journée mais Best Halal investit les lieux à 19h et propose, jusqu'à 4h, de délicieux plats de riz au poulet, surmontés d'une sauce blanche à la recette secrète, pour beaucoup l'ingrédient qui rend ces spécialités si appréciées.

un menu bio avec courge et morue charbonnière, truite fumée et sa purée de coriandre et d'avocat, et canard rôti de l'Hudson Valley.

🍴 BRAZIL BRAZIL GRILLE
Brésilien $$

☎ 212-957-4300 ; www.
brazilbrazilrestaurant.com ; 330 W 46th St entre Eighth et Ninth Ave ; 😋 déj et dîner ; 🚇 A, C, E, 1, 2, 3 jusqu'à Times Sq-42nd St ; ♿ 🚼
Une grande partie de W 46th St est surnommée Little Brazil pour ses entreprises, commerces et restaurants fréquentés par la communauté brésilienne. L'ambiance détendue, les boissons généreuses et abordables, les concerts le week-end et la délicieuse cuisine – *frango a*

passarinho (poulet au vin blanc, ail et huile d'olive), *lula frita* (calmars), *camarao alhoe* (crevettes à l'ail) – font de ce restaurant un succès. Autre bonne adresse voisine, **Via Brasil** (☎ 212-997-1158 ; 34 W 46th St près de Sixth Ave ; 😋 11h-22h ; 🚇 N, R, W, 1, 2, 3 jusqu'à Times Sq-42nd St), à la longue salle agrémentée de palmiers et aux serveurs forts sympathiques. Au menu : *feijoada* (ragoût de haricots), *moquecas* (poisson mijoté) et autres recettes authentiques.

🍴 EMPANADA MAMA
Sud-américain $

☎ 212-698-9008 ; 763 Ninth Ave angle W 51st St ; 😋 déj et dîner ; 🚇 C, E, 1 jusqu'à 50th St, N, R, W jusqu'à 49th St ; ♿ Ⓥ 🚼
Avec sa décoration originales, ses savoureuses *empanadas* et ses prix doux, Empanada Mama a de quoi séduire, en dépit du service un peu lent. Mais impossible de résister à ces délices à la farine de blé et de maïs cuits au four, garnis de bœuf ou de poulet (ou végétariens). L'endroit sert aussi des *arepas* (galettes de maïs farcies), des assiettes copieuses d'*arroz con pollo* (riz au poulet), du bœuf haché et beaucoup d'autres classiques latinos.

🍴 FLAME DINER *Diner* $

☎ 212-765-7962 ; 893 9th Ave à la hauteur de 58th St ; 😋 24h/24 ; 🚇 A, B, C, D, 1 jusqu'à 59th St-Columbus Circle ; ♿ 🚼

Certains adorent, d'autres détestent. Il s'agit d'un *diner* new-yorkais classique. En clair, on ne vous fera pas de courbettes au moment de prendre la commande. Le menu est immense et, en cuisine, on prépare de copieuses omelettes, de bons burgers, des beignets, des sandwichs au thon, des portions de fromage grillé, bref, tous les plats que l'on mange typiquement dans ce genre d'établissement.

🍴 HOURGLASS TAVERN
Méditerranéen $$

☎ 212-265-2060 ; www.hourglasstavern.com ; 375 W 46th St près de Ninth Ave ; 🕐 dîner avant/après

LE DIAMOND DISTRICT
Ensemble de bijouteries s'étendant sur quatre blocks entre Fifth Ave et Sixth Ave, de W 46th St à W 48th St, le Diamond District ("quartier du diamant") fait faire d'excellentes affaires sur les bijoux en or et autres métaux précieux. Jetez un premier coup d'œil via sur www.diamonddistrict.org. Lorsque vous aurez envie de faire une pause gourmande, continuez vers l'ouest dans 46th St jusqu'à rejoindre "Restaurant Row", joli block bordé d'arbres entre Eighth Ave et Ninth Ave. C'est là que les gens qui vont au spectacle prennent un verre et se restaurent avant ou après la représentation. L'ambiance particulière du lieu a même envahi Ninth Ave qui a désormais, elle aussi, ses petits restaurants appétissants.

spectacle jusqu'à 4h ; 🚇 N, Q, R, S, 1, 2, 3, 7 jusqu'à Times Sq-42nd St

Parlons vrai : on ne vient pas ici pour la nourriture, même si la cuisine méditerranéenne est bonne. L'atout majeur du lieu tient surtout à l'ambiance de ruche due à la proximité des salles de spectacle. Le rez-de-chaussée de cet ancien hôtel particulier offre un cadre romantique (murs de briques, nappes en dentelles), le 1er étage abrite un bar, et le dernier étage accueille les trop nombreux clients du restaurant. Délicieuse carte des vins, personnel sensationnel, et après 22h, de nombreux danseurs de Broadway passent prendre un verre. Les menus à prix fixe que l'on sert tard le soir sont une affaire.

🍴 KASHKAVAL *Méditerranéen et fromagerie* $

☎ 212-581-8282 ; www.kashkaval.com ; 856 Ninth Ave entre 55th St et 56th St ; 🕐 déj et dîner ; 🚇 A, B, C, D, 1 jusqu'à 59th St-Columbus Circle ; ♿

Difficile de classer dans une catégorie bien précise la nourriture servie ici. Disons simplement qu'elle est fabuleuse. En devanture, l'établissement est une fromagerie, au fond de la boutique, c'est un bar-restaurant douillet où l'on vient boire du vin et partager entre amis de délicieux mezze, des paninis frais, des fondues, une salade de poulet au curry, une *caponata* au poulet, etc. Parmi les spécialités maison, citons les assiettes de viande et de fromage, les *borek* aux épinards et à la féta, et le *piyaz* (salade de haricots blancs).

🍴 VIRGIL'S REAL BARBECUE
Américain, grillades $$

☎ 212-921-9494 ; 152 W 44th St entre Broadway et Eighth Ave ; 🍽 déj et dîner ; Ⓜ N, R, S, W, 1, 2, 3, 7 jusqu'à Times Sq-42nd St

Plutôt que de se spécialiser dans un style particulier de grillades (les sauces et la viande varient selon les régions), Virgil's les propose toutes. Vous pourrez ainsi faire un tour d'Amérique : *corndog* d'Oklahoma, porc fumé de Caroline, sandwichs au jambon fumé du Maryland, poitrine de bœuf du Texas et steak de poulet frit de Géorgie. Par souci d'authenticité, les viandes sont fumées avec un mélange de bois de noyer, de chênes et d'arbres fruitiers.

🍸 PRENDRE UN VERRE

🍸 DIVINE BAR WEST *Bar*

☎ 212-265-9463 ; 236 W 54th St près de Broadway ; 🕐 16h30-1h ; Ⓜ 57th St (F, N, Q, R, W), Seventh Ave (B, D, E), 50th St (C, E), 59th St-Columbus Circle (A, B, C, D, 1)

L'adresse de Midtown où l'on vient se défouler à la sortie du travail : les cadres décrispés plébiscitent les tabourets de bar chromés

aux couleurs vives et les fauteuils zébrés. Longue carte des vins et vaste choix de bières et de cocktails à accompagner d'une assiette de tapas ou d'un plateau fromage à partager.

🍸 HIGH BAR *Bar sur toit en terrasse* $$

☎ 212-229-0010 ; www.highbarnyc. com ; 790 Eighth Ave près de 49th St ; 🕐 ouvert tous les soirs ; Ⓜ C, E jusqu'à 50th St

Luxueuse niche haut perchée où l'on s'allonge sur des lits de jour pour siroter tranquillement son martini, 16 étages au-dessus de la rumeur de la ville. Idéal pour échapper à la chaleur écrasante de New York en été (en hiver, on redescend de quelques étages), même quand les clients se mettent à danser. La décoration fait la part belle au naturel : tentures de lit et baldaquins blancs, chaises et tables en bambou et en teck, et ardoise sombre au sol. Lorsque l'immense barbecue commence à grésiller, l'heure de la fête est arrivée

.

🍸 JIMMY'S CORNER *Bar*

☎ 212-221-9510 ; 140 W 44th St près de Broadway ; 🕐 11h30-4h ; Ⓜ N, Q, R, S, W, 1, 2, 3, 7 jusqu'à Times Sq-42nd St, B, D, F, V jusqu'à 42nd St-Bryant Park

Cet établissement tout en longueur fourmille d'habitués et multiplie les références à la boxe, comme ces photos de Jimmy, le propriétaire, aux côtés de Mohammed Ali. Quelques tables se nichent au fond mais il y a plus d'ambiance sur les tabourets convoités du bar. Nombreux cocktails, dont celui de la maison, le Jimmy's Hurricane, quoique la bière soit un choix plus sûr.

SORTIR

☆ AMBASSADOR THEATER
Théâtre
☎ renseignements 800-927-2770 ; www.ambassadortheater.com ; 219 W 49th St ; ⏲ horaires variables ; Ⓜ C, E jusqu'à 50th St ; ♿ 👶
En forme de fer à cheval, l'Ambassador est à la fois l'une des salles les plus intimistes et les plus vastes de Broadway. Si *Chicago* se joue encore, vous ne manquerez aucune note de Roxie Hart, même installé dans les sièges bon marché du fond.

☆ BIRDLAND *Jazz*
☎ 212-581-3080 ; www.birdlandjazz. com ; 315 W 44th St ; 10-40 $; ⏲ club à partir de 19h, spectacles vers 20h30 et 23h ; Ⓜ A, C, E jusqu'à 42nd St-gare routière de Port Authority
Ce club de jazz, dont le nom rend hommage à Charlie Parker dit "Bird", voit défiler des vedettes depuis 1949, lorsque Thelonious Monk, Miles Davis, Stan Getz et d'autres jouaient et enregistraient en public. Aujourd'hui,

s'y produisent des artistes renommés habitués des festivals européens comme Montreux ou North Sea Jazz, ainsi que de jeunes talents new-yorkais. Quelques fidèles : Chico O'Farrill et son Afro-Cuban Jazz Big Band, Barry Harris ou David Berger et les Sultans of Swing.

☆ CARNEGIE HALL *Concerts*
☎ 212-247-7800 ; www.carnegiehall.org ; W 57th St et Seventh Ave ; ⏲ horaires variables ; Ⓜ N, R jusqu'à 57th St
Carnegie n'est ni la plus grande ni la plus majestueuse salle de concert, mais c'est assurément l'une des plus célèbres au monde, à l'acoustique hors normes. Son agencement vertical donne toujours l'impression de communier avec les artistes qui vont des pointures du jazz aux stars de l'opéra, en passant par des interprètes populaires comme Cesaria Evora.

☆ CITY CENTER *Danse*
☎ 212-581-1212 ; www.citycenter.org ; 131 W 55th St ; Ⓜ N, Q, R, W jusqu'à 57th St ; ⏲ horaires variables ; ♿ 👶
Vouée à la démolition en 1943, cette merveille au dôme rouge fut sauvée par des défenseurs du patrimoine, pour être de nouveau menacée de fermeture lorsque les compagnies de danse migrèrent au Lincoln Center. Aujourd'hui, ce trésor méconnu accueille la Paul Taylor Dance Company, Alvin Ailey et l'American Ballet Theater, ainsi que le New

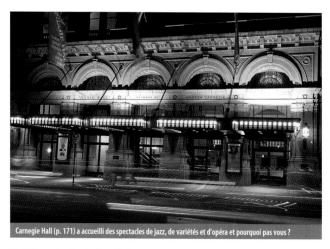

Carnegie Hall (p. 171) a accueilli des spectacles de jazz, de variétés et d'opéra et pourquoi pas vous ?

York Flamenco Festival en février et d'autres spectacles de danse.

⭐ **DON'T TELL MAMA** *Cabaret*
☎ 212-757-0788 ; www.
donttellmamanyc.com ; 343 W 46th St ;
2 consommations minimum ; 🕙 16h-1h ;
🚇 N, R, 1, 2, 3 jusqu'à Times Sq-42nd St
À la fois piano-bar et cabaret, Don't
Tell Mama est une fantastique petite
adresse sans prétention qui donne
brillamment de la voix depuis plus de
25 ans. Ses artistes réguliers restent
peu connus mais, en véritables
amoureux du genre, se donnent
à fond à chaque représentation et
n'ont rien contre une petite aide
musicale du public de temps à autre.
The Box (carte p. 64 ; ☎ 212-982-9301 ; www.

theboxnyc.com ; 189 Chrystie St ; 🚇 F, V jusqu'à
Second Ave) propose une version plus
sombre, sexy et grivoise du cabaret. Il
peut fermer à tout moment, mais ses
spectacles (très) tardifs vous taperont
peut-être dans l'œil.

⭐ **LITTLE KOREA** *Bars, karaoké*
Broadway et Fifth Ave et entre W 31st et
W 36th St ; 🕙 24h/24 ; 🚇 B, D, F, N, Q,
R, V, W jusqu'à 34th St-Herald Sq
Herald Square manque un peu
d'intérêt en matière culinaire, mais
on trouve des tables de qualité
non loin de là à Little Korea,
petite enclave de restaurants, de
boutiques, de salons de beauté
et de spa coréens. Kitsch et
sympathiques, les établissements,

ouverts tard, attirent les clubbers avant leur soirée et les fêtards adeptes des barbecues coréens pour boire et chanter au karaoké jusqu'au petit matin.

⭐ MAJESTIC THEATER
Théâtre

☎ 212-239-6200 ; www.majestic-theater.net ; 247 W 44th St ; ⏱ horaires variables ; Ⓜ toutes les lignes desservant 42nd St

Chaque soir, le légendaire Majestic, où se sont succédé Angela Lansbury, Julie Andrews et plusieurs membres de la famille Barrymore, joue encore (eh oui !) *Le Fantôme de l'Opéra* à guichets fermés, 23 ans après sa création par Andrew Lloyd Webber.

⭐ NEW AMSTERDAM THEATER *Théâtre*

☎ 212-282-2900 ; www.newamsterdamtheater.net ; 214 W 42nd St ; ⏱ horaires variables ; Ⓜ toutes les lignes desservant 42nd St ; ♿ 🚻

Si vos enfants aiment le théâtre, offrez-leur ce plaisir : après l'entrée Art déco, ils découvriront l'intérieur Art nouveau aux sculptures et peintures sur plâtre, pierre, bois, murs et carrelages, évoquant le monde du théâtre du début du XXᵉ siècle, avant d'assister à la comédie musicale *Mary Poppins*.

⭐ NEW VICTORY THEATER
Art, théâtre

☎ 646-223-3010 ; www.newvictory.org ; 209 W 42nd St ; Ⓜ toutes les lignes desservant Times Sq-42nd St ; ⏱ horaires variables ; ♿ 🚻

Les acteurs et danseurs en herbe se bousculent dans ce théâtre original pour les juniors. Le mélange de comédie, de danse, de musique, de représentations de marionnettes et de pièces de théâtre s'adresse aux moins de 12 ans, tandis qu'un choix de spectacles contentera les adolescents.

⭐ SAMUEL J FRIEDMAN THEATER *Théâtre*

☎ 212-239-6200, 800-432-7250 ; 261 W 47th St ; billets 50-200 $; ⏱ horaires représentations variables ; Ⓜ C, E, 1 jusqu'à 50th St

Anciennement le Biltmore Theater, cet édifice historique de forme carrée fut rebaptisé 2008 mais ses caractéristiques architecturales sont restées identiques. À l'intérieur, on peut admirer une superbe voûte en coupole, des escaliers ornementés et une galerie dorée au 1ᵉʳ étage datant de 1925, année de sa construction. Parmi les grands spectacles montés ici, citons notamment *Huis clos* (théâtre) en 1946, *Billy Budd* (opéra) en 1951 et *Hair* (comédie musicale) en 1968.

>CENTRAL PARK

Toutes les classes sociales, des millionnaires aux indigents, se retrouvent dans ce vaste et majestueux parc (www.centralparknyc.org) boisé et fleuri de 340 ha, jardin de toute une ville.

Ses lacs transparents, ses bois sinueux et ses pelouses verdoyantes permettent de pratiquer pléthore d'activités sportives – jogging, skateboard, vélo, frisbee, volley-ball, etc. – sans délaisser les plaisirs culturels. Le festival Shakespeare in the Park, les concerts gratuits en été et les séances de tango le week-end font partie des possibilités qu'offre Central Park.

Si certains coins de Central Park attirent les foules, de vastes pans du parc, en particulier au nord, sont encore presque vierges. Le Harlem Meer (110th St), le North Meadow Recreation Area (juste au-dessus de 97th St, côté est) et le Ramble (milieu du parc, entre 73rd et 79th St), paradis pour l'observation des oiseaux, figurent parmi les endroits plus paisibles au nord de 72nd St. Même en hiver, les New-Yorkais se promènent à ski (!) ou en raquettes dans Central Park enneigé et s'y rassemblent la nuit de la Saint-Sylvestre pour une course de minuit.

Les stations de métro 59th St-Columbus Circle (A, B, C, D, E ou 1), Fifth Ave-59th St, (N, R ou W) et 59th St-Lexington Ave (4, 5 ou 6) sont les plus proches.

CENTRAL PARK

● VOIR

Arsenal	1	C6
Bowling Lawns	2	B5
Central Park Wildlife Center	3	C6
Great Lawn	4	B4
Réservoir Jacqueline Kennedy Onassis	5	C3
Seneca Village	6	B4
Strawberry Fields	7	B5
Tisch Children's Zoo	(voir 3)	
Wollman Skating Rink	8	C6

‖ SE RESTAURER

Central Park Boathouse	9	C5
Kiosque du Conservatory Pond	10	C5
Kiosque d'Harlem Meer	11	C1
Le Pain Quotidien	12	B5

★ SORTIR

Belvedere Castle	13	B4
Location de vélos	(voir 9)	
Location de barques	(voir 9)	
North Meadow Recreation Center	14	B2
Rock Climbing Center	(voir 14)	
Safari Playground	15	B3

Central Park (Map)

Column A
Cathedral Pkwy (110th St)
W 109th St
W 108th St
W 107th St
W 106th St (Duke Ellington Blvd)
W 105th St
W 104th St
103rd St
W 102nd St
W 101st St
W 100th St
W 99th St
W 98th St

Voir carte Upper West side p. 193

W 97th St
W 96th St
96th St
W 95th St
W 94th St
W 93rd St
W 92nd St
W 91st St
W 90th St
W 89th St
W 88th St
W 87th St
86th St
W 86th St
W 85th St
W 84th St
W 83rd St
W 82nd St
W 81st St
W 80th St
79th St
W 79th St
W 78th St
W 77th St
W 76th St
W 75th St
W 74th St
W 73rd St
W 72nd St
72nd St
W 71st St
W 70th St
W 69th St
W 67th St
66th St
W 66th St
W 65th St
W 62nd St
W 61st St
W 60th St

Amsterdam Ave
Broadway
Columbus Ave
Central Park West
West End Ave

UPPER WEST SIDE
66th St–Lincoln Center
Vivian Beaumont Theatre
New York State Theater

81st St–Museum of Natural History
American Museum of Natural History

Column B
Cathedral Pkwy (110th St)
Manhattan Ave
Central Park West
103rd St
The Pool
Great Hill
Patinoire et piscine Lasker
North Meadow
97th St Transverse Rd
West Dr

Central Park
Great Lawn
Delacorte Theater
Belvedere Lake
The Ramble
The Lake
Loeb Boathouse
Fontaine Bethesda
Bethesda Terrace
Literary Walk
The Mall
Sheep Meadow
Tavern on the Green
West Dr
Center Dr
59th St–Columbus Circle

Column C
Central Park North
Central Park North (110th St)
Harlem Meer
Conservatory Garden
The Loch
East Meadow
Réservoir Jacqueline Kennedy Onassis
East Dr
Metropolitan Museum of Art
Statue d'Alice au Pays des Merveilles
Conservatory Pond
East Dr
The Pond

Fifth Ave
Madison Ave

Column D
E 110th St
110th St
E 108th St
E 107th St
E 104th St
E 103rd St
E 102nd St

Voir carte Upper East Side p. 183

E 99th St
E 98th St
E 97th St
96th St
E 95th St
E 94th St
E 93rd St
E 92nd St
E 91st St
E 90th St

UPPER EAST SIDE

E 89th St
E 88th St
E 87th St
86th St
E 86th St
E 85th St
E 84th St
E 83rd St
E 82nd St
E 81st St
E 80th St
E 79th St
E 78th St
E 77th St
77th St
E 76th St
E 75th St
E 74th St
E 73rd St
E 72nd St
E 71st St
E 70th St
E 69th St
68th St–Hunter College
E 68th St
E 67th St
E 66th St
E 65th St
E 64th St
Lexington Ave–63rd St
E 63rd St
E 62nd St
E 61st St
Lexington Ave–59th St
E 60th St
E 59th St
5th Ave

Park Ave
Madison Ave
Lexington Ave
Third Ave
Second Ave

Central Park South

0 — 400 m
0 — 0.2 miles

VOIR

ARSENAL

E 64th St ; gratuit ; 9h-17h lun-ven
Édifié entre 1847 et 1851, avant
l'apparition du parc, pour stocker des
munitions, ce célèbre monument a
l'apparence d'un château médiéval.
Aujourd'hui, l'arsenal est utilisé par
le Central Park Wildlife Center. Les
visiteurs s'y rendent toutefois moins
pour son intérêt architectural que
pour admirer le plan d'origine du parc
réalisé par Olmsted, conservé sous
verre dans la salle de conférences du
troisième étage.

BOWLING LAWNS

**Au nord de Sheep Meadow, à la hauteur
de 69th St**
Deux terrains de 1 400 m² sont à la
disposition des joueurs de croquet
et de boules. Les membres du New
York Lawn Bowling Club, créé il y
a 80 ans, y organisent encore des
tournois de mai à octobre.

CENTRAL PARK WILDLIFE CENTER

☎ 212-861-6030 ; www.centralparknyc.
org ; E 64th St à la hauteur de Fifth Ave ;
adulte/3-12 ans/senior 12/7/9 $;
10h-17h
Essayez de programmer votre
visite à l'heure des repas (entre
10h30 et 16h30), lorsque les
pingouins, les ours blancs, les singes
tamarins chahuteurs et les autres

pensionnaires de ce centre s'en
donnent à cœur joie, notamment les
lions de mer, grands gourmands. Le
Tisch Children's Zoo, entre 65th et
66th St, ravira les petits.

GREAT LAWN

Entre 72nd et 86th St
Cette immense pelouse couleur
émeraude a été aménagée en 1931
en comblant un ancien réservoir.
Plusieurs sites importants se
trouvent à proximité : le Delacorte
Theater, qui accueille chaque année
le festival Shakespeare in the Park, et
son jardin luxuriant ; le Shakespeare
Garden ; le Belvedere Castle
panoramique ; le verdoyant Ramble,
lieu de prédilection des oiseaux,
où les gays aiment venir flirter, et le
Loeb Boathouse, où l'on peut louer
des barques pour une promenade
romantique au cœur de ce paradis
urbain.

RÉSERVOIR JACQUELINE KENNEDY ONASSIS

Pendant des décennies, l'ancienne
première dame des États-Unis,
qui habitait sur la Cinquième
Avenue, entamait sa journée
par une promenade matinale de
2,5 km autour du réservoir. S'il
n'approvisionne plus les habitants en
eau potable, ce réservoir a désormais
une fonction esthétique, reflétant
le ciel azur de New York et ses
spectaculaires gratte-ciel, surtout au
coucher du soleil, lorsque l'horizon

Tourie et Damien Escobar, membres des Nuttin' But Stringz
Violonistes de rock urbain, vainqueurs aux Emmy Awards

Comment avez-vous inventé votre son rock urbain ? Nous avons reçu une formation classique, mais nous avons toujours aimé la pop, le hip-hop et le rock. Nous n'avions pas vraiment de plan de carrière. Jamais nous n'avons pensé : "allons-y, devenons des stars". Nous voulions juste jouer notre musique, en espérant que les gens l'aimeraient. Ce n'était pas gagné. Mais nous avons tenté notre chance de nouveau après avoir réarrangé certaines choses – un rythme par ci, une note par là – et puis, le public a commencé à nous suivre. **Vous jouiez dans le métro, c'est ça ?** Oui, sur les lignes A et C, dans les parcs, sur les terrains de basket-ball, partout où il y avait du monde en fait. **Écoutez-vous encore la musique qui se joue dans le métro quand vous êtes à New York ?** Bien sûr. On entend vraiment de la bonne musique dans le métro, aux terrasses des cafés… En plus, c'est gratuit. Il y a tellement de gens talentueux… Parfois, nous allons même à des soirées "open mic". Nous aimons beaucoup écouter de la musique au Village Underground (p. 114), au Brooklyn Bowl (p. 225), et à l'Alice Tully Hall. **Lorsque vous ne jouez pas, où aimez-vous vous détendre ?** Nous aimons bien le Play (p. 197) dans le Queens, et le High Bar (p. 170) à Manhattan.

LES STATUES DU PARC

Quantité d'œuvres d'art, dissimulées dans les coins les plus inattendus de Central Park, méritent quelques minutes d'attention.

> **Maine Monument** (au niveau de Merchant's Gate, sur Columbus Circle), rend hommage aux marins décédés dans la mystérieuse explosion survenue au port de La Havane en 1898 et qui déclencha la guerre hispano-américaine.
> Au niveau de Scholar's Gate (Fifth Ave angle 60th St), une petite place est dédiée à **Doris Chanin Freedman**, fondatrice du Public Art Fund : tous les six mois, une nouvelle sculpture y est exposée.
> Le célèbre **Angel of the Waters** domine la fontaine Bethesda. Ne manquez pas non plus la **statue du Fauconnier**, nichée sur un monticule toisant 72nd St Transverse, non loin de là.
> Literary Walk ("promenade littéraire"), entre la fontaine Bethesda et 65th St Transverse, est un sentier bordé de statues comme celles de **Christophe Colomb** et de **Shakespeare**.

rose et orange vif fait place au bleu cobalt à mesure que la ville s'éclaire.

SENECA VILLAGE
Entre 81st et 89th St
Signalé par une simple plaque, Seneca Village constituait la première importante communauté de propriétaires noirs de Manhattan (vers 1840).

STRAWBERRY FIELDS
En face du célèbre immeuble Dakota – où fut tourné *Rosemary's Baby* en 1967, et où John Lennon fut assassiné en 1980 – cet émouvant jardin en forme de larme rend hommage au chanteur décédé. C'est la partie de Central Park la plus visitée, entretenue grâce à un don d'un million de dollars de Yoko Ono, qui vit toujours au Dakota. Ce paisible jardin contient un bosquet d'ormes majestueux et une mosaïque que les

visiteurs parsèment de pétales de roses et qui affiche un sobre *Imagine*.

WOLLMAN SKATING RINK
Patinoire ; ☎ 212-439-6900 ; entre 62nd et 63rd St ; adulte 10,75 $ lun-ven, 14,74 $ sam-dim, moins de 11 ans 5,50-5,75 $, location de patins 8 $ (espèces uniquement) ; Nov-mars
Beaucoup moins fréquentée que celle du Rockefeller Center, la patinoire Wollman est à voir pendant les vacances, lorsqu'elle est éclairée de toutes parts. Louez des patins et lancez-vous sur la glace.

SE RESTAURER
CENTRAL PARK
BOATHOUSE *Fruits de mer, américain traditionnel* $$$
☎ 212-517-2233 ; E 72nd St à la hauteur de Park Dr N ; 12h-16h lun-ven, 9h30-16h sam-dim 4 nov-14 avr, 12h-16h

> Près du Conservatory Pond (bassin du conservatoire), des bambins grimpent sur les champignons géants d'**Alice au pays des merveilles**. Les effigies d'Alice, robe et cheveux au vent, du sémillant chapelier fou et du malicieux Chat du Cheshire ravissent les enfants de tous âges. **Hans Christian Andersen** a aussi sa statue à proximité, sous laquelle des contes sont proposés le samedi (11h juin-sept).
> La **Cleopatra's Needle**, obélisque offert par l'Égypte aux États-Unis en 1877 en remerciement de leur participation à la construction du Canal de Suez, surplombe 82nd St et East Dr sur une colline.
> Près de l'Harlem Meer, se dresse **Duke Ellington** à son piano.
> Enfin la statue de **Balto**, au niveau de E 67th St, représente un chien de traîneau d'Alaska qui achemina un sérum vital jusqu'à un village complètement enneigé frappé par une épidémie de diphtérie en 1925. Cette histoire suscita un engouement mondial et beaucoup suivirent le périple à la radio.

et 17h30-21h30 lun-ven, 9h30-16h et 18h-21h30 sam-dim 15 avr-3 nov ; Ⓥ Superbement situé au bord du principal lac du parc, le Central Park Boathouse se distingue plus par son ambiance et son cadre que par sa cuisine révolutionnaire. Les convives ont le choix entre le café, le bar en terrasse et une salle plus formelle pour déguster crevettes, calmars et autres fruits de mer *ad hoc* ainsi que des hamburgers.

KIOSQUES
Sandwichs, en-cas　　　$
E 76th St près du Conservatory Pond et E 108th St près de l'Harlem Meer ; ☻ 11h-20h juin-sept ; Ⓥ
Aux beaux jours, l'administration du parc ouvre ces petits kiosques. Installés au bord de modestes étangs, ils vendent des bretzels que vous pourrez croquer en regardant les canards.

LE PAIN QUOTIDIEN
Sandwichs　　　$
www.lepainquotidien.com ; 2 W 69th St, flanc nord de Sheep Meadow ; ☻ 7h-21h ; Ⓑ B, C jusqu'à 72nd St ; ♿ Ⓥ ♿
Régalez-vous de salades et de sandwichs baguette à l'intérieur du spacieux Mineral Springs Pavilion, ou en terrasse si vous trouvez une table libre. Le Pain Quotidien propose aussi de la bière bio à la pression, des glaces végétariennes et la connexion Wi-Fi gratuite.

★ SORTIR
Plusieurs des grandes manifestations organisées à Central Park ont lieu en été. Les deux principales sont Shakespeare in the Park (www.publictheater.org) et Summerstage (www.summerstage.org). Mais nombreuses sont les activités dont vous pouvez profiter toute l'année.

★ BELVEDERE CASTLE
Observation des oiseaux

Milieu du parc, à la hauteur de 79th St ; gratuit ; 🕙 **10h-17h mar-dim**
Le château du Belvédère possède une salle pédagogique (Discovery Room), sur deux étages, et un panneau d'information recensant les arbres du parc. L'exposition sur les oiseaux présents dans l'espace boisé limitrophe (Ramble) et les kits d'observation (également pour les enfants) prêtés gratuitement présentent cependant plus d'intérêt.

★ BIKING CENTRAL PARK
Location de vélos

☎ **212-517-2233 ; www.centralpark. com/pages/sports/bicycle-riding.html ; E 72nd St à la hauteur de Park Dr N ; adulte 9 \$/première heure puis 5 \$/** heure, enfant 6 \$/première heure puis 3 \$/heure, casque inclus
Il existe plusieurs loueurs de vélos dans Central Park, comme le Central Park Boathouse (p. 178), très pratique. Les vélos sont interdits sur les petits sentiers à l'intérieur du parc, mais autorisés sur la grande route, ainsi que sur la piste ceinturant le réservoir et sur celles autour des terrains de tennis, au nord, agréables à parcourir en famille. Attention : on roule dans le sens inverse des aiguilles d'une montre et on s'arrête aux feux.

★ BOATING IN CENTRAL PARK
Location de barques

☎ **212-517-2233 ; www. thecentralparkboathouse.com ; E 72nd St à la hauteur de Park Dr N ; 10 \$/première heure puis 2,50 \$/15 min, caution 30 \$, 4 pers par barque**
Une balade romantique sur le Central Park's Boathouse Lake, un plan d'eau paisible et peu profond, vous permettra d'admirer ses nombreuses carpes et ses tortues adeptes du soleil, et de bénéficier d'un point de vue unique sur le parc.

★ NORTH MEADOW RECREATION CENTER *Sports*

☎ **212-348-4867 ; www.centralparknyc. org ; milieu du parc à la hauteur de 97th St ; équipement gratuit ;** 🕙 **9h-18h lun-ven, 10h-16h30 sam-dim**

UN TANGO À CENTRAL PARK

Ce n'est pas les docks de Buenos Aires, mais ça y ressemble. Le samedi dès 18h, de juin à septembre, Central Park se met à l'heure argentine. Aficionados et néophytes se retrouvent sous la statue de Shakespeare, près de Literary Walk, pour danser corps à corps. À voir, même si le tango n'est pas votre fort. À proximité, Tango Porteño a lieu chaque dimanche soir au South Street Seaport (p. 46). Pour plus de détails, consultez le site www.newyorktango.com

Cyclistes et coureurs se partagent les grands espaces de Central Park

Le personnel du NMRC vous prêtera gratuitement le matériel du centre à la journée – balles de base-ball, gants, battes, frisbees, ballons de basket, hula hoops, etc. – sur présentation d'une pièce d'identité. Appelez pour réserver durant les mois d'été, plus chargés.

✦ ROCK CLIMBING CENTER
Escalade

☎ 212-348-4867 ; www.
centralparknyc.org
Les habitants férus d'escalade se retrouvent au Worthless Boulder (rocher haut de 3 m au nord du parc), près de l'Harlem Meer. Les débutants préféreront s'exercer harnachés et sous surveillance au **mur d'escalade** (Climbing Wall, North Meadow Recreation Area ; adulte/enfant 7/5 $; 🕓 mar et jeu soir, dim), au nord de 97th St. Ouvert aux enfants le dimanche.

✦ SAFARI PLAYGROUND
Aire de jeux

W 91st St ; gratuit ; 🕓 7h30-coucher du soleil
Dans un décor de jungle, cette aire de jeux comprend 13 sculptures d'hippopotames, une maison dans les arbres et une piste de jogging pour enfants.

>UPPER EAST SIDE

Vieilles fortunes et bars irlandais cohabitent étonnamment le long des allées ombragées de l'Upper East Side, qui s'étend du sud de Central Park à 96th St.

Les kilomètres de boutiques de luxe et de superbes *brownstones* jalonnant Park et Madison Ave valent à ces deux artères centrales le surnom de "Gold Coast" (côte de l'or) de New York. Plus à l'est, vers Lexington Ave et jusqu'à l'East River, les classes populaires se font progressivement plus présentes, même si le quartier n'a plus rien de l'enclave d'immigrés (et de gangs) d'il y a 40 ans. Bien que des traces de ce passé subsistent sur les façades ornementées décrépites, ce quartier est désormais aux mains des étudiants BCBG, des jeunes couples avec enfants et des trentenaires célibataires.

La vie culturelle et nocturne du quartier gravite autour de ses deux meilleurs atouts : Central Park et de fantastiques musées, au premier rang desquels figure le Metropolitan Museum of Art. Pour se défouler et danser, il faut descendre dans le centre, mais pour prendre un verre, dîner et passer la soirée à discuter entre amis, l'Upper East Side fait parfaitement l'affaire.

UPPER EAST SIDE

◉ VOIR

◉ FRICK COLLECTION

☎ 212-288-0700 ; www.frick.org ;
1 E 70th St angle Fifth Ave ; adulte/senior
18/12 $, interdit - 10 ans ; ⏱ 10h-18h
mar-sam, 11h-17h dim ; Ⓜ 6 jusqu'à
68th St-Hunter College

Fifth Ave jadis surnommé "allée des
millionnaires" abrite la collection
privée de l'ancien magnat de l'acier
Henry Clay Frick. La collection et
l'hôtel particulier témoignent de ses
goûts artistiques et de son sens de la
décoration. Admirez la superbe *Diane
chasseresse* de Jean-Antoine Houdon,
les œuvres de Titien et de Vermeer, et
les portraits réalisés par Gilbert Stuart,
le Greco, Goya et John Constable.

◉ GRACIE MANSION

☎ 212-570-4773 (réservations visites
guidées 311 ou 212-NEW-YORK en-dehors
de la ville) ; East End Ave à la hauteur de
E 88th St ; 7 $; ⏱ visites mer à 10h, 11h,
13h et 14h ; Ⓜ 4, 5, 6 jusqu'à 86th St

Ce majestueux hôtel particulier est
(en théorie) la résidence des maires
de New York, mais rares sont ceux qui
y habitent. Sa vue vaut à elle seule
le déplacement. Entre le Carl Schurz
Park et l'esplanade d'East River,
cette demeure rappelle l'élégance
américaine des années 1920-1930.
Les passionnés d'histoire pourront
participer à une visite guidée, à
réserver deux mois à l'avance. La liste
d'attente est longue, mais c'est la
seule solution pour visiter les lieux.

La Frick Collection : une collection admirable dans un cadre raffiné

À ne pas manquer : la richesse des œuvres du Metropolitan Museum of Art

🄲 METROPOLITAN MUSEUM OF ART

☎ 212-535-7710 ; www.metmuseum. org ; Fifth Ave à la hauteur de E 82nd St ; contribution recommandée ; 🕒 9h30-17h30 mar-jeu et dim, 9h30-21h ven-sam ; 🯄 4, 5, 6 jusqu'à 86th St

Les mots manquent pour décrire cet admirable colosse : on demeure béat devant sa taille et la richesse de ses collections. Plus de cinq millions de visiteurs se pressent chaque année aux expositions temporaires ou simplement pour admirer l'immense entrée (Great Hall), le temple de Dendur, les vitraux Tiffany dans l'aile américaine, la collection d'art africain ou océanien ou la célèbre collection européenne au 2ᵉ étage.

Il est plus facile de se perdre dans ce labyrinthe que dans Central Park. Si vous n'aimez pas la foule, les dimanches d'été pluvieux sont à éviter. L'hiver, en revanche, par mauvais temps, vous aurez les sept hectares du musée pour vous : une expérience inoubliable. Le jardin sur le toit se transforme en bar à vins les soirs de week-end en été.

🄲 NEUE GALERIE

☎ 212-628-6200 ; www.neuegalerie. org ; 1048 Fifth Ave angle E 86th St ; adulte/étudiant et senior 15/10 $, moins de 12 ans non admis ; 🕒 11h-18h jeu-lun ; 🯄 4, 5, 6 jusqu'à 86th St

Gustav Klimt, Paul Klee et Egon Schiele figurent parmi les nombreux hôtes de marque de cette galerie, ouverte en 2000, et consacrée à l'art allemand et autrichien. Son adorable restaurant, le Cafe Sabarsky (p. 188), situé au rez-de-chaussée, sert des plats, des pâtisseries et des boissons autrichiennes.

⊙ SOLOMON R. GUGGENHEIM MUSEUM

☎ 212-423-3500 ; www.guggenheim. org ; 1071 Fifth Ave angle E 89th St ; adulte/senior et étudiant/moins de 12 ans 18 $/15 $/gratuit, contribution appréciée 17h45-19h45 sam ; ☺ 10h-17h45 dim-mer et ven, 10h-19h45 sam ; ⊕ 4, 5, 6 jusqu'à 86th St ; ⟳

Le Guggenheim, un peu moins démesuré que d'autres musées de Manhattan, accueille fréquemment

THE SHAPE of SPACE

Le Guggenheim est lui-même une œuvre d'art

d'excellentes expositions internationales. Ses murs arrondis sont notamment ornés d'œuvres de Piet Mondrian et de Wassily Kandinsky que l'on découvre en descendant une rampe en spirale.

⊙ TEMPLE EMANU-EL

☎ 212-744-1400 ; www.emanuelnyc. org ; 1 E 65th St ; ☺ 9h-19h ; ⊕ 6 jusqu'à 68th St-Hunter College ; ⟳

Lieu de culte israélite majeur, ce temple se trouvait auparavant dans le quartier juif du Lower East Side. L'amélioration du sort de ses fidèles lui a été bénéfique. Il accueille désormais une collection prestigieuse retraçant l'histoire du judaïsme et de sa transformation en une luxueuse synagogue agrémentée de fresques murales.

⊙ WHITNEY MUSEUM OF AMERICAN ART

☎ 212-570-3600 ; www.whitney.org ; 945 Madison Ave angle E 75th St ; adulte/senior et enfant 18 $/12 $/contribution appréciée 18h-21h ven ; ☺ 11h-18h mer-jeu, 13h-21h ven, 11h-18h sam-dim ; ⊕ 6 jusqu'à 77th St ; ⟳

Ce musée rassemblant essentiellement des œuvres américaines fait la part belle à des artistes comme Rothko, Pollock et Hopper, mais il s'ouvre aussi à de nouveaux venus et de nouveaux médias. On a pu voir récemment une rétrospective des clichés de William

Eggleston (avec une partie consacrée à l'influence que ses photos ont eue sur des réalisateurs comme Gus Van Sant) et une exposition sur les années parisiennes du sculpteur Alexander Calder.

SHOPPING

ARTHRITIS THRIFT SHOP
Articles d'occasion

☎ 212-772-8816 ; www.arthritis.org ; 1430 Third Ave au croisement de 81st St ; 🕑 10h-18h lun-sam, 12h-17h dim ; 🚇 4, 5, 6 jusqu'à 86th St ; ♿

Quantité de friperies et boutiques d'occasion de l'Upper East Side reversent une partie de leurs bénéfices à des œuvres de charité : celle-ci est l'ancêtre de toutes les autres. Elle récupère des vêtements d'occasion haut de gamme depuis 1948. À première vue, c'est un incroyable bric-à-brac mais de vrais trésors se cachent au milieu de ce désordre, surtout des chaussures et des sacs à main (ne manquez pas non plus le bac à écharpes et foulards). Les vendeurs ont aménagé un portant de vêtements haute couture près de la caisse : c'est là que vous trouverez les marques Prada, Balenciaga, Bill Blass, Halston, etc.

BARNEYS *Grand magasin*

☎ 212-826-8900 ; www.barneys.com ; 660 Madison Ave ; 🕑 10h-20 lun-ven, 10h-19h sam, 11h-18h dim ; 🚇 N, R, W jusqu'à Fifth Ave-59th St

Cette institution du shopping propose, sur quatre étages, des collections jeunes, des modèles de créateurs, ainsi que des cosmétiques et des accessoires. Le meilleur grand magasin de New York regroupe les pointures de la mode actuelle – Marc Jacobs, Miu Miu, Prada, etc. Offres spéciales (toutes proportions gardées) aux 7e et 8e étages ou chez Barneys Co-Op dans l'Upper West Side, à Soho et à Chelsea (p. 133).

DONNA KARAN
Mode et accessoires

☎ 866-240-4700 ; www.donnakaran.com ; 819 Madison Ave angle E 68th St ;

LE PHARMACIEN DES STARS

Lorsque votre clientèle se compose principalement d'habitants tatillons de l'Upper East Side, mieux vaut avoir ce qui se fait de mieux en stock. C'est pourquoi **Zitomers** (☎ 212-737-2016 ; www.zitomers.com ; 969 Madison Ave angle E 76th St ; 🕑 9h-20h lun-ven, 9h-19h sam, 10h-18h dim ; 🚇 6 jusqu'à 77th St), la pharmacie préférée du quartier, dispose de produits européens, qui sans être illicites, ne sont pas toujours approuvés par les autorités sanitaires américaines (FDA), comme ces écrans solaires et ces crèmes de soin très puissantes généralement uniquement disponibles sur l'Ancien Continent. Les produits de ce drugstore de trois étages ont de quoi soigner tous les maux.

🕙 10h-18h lun-sam, 12h-18h dim ;
🚇 6 jusqu'à 68th St-Hunter College

On y trouve du prêt-à-porter ultra-chic pour citadines sophistiquées à des tarifs très élevés et des modèles dégriffés au dernier étage. Le choix masculin est restreint, mais les femmes peuvent renouveler éternellement leur garde-robe en choisissant sur trois étages parmi les accessoires pour cheveux, lunettes de soleil, sacs, chaussures, ceintures et bijoux pour accompagner les robes en jersey fluides et les tailleurs-pantalon étroits, marques de fabrique de la styliste.

🏠 RALPH LAUREN
Mode et accessoires

☎ 866-606-2100 ; www.ralphlauren. com ; 867 Madison Ave angle E 71st St ;
🕙 10h-19h lun-mer, 10h-20h jeu, 10h-18h ven-sam ; 🚇 6 jusqu'à 68th St-Hunter College

Cette boutique qui occupe l'ancien hôtel particulier Rhinelander (construit en 1898 dans un superbe style Renaissance) a tout d'une maison de campagne. Hommes et femmes peuvent s'y endimancher grâce à une collection décontractée – jeans, hauts blancs, etc. – ou plus formelle avec robes légères et costumes aux lignes pures.

🍴 SE RESTAURER

🍴 ANDRE'S PATISSERIE
Boulangerie hongroise/ européenne $

☎ 212-327-1105 ; www.andresnyc.com ; 1631 Second Ave ; 🕙 9h-23h ; 🚇 4, 5, 6 jusqu'à 86th St ; Ⓥ ♿

Ce petit café-boulangerie tout en longueur constitue l'antidote idéal contre le froid avec ses goulaches poivrés, ses ragoûts maison, ses crêpes et d'autres spécialités hongroises pour se réchauffer. Également vaste choix de strudels, de kouglofs au chocolat, à la cannelle ou au chou, de chocolats bavarois, de gâteaux alléchants, etc.

🍴 BEYOGLU *Turc, moyen-oriental* $$

☎ 212-650-0850 ; 1431 Third Ave ; 🕙 déj et dîner ; 🚇 4, 5, 6 jusqu'à 86th St ; ♿ Ⓥ

Particulièrement agréable l'été en terrasse, Beyoglu décline une cuisine turque fraîche, légère et séduisante : salades riches en feta, grillades de poisson et généreux mezze.

🍴 CAFE SABARSKY
Autrichien $$

☎ 212-288-0665 ; www.wallse.com ; 1048 Fifth Ave angle E 86th St ;
🕙 petit-déj, déj et dîner ;
🚇 4, 5, 6 jusqu'à 86th St ; Ⓥ ♿

Le café populaire de la Neue Galerie fait souvent salle comble le week-end, mais les spécialités et l'ambiance valent bien l'effort pour trouver une table. La cuisine est authentiquement autrichienne : crêpes à la truite, goulaches, saucisses et strudels sont servis dans des plats volumineux et des coupes en argent provenant de Vienne.

CASCABEL *Mexicain* $-$$

☎ 212-717-7800 ; www.nyctacos.com ; 1542 Second Ave entre 80th St et 81st St ; 🕒 déj et dîner ; 🚇 4, 5, 6 jusqu'à 86th St ; 🚻 🏃

S'inspirant de la cuisine qu'on mange dans la rue au Mexique, le Cascabel est une sorte de *taqueria* chic. Ses tacos sont plus sophistiqués que la traditionnelle *comida de la calle* (nourriture de la rue) mais l'ambiance reste décontractée et enjouée. Des portraits de catcheurs mexicains ornent les murs, les comptoirs et les tables, pour le plus grand plaisir des enfants (pour lesquels un menu spécial est prévu). Les adultes apprécieront la bière fraîche, le vin au verre (tarif abordable), les plats pimentés, les spécialités comme le quinoa aux *frijoles* (haricots secs), les tacos au poisson, aux crevettes ou à la langue de bœuf, la selle de porc Berkshire lentement rôtie, les énormes assiettes de poulet rôti, riz et haricots, ainsi que les churros (beignets à la cannelle) au dessert.

SFOGLIA *Italien* $$$

☎ 212-831-1402 ; http:// sfogliarestaurant.com ; 1402 Lexington Ave angle E 92nd St ; 🕒 déj et dîner lun-sam, fermé 14h-17h30 ; 🚇 6 jusqu'à 96th St ; 🏃

Chouchou des critiques depuis son ouverture il y a quelques années, Sfoglia a exporté sa recette gagnante alliant fruits de mer frais et spécialités italiennes maison de Nantucket à New York, où la séduisante petite adresse d'Upper East Side ne désemplit pas. Des mariages innovants – moules sauvages agrémentées de tomates, d'ail, de salami et de fenouil, de fagotins d'épinards et de ricotta cuisinés au beurre noisette et au citron confit, côtelettes de porc panées aux carottes vinaigrées et à la moutarde – vous feront succomber.

ZEBU GRILL *Brésilien* $-$$

☎ 212-426-7500 ; www.zebugrill. com ; 305 E 92nd St près de Second Ave ; 🕒 dîner tlj, brunch sam et dim ; 🚇 6 jusqu'à 96th St ; 🏃

Tables en bois rustiques, éclairage tamisé, cocktails brésiliens alcoolisés et service sympathique : tous les ingrédients sont réunis pour une bonne soirée. Offrez-vous un *churrasco* (assortiment de viandes grillées), où goûtez à des plats traditionnels comme la *feijoada* (ragoût aux haricots noirs), le

BAR BEMELMANS

Écoutez le pianiste faire courir ses doigts sur les touches ivoire, installez-vous sur les banquettes en cuir et admirez l'élégance années 1940 de ce bar légendaire. Les plafonds sont dorés à l'or fin 24 carats, les cendriers (disposés avec art même s'il est interdit de fumer) sont en marbre, et la fresque murale est l'œuvre de Ludwig Bemelmans, qui illustra la célèbre série des *Madeline* (Madeleine en français). Le **Bemelmans** (☎ 212-744-1600 ; www.thecarlyle.com ; Carlyle Hotel, 35 E 76th St ; après 21h30 dim-ven 20 \$, après 21h30 sam 25 \$; 🕑 12h-2h lun-sam, jusqu'à 0h30 dim ; 🚇 6 jusqu'à 77th St) est idéal pour les amoureux.

picadinho (petits morceaux de bœuf avec un œuf poché, du riz et des haricots), ou encore une *moqueca* de crevettes (crevettes cuites dans du lait de coco, de la citronnelle et du sucre de canne). On propose aussi des assiettes américaines typiques (saumon, burgers et pâtes), quelques plats végétariens, un menu (au dîner) et un brunch pour moins de 30 \$.

🍸 PRENDRE UN VERRE

🍸 **AUCTION HOUSE** *Bar*
☎ 212-427-4458 ; 300 E 89th St ; 🕑 19h30-4h ; 🚇 4, 5, 6 jusqu'à 86th St
Derrière ses portes bordeaux, ce bar glamour, éclairé par des bougies, est

idéal pour décompresser devant un verre. Des divans de style victorien et des fauteuils bien rembourrés sont dispersés dans les salles parquetées, émaillées de cheminées autour desquelles on peut lier connaissance tout en admirant la scène se refléter dans les miroirs dorés accrochés aux murs. Les martini bien dosés s'apprécient d'autant plus au creux d'un fauteuil douillet.

🍸 **STIR** *Bar à DJ*
☎ 212-744-7190 ; http://stirnyc.com ; 1363 First Ave près de E 73rd St ; 🕑 17h-1h lun-mer, 17h-2h jeu, 17h-4h ven, 20h-4h sam, 20h-1h dim ; 🚇 6 jusqu'à 77th St
L'entrée quelconque mène à un petit bar animé dont les banquettes en cuir sont adossées aux murs et les poufs moelleux et colorés sont dispersés dans la salle. La sono, des sons alternatifs des années 1980 au hip-hop et au punk, est assurée par un DJ le week-end. La clientèle éclectique new-yorkaise se presse pour goûter à la boisson phare : les martini aromatisés. Durant l'*happy hour* (fin d'après-midi), le tarif chute jusqu'à 2 dollars la consommation.

🍸 **UVA** *Bar à vins*
☎ 212-472-4552 ; www.uvawinebarnewyork.com ; 1486 Second Ave près de 77th St ; 🕑 16h-2h lun-ven, 11h30-2h sam et dim ; 🚇 6 jusqu'à 77th St
Douillet petit bar à vins situé dans un block tranquille de l'UES. Devant,

il y a quatre jolies tables disposées en terrasse sous une marquise de couleur pourpre, et à l'arrière, un minuscule jardin agrémenté de bougies, sur lequel s'ouvrent des portes-fenêtres. Les deux sont très mignons, mais pour beaucoup, le vrai bijou reste la petite salle aux murs de briques qui les séparent. Les couples assis sur les bancs courant le long des murs dégustent jusqu'au cœur de la nuit des vins rouges italiens charpentés ou des vins blancs plus légers.

⭐ SORTIR

⬛ 92ND STREET Y *Art*
☎ 212-415-5500 ; www.92y.org ; 1395 Lexington Ave angle E 92nd St ; ⏱ horaires variables ; Ⓜ 6 jusqu'à 96th St
Le Y, institution à la gloire de la littérature (mais qui accueille également de la musique et de la danse) organise régulièrement des lectures sous l'égide de l'Unterburg Poetry Center, ainsi qu'un cycle de conférences "Biographers and Brunch" le dimanche, consacrées à de grands auteurs : on a récemment

pu y croiser Paul Auster, Margaret Atwood, Joan Didion et Michael Chabon. Les lectures avec les écrivains les plus connus affichent vite complet : si vous souhaitez voir un auteur en particulier, réservez longtemps à l'avance.

⬛ DANGERFIELD'S *Café-théâtre*
☎ 212-593-1650 ; www.dangerfields. com ; 1118 First Ave angle E 61st St ; ⏱ spectacles à 20h45 dim-jeu, 20h45, 22h30 et 00h30 ven-sam ; Ⓜ 6 jusqu'à 59th St
Le plus ancien et (pour certains) le plus drôle des cafés-théâtres new-yorkais est une véritable institution. Malgré l'interdiction de boire et de manger (chose rare à New York où la majorité des salles l'autorisent), il y a foule le soir pour voir des talents de haut niveau, exclusivement professionnels. Il y a fort longtemps que les stars de la comédie ne font plus de brèves apparitions régulières, mais parfois, de vieux compères comme Jerry Seinfeld, Chris Rock ou Jay Leno peuvent passer.

>UPPER WEST SIDE

Paisible mais néanmoins charmant, l'Upper West Side a conservé son joyeux anticonformisme face à l'embourgeoisement grandissant. La mixité de sa population –vieux progressistes, jeunes familles aisées, étudiants curieux, acteurs et musiciens – a protégé le quartier des ravages du développement. Si les magasins de chaîne abondent, une myriade d'établissements à l'ancienne, comme Zabar's et Barney Greengrass, subsistent.

Le quartier est résolument artistique. Il comprend le Lincoln Center et son Metropolitan Opera House, le Jazz at Lincoln Center, la Juilliard School of Music, mondialement célèbre, et, en été, vous pourrez assister à des spectacles en plein air et participer gratuitement à des nuits dédiées à la danse (surtout salsa, tango et swing, avec quelques cours).

L'université de Columbia voisine confère au nord du quartier une ambiance estudiantine : le coin regorge de bars bon marché. Enfin, deux fabuleux poumons verts s'étendent vers le nord de chaque côté de l'Upper West Side, Central Park, à l'est, et Riverside Park, à l'ouest, contribuant à son ambiance conviviale et bobo.

UPPER WEST SIDE

◉ VOIR

◉ AMERICAN MUSEUM OF NATURAL HISTORY

☎ 212-769-5000 ; www.amnh.org ; Central Park West à la hauteur de W 79th St ; contribution recommandée adulte/senior et étudiant/enfant 16/12/8 $, expositions interactives 12-20 $; 🕓 10h-17h45, Rose Center 10h-20h45 ven ; 🚇 B, C jusqu'à 81st St-Museum of Natural History, 1 jusqu'à 79th St

Difficile de s'imaginer, de l'extérieur, l'immensité de ce muséum d'Histoire naturelle. Il abrite une collection démesurée dans trois gigantesques salles, ainsi que le Rose Center for Earth and Space (avec tapas gratuites, jazz et boissons le vendredi soir), le cinéma Imax, un planétarium et une section interactive où les enfants peuvent toucher tous les objets. Même les spécialistes ne peuvent que s'émerveiller devant les quelque 30 millions de pièces exposées.

◉ CHILDREN'S MUSEUM OF MANHATTAN

☎ 212-721-1234 ; www.cmom.org ; 212 W 83rd St entre Amsterdam Ave et Broadway ; 10 $; 🕓 10h-17h mar-dim ; 🚇 1 jusqu'à 86th St, B,C jusqu'à 81st St-Museum of Natural History

Destiné à toute la famille, ce musée n'infantilise pas les bambins. Il compte des attractions de découverte, un centre médias postmoderne et un "Inventor Center" dernier cri où les futurs Bill Gates peuvent pousser, secouer et démonter tout ce qu'ils veulent. En été, les petits adoreront les roues à eau en plein air, et des bateaux leur feront découvrir les phénomènes de la flottabilité et des courants. Le musée propose aussi des ateliers le week-end et parraine des expositions spéciales.

◉ DAKOTA BUILDING

1 W 72nd St angle Central Park West ; 🚇 B, C jusqu'à 72nd St ; ♿

L'American Museum of Natural History

Orné de tours et de pignons, ce magnifique immeuble couleur sable semblait en 1884 aussi loin du centre-ville que le Dakota. Il fut néanmoins furieusement tendance : Boris Karloff, Rudolph Noureev ou Lauren Bacall y habitèrent ainsi que John Lennon, assassiné devant le porche.

◎ LINCOLN CENTER
☎ 212-875-5900 ; www.lincolncenter. org ; Lincoln Center Plaza, Broadway à la hauteur de W 64th St-Lincoln Center ; ⏱ horaires des représentations variables, visites guidées 10h30-16h30 ; ◎ 1 jusqu'à 66th St ; ♿ 🚻

Le vaste Lincoln Center est une véritable ville miniature : l'Avery Fisher Hall, siège du New York Philharmonic et actuellement en rénovation, jouxte l'Alice Tully Hall, où officie la Chamber Music Society. Le New York State Theater accueille le **New York City Ballet** (www.nycballet. com) et le **New York City Opera** (www. nycopera.com). Le Walter Reade Theater organise le New York Film Festival et projette de bons films tous les jours. Citons également les théâtres Newhouse et Beaumont, la Juilliard School et la prestigieuse Metropolitan Opera House, avec ses escaliers géants. Des visites guidées du Lincoln Center et des théâtres sont proposées quotidiennement (adulte/étudiant-senior/enfant 15/12/8 $; contactez le ☎ 212-875-5350 pour plus d'informations).

◎ NEW YORK HISTORICAL SOCIETY
☎ 212-873-3400 ; www.nyhistory.org ; 2 W 77th St angle Central Park West ; adulte/senior 12/9 $; ⏱ 10h-18h mar-jeu et sam, 11h-17h45 dim ; ◎ 1 jusqu'à 79th St, B, C jusqu'à 81st St-Museum of Natural History

Fondée en 1804 pour conserver les objets historiques et culturels de la ville, ce trésor est souvent ignoré des touristes qui affluent au muséum d'Histoire naturelle voisin. Ses collections de plus de 60 000 objets sont fascinantes et décalées, comme ces cloches de vache du XVIIe siècle ou la jambe de bois du gouverneur Morris. Le Henry Luce III Center for the Study of American Culture, ouvert en 2000, expose sur près de 2 000 m² plus de 40 000 objets empruntés aux collections permanentes, ainsi que de beaux portraits et des maquettes de bateaux. D'excellentes expositions temporaires s'y tiennent, comme récemment "Here is New York: Remembering 9/11".

◎ RIVERSIDE PARK
www.riversideparkfund.org ; Riverside Dr de W 68th à W 155th St ; ⏱ 6h-1h ; ◎ toutes les stations entre 66th et 157th St (1, 2, 3) ; ♿

Également pensé par les concepteurs de Central Park, Olmsted et Vaux, ce parc à la beauté classique se déploie au nord de l'Upper West Side en bordure de l'Hudson. Boisé et tranquille, il est apprécié des familles pour ses nombreuses pistes cyclables et ses aires de jeux.

SHOPPING

MAXILLA & MANDIBLE
Divers

☎ 212-724-6173 ; www. maxillaandmandible.com ; 451 Columbus Ave près de W 82nd St ; 🕙 11h-19h lun-sam, 13h-17h dim ; 🚇 B, C jusqu'à 81st St-Museum of Natural History

"Le premier et unique magasin ostéologique au monde" officie depuis 1983 à environ un pâté de maisons du muséum d'Histoire naturelle. Avec sa collection variée, cette boutique spécialisée ravira les amateurs d'os, de fossiles et de bijoux parsemés de scarabées. La plupart des clients viennent admirer les squelettes suspendus et les rangées d'os parfaitement alignées et repartent avec quelques objets fantaisie tels ces bracelets en plastique composés de carapaces d'insectes chatoyantes de Thaïlande, également disponibles sous forme de bagues ou de colliers.

OFF BROADWAY
BOUTIQUES *Articles d'occasion*

☎ 212-724-6713 ; www. boutiqueoffbroadway.com ; 139 W 72nd St

près d'Amsterdam Ave ; 🕙 10h30-20h lun-ven, 10h30-19h sam, 13h-19h dim ; 🚇 1, 2, 3 jusqu'à 72nd St

Malgré des vêtements brillants, colorés et un peu trop voyants pour le commun des mortels, cette boutique d'articles d'occasion habille les divas depuis 1970. Son succès s'explique par sa section du fond, où bijoux et fichus alimentent les "re-runs", des modèles vintage signés notamment Yves Saint Laurent ou Dior. La propriétaire parcourt aussi la planète en quête de nouveaux talents et expose leurs créations à l'avant du magasin. Il faut fouiller pour débusquer les véritables bonnes affaires.

WINK *Mode et accessoires*

☎ 212-877-7727 ; www.winknyc.com ; 188 Columbus Ave près du 86th St ; 🕙 11h-20h ; 🚇 1 jusqu'à 66th St

Ravissant, *girly* et glamour : ce magasin abrite une luxueuse collection de sacs Foley+Corinna, de bottes Frye et Hunter, de chaussures Dolce Vita, DKNY et House of Harlow (talons plats, talons compensés et escarpins à talons hauts). Vous pourrez aussi vous offrir des jeans J Brand, des vêtements Marc Jacobs, des robes LaROK ainsi que des T-shirts et chemisiers LA Made. Foulards, bracelets, montres et lunettes de soleil vous permettront d'accessoiriser le tout.

☐ **ZABAR'S** *Nourriture et boissons*
☎ 212-787-2000 ; www.zabars.com ;
2245 Broadway ; 🕙 8h-19h30 lun-ven,
8h-20h sam, 9h-18h dim ; 🚇 1 jusqu'à
79th St

Adresse incontournable de l'Upper
West Side, Zabar's possède toujours
cette ambiance typiquement new-
yorkaise qui vous donne l'impression
d'être dans un film de Woody Allen.
Les clients s'affairent autour des
produits gourmets en discutant de
choses et d'autres et de la fraîcheur
du *gefilte fish* comme si de rien n'était.

🍴 SE RESTAURER
🍴 **BARNEY GREENGRASS**
Traiteur juif $$
☎ 212-724-4707 ; www.barneygreengrass.
com ; 541 Amsterdam Ave angle W 86th St ;
🕙 petit-déj et déj ; 🚇 1 jusqu'à 86th St ;
🚻 🚾

Autoproclamé roi de l'esturgeon,
Barney Greengrass propose les
mêmes généreuses portions d'œufs
et de saumon fumé, de *bialys* au
caviar et de *babkas* fondants au
chocolat qui l'ont rendu célèbre il
y a un siècle. Les tables bancales
dispersées parmi les rayonnages
croulant sous les produits
permettent de se ravitailler le matin
ou lors d'un déjeuner rapide. Outre
le saumon, le merlan, les œufs
fumés et autres délices, on peut
commander un authentique bagel
new-yorkais.

🍴 **CAFE CON LECHE**
Cubain, portoricain $$
☎ 212-678-7000 ; 726 Amsterdam Ave
près de W 96th St ; 🕙 déj et dîner ;
🚇 B, C, 1, 2, 3 jusqu'à 96th St ; 🚻 🚾
Cette adresse discrète et douillette
de l'Upper West Side se situe

BARS POUR LES JOURS DE PLUIE
Le ciel n'est pas toujours d'un bleu limpide à New York. Et lorsque Dame Nature gronde, il est
bon d'avoir un refuge où se replier quelques heures.
> Kettle of Fish (p. 113), dans le West Village. Idéal lorsqu'un match est diffusé, et encore
  mieux si ce sont les Packers qui jouent.
> Chelsea Brewing Company (p. 137), dans le complexe sportif Chelsea Piers, doté d'une
  patinoire, de terrains de basketball, de cages de base-ball et autres jeux.
> Union Hall (p. 224) à Brooklyn. Bière et pétanque.
> DBA (p. 100) dans l'East Village. Choix de bières et jeux de fléchettes.
> Gutter (p. 225) à Brooklyn. Fûts de bière et pistes de bowling.
> Play (☎ 718-476-2828 ; www.play-ny.com ; 77-17 Queens Blvd à Elmhurst près d'Albion Ave ;
  🕙 ouvert tous les soirs ; 🚇 R, V jusqu'à Elmhurst Ave). Échecs, tables de billard (avec cours),
  pistes de bowling et tables de ping-pong pour les clients qui consomment. Repliez-vous dans
  ce petit bar du Queens s'il se met à pleuvoir pendant le match des Mets.

UN NOUVEAU SHAKE SHACK

Pour la plus grande joie des mamans, des papas et de tous les bambins de l'Upper West Side, Danny Meyer, le pape des délices bio, vient d'ouvrir un nouveau **Shake Shack** (☎ 646-747-8770 ; www.shakeshacknyc.com ; 366 Columbus Ave entre 77th St et 78th St ; 🕐 déj et dîner ; 🚇 B, C, 1, 2, 3 jusqu'à 72nd St) dans le quartier. Le restaurant propose des sundaes, des milk-shakes, des cocktails de fruits, d'épais burgers accompagnés de frites croustillantes, tout comme l'enseigne originale de Madison Square Park (p. 142).

à proximité du nord de Central Park et de la cathédrale St John the Divine. Les portes jaune vif s'ouvrent sur une salle à manger gaie où le service enjoué compense l'absence de luxe. Un excellent café cubain et des plats copieux tels l'*arroz con pollo* (riz au poulet), la *ropa vieja* (émincé de bœuf) et le *mofongo* (spécialité portoricaine) en font un lieu animé jusque tard.

🍴 FATTY CRAB *Malais* $

☎ 212-496-2722 ; www.fattycrab.com ; 2170 Broadway près de 77th St ; 🕐 déj et dîner ; 🚇 1 jusqu'à 79th St ; ♿ 🚻
La cuisine malaise épicée que l'on mange dans la rue se mâtine d'une touche new-yorkaise au Fatty Crab, réputé pour ses formules

déjeuner abordables, ses *happy hour* (boissons à moitié prix), son crabe au piment, ses moules au poivre noir de Singapour, son *barramundi* grillé sur des feuilles de bananier, son *rendang* de bœuf braisé avec du kaffir et de la noix de coco, sa cocotte de poulet et son canard au *tamaki* toasté. Il y a 20 places en terrasse, et un long bar en acier dans la salle principale.

🍴 JOSIE'S RESTAURANT
Cuisine diététique $$

☎ 212-769-1212 ; 300 Amsterdam Ave ; 🕐 dîner lun-ven, déj et dîner sam-dim ; 🚇 1, 2, 3 jusqu'à 72nd St ; ♿ Ⓥ 🚻
Les plats bio (dont la carte précise l'origine) de Josie's lui valent depuis plus de dix ans la fidélité d'une clientèle qui réconcilie végétaliens, végétariens et carnivores. La simplicité et la propreté du lieu se retrouvent dans les assiettes : steaks, salades et excellente cuisine végétarienne.

🍴 KEFI *Grec* $$

☎ 212-873-0200 ; www.kefirestaurant.com ; 505 Columbus Ave près de 84th St ; 🕐 déj mar-sam, dîner tlj ; 🚇 B, C jusqu'à 86th St ; ♿ 🚻
Le chef renommé Michael Psilakis a ouvert le Kefi il y a quelques années. Il a dû presque aussitôt s'installer dans un espace plus grand devant le succès de sa cuisine grecque rustique, qui fait la part belle aux saucisses d'agneau épicées, au *branzino* (bar)

grillé, aux boulettes à la ricotta, au poulpe grillé et aux boulettes de viande en sauce tomate. La salle aux murs blancs, agrémentée d'un sol dallé de pierre et d'ornements en stuc, est dominée par une imposante mosaïque bleue en forme de vague. Si elle est complète, repliez-vous dans la salle du dessus ou celle du dessous.

🍴 PIER I CAFÉ
Café en plein air $$

☎ 212-340-4450 ; www.piericafe.com ; W 70th St et Riverside Blvd ; 🕑 déj et dîner ; 🚇 1, 2, 3 jusqu'à 72nd St ; ♿

Ce café décontracté sur l'esplanade qui borde l'Hudson River est l'étape idéale pour les cyclistes, joggeurs, promeneurs et adeptes du skate-board qui souhaitent faire une pause gourmande en profitant du soleil. Au programme : musique live certains soirs, énormes burgers, frites (à l'ail pour ceux qui aiment), guedilles au homard, hot dogs, bières, vin, etc. L'établissement faisant aussi office de café-bar tôt le matin (appelé le Klatch), il est bondé toute la journée. Ouvert tous les jours de mai à octobre.

🍴 PIO PIO *Péruvien* $$

☎ 212-665-3000 ; 702 Amsterdam Ave angle W 94th St ; 🕑 déj et dîner ; 🚇 1, 2, 3 jusqu'à 96th St ; ♿ 🚻

Pio Pio doit sa réputation à ses volailles dorées, croustillantes et délicieusement marinées.

Le Matador Combo, composé d'un poulet rôti entier (spécialité de la maison) accompagné de riz, de haricots, de *tostones* (bananes plantains frites), d'une salade et d'une immense assiette de frites, suffit à rassasier deux gros mangeurs. Les autres se contenteront de commander des morceaux de poulet rôti à la carte.

🍸 PRENDRE UN VERRE

🍸 PROHIBITION *Bar*

☎ 212-579-3100 ; 503 Columbus Ave près de W 84th St ; 🕑 17h-3h ; 🚇 B, C, 1 jusqu'à 86th St

La prohibition n'a pas vraiment cours dans ce bar joliment agencé contenant quantité de boissons. Le niveau sonore des concerts organisés quasiment chaque soir préserve les oreilles sensibles. Ceux qui souhaitent discuter peuvent s'installer au fond, où l'on n'entend pas la musique, et un billard attend les sportifs. Les murs rouges et les cocktails originaux (martini à la lavande, *mojitos*) confèrent du cachet au bar et les mini-hamburgers sont parfaits pour les petits creux.

🍸 WEST 79TH STREET BOAT BASIN CAFÉ *Café*

☎ 212-496-5542 ; www.boatbasincafe. com ; W 79th St à la hauteur de l'Henry

Hudson Parkway ; 🕐 déj et dîner avr-oct, en fonction du temps ; 🚇 1 jusqu'à 79th St ; 🚲

Sans être aussi féeriques qu'aux Antilles, les couchers du soleil sur l'Hudson font leur effet. Situé à l'extrémité ouest de Manhattan, ce café jouit d'un emplacement privilégié pour les admirer en se désaltérant. Aux beaux jours, tout le monde se retrouve au West 79th Street Boat Basin Café en soirée.

⭐ SORTIR

⭐ CLEOPATRA'S NEEDLE
Discothèque

☎ 212-769-6969 ; www.cleopatrasneedleny.com ; 2485 Broadway

entre W 92nd et W 93rd St ; 🕐 16h-nocturne ; 🚇 1, 2, 3 jusqu'à 96th St

Il faut venir de bonne heure pour profiter de l'*happy hour* quotidienne avec ses martini à moitié prix. Le Cleopatra's Needle fait référence à la statue dans Central Park et à sa salle étroite (*needle* signifie aiguille). Choisissez une petite table ou installez-vous au bar pour savourer les spécialités d'inspiration méditerranéenne. L'entrée est gratuite mais un minimum de 10 $ de consommations/plats est requis. Le Cleopatra's est réputé pour ses jam sessions qui culminent vers 4h : préparez-vous à rester jusqu'à tard, même si vous êtes arrivé tôt.

Les mélomanes se mettent au diapason au Jazz at Lincoln Center

⭐ IRIDIUM *Jazz*

☎ 212-582-2121 ; www.iridiumjazzclub.
com ; 1650 Broadway ; 25-40 $, plus 10 $
de consommations minimum ; 🕑 18h30-
nocturne ; 🚇 A, B, C, D, 1 jusqu'à
59th St-Columbus Circle

Les plus grands noms se succèdent
à l'Iridium. Sa sophistication et son
droit d'entrée élevé s'expliquent
par le service, la vue et l'acoustique
parfaite, gage d'une soirée jazz
raffinée. Réservez tôt, surtout
lorsque le Mingus Big Band se
produit.

⭐ JAZZ AT LINCOLN CENTER
Jazz

☎ 212-258-9595 ; www.
jazzatlincolncenter.org ; Time Warner
Center, Broadway à la hauteur de
W 60th St ; 🕑 horaires variables ; 🚇 A,
B, C, D, 1 jusqu'à 59th St-Columbus Circle

Des trois salles, le Rose Theater
et l'Allen Room, assez chic, et
le Dizzy's Club Coca-Cola, c'est
sûrement dans cette dernière que
vous viendrez, car elle programme
des concerts en soirée. En dépit de
son nom ridicule, elle accueille des
pointures musicales internationales
et ménage une vue magnifique sur
Central Park.

⭐ LEONARD NIMOY THALIA
Cinéma

☎ 212-864-5400 ; www.symphonyspace.
org ; 2537 Broadway ; billets 7-10 $;
🕑 tlj ; 🚇 1, 2, 3 jusqu'à 96th St ;
♿ 🚻

Citez un obscur film français,
japonais ou mexicain : il y a fort à
parier qu'il a été programmé ici.
Vous pouvez compter sur ce petit
cinéma méconnu pour projeter
les sélections de longs métrages
les plus éclectiques et les moins
célèbres, tous pays et époques
confondus. Un paradis pour
cinéphiles.

⭐ SYMPHONY SPACE *Concerts*

☎ 212-864-5400 ; www.
symphonyspace.org ; 2537 Broadway ;
🕑 horaires variables ; 🚇 1, 2, 3 jusqu'à
96th St ; ♿ 🚻

Ce bijou financé grâce à des
dons accueille les prestigieuses
émissions littéraires de la National
Public Radio. Il propose souvent
une programmation sur trois jours
consacrée à un musicien et est
sensible aux musiques du monde.
Au sous-sol, le bar à tapas et à vins
UnWINed organise des concerts
gratuits tous les soirs.

>HARLEM

Branché et dans le vent, Harlem n'a pas perdu son âme malgré l'afflux de capitaux et de projets immobiliers et reste l'un des quartiers les plus communautaires de Manhattan. Le long de l'artère commerçante 125th St, les devantures changent les unes après les autres, mais les représentants locaux veillent au grain, déterminés à maintenir l'énergie propre à ce quartier majoritairement afro-américain.

Lenox Ave, la rue principale, rassemble le restaurant Settepani's, le célèbre club de jazz Lenox Lounge, le marché Malcolm Shabazz et d'autres lieux phares de Harlem. À l'ouest, près de l'université de Columbia se trouvent la Riverside Church, la cathédrale St John the Divine et l'excellent club de jazz Smoke. Le Harlem historique s'étire au nord de 125th St et comprend l'Apollo, le Studio Museum et le Schomburg Center. Plus à l'est, El Museo del Barrio célèbre des artistes portoricains, dominicains et caribéens.

HARLEM

VOIR

APOLLO THEATER

☎ 212-531-5300 ; 5253 W 125th St à la hauteur de Frederick Douglass Blvd ; visites guidées semaine 16 $, sam-dim 18 $; ☾ visites 11h, 13h et 15h lun-mar et jeu-ven, 11h mer, 11h et 13h sam-dim ; ⓔ A, B, C, D jusqu'à 125th St

Depuis 1914, l'Apollo est le principal lieu pour les meetings politiques et les concerts à Harlem. Presque tous les grands artistes noirs de renom des années 1930 et 1940 y ont joué, dont Duke Ellington et Charlie Parker. Transformé en cinéma sans succès, puis oublié pendant quelques années, il a été racheté en 1983 et est redevenu une salle de concerts. L'Apollo a recouvré toute sa splendeur avec ses appliques et ses balcons dorés et ses somptueux sièges rouges. Sa célèbre "Amateur Night" où "naissent les stars et se créent les légendes" a toujours lieu le mercredi, devant un public surexcité, aussi amusant à observer que les artistes.

CATHÉDRALE ST JOHN THE DIVINE

☎ 212-316-7540 ; visites guidées 212-932-7347 ; www.stjohndivine.org ; 1047 Amsterdam Ave à la hauteur de W 112th St ; ☾ 7h-18h lun-sam, 7h-19h dim ; ⓔ 1 jusqu'à 110th St ; ♿

Centre spirituel et artistique cher au cœur des habitants de Manhattan,

La façade de l'église baptiste abyssinienne

L'Apollo Theater où "naissent les stars et se créent les légendes"

la cathédrale possède une nef massive associant harmonieusement les styles néoroman et néogothique. Commencée en 1892, elle n'est toujours pas terminée. À en croire les prévisions, les tours de la cathédrale devraient recevoir leur touche finale d'ici à 2050.

🎥 ÉGLISE BAPTISTE ABYSSINIENNE

☎ 212-862-7474 ; www.abyssinian.org ; 132 Odell Pl (W 138th St) entre Adam Clayton Powell Jr Blvd et Lenox Ave ; 🕙 offices 9h et 11h dim ; 🚇 2, 3 jusqu'à 135th St Fondée par un homme d'affaires éthiopien, cette église, installée à l'origine en centre-ville, déménagea à Harlem en 1923, afin de suivre le mouvement de la population noire. Calvin O. Butts III, son pasteur charismatique et militant, est une figure majeure dont les politiciens de tous bords recherchent le soutien. L'église possède un chœur magnifique. Pour la visiter en groupe de plus de dix personnes, il faut appeler la congrégation avant pour s'assurer qu'il y a de la place.

🎥 EL MUSEO DEL BARRIO

☎ 212-831-7272 ; www.elmuseo. org ; 1230 Fifth Ave angle E 104th St ; contribution recommandée adulte/senior et étudiant/moins de 12 ans 6 \$/4 \$/gratuit, senior gratuit mer ; 🕙 11h-18h mer-dim ; 🚇 2, 3 jusqu'à Central Park North-110th St ; ♿

À la confluence entre la culture portoricaine new-yorkaise et le mouvement pour les droits civiques d'East Harlem, El Museo demeure le seul musée d'envergure de la ville consacré aux œuvres portoricaines et d'Amérique latine. Sa collection permanente réunit des objets précolombiens et taïnos, ses expositions temporaires abordent l'art moderne. Pendant toute l'année 2012, El Museo accueillera l'exposition *Caribbean : Crossroads of the World* présentant les œuvres d'artistes du monde entier.

GENERAL US GRANT NATIONAL MEMORIAL

☎ 212-666-1640 ; www.nps.gov/gegr ; **Riverside Dr à la hauteur de W 122nd St** ; 🕙 9h-17h ; 🚇 1 jusqu'à 125th St
Généralement appelé "la tombe de Grant", ce monument abrite les dépouilles d'Ulysses S. Grant, président et héros de la guerre de Sécession, et de sa femme, Julia. Achevée en 1897 (12 ans après sa mort), cet édifice de granit, le plus grand mausolée du pays, coûta 600 000 \$.

MUSEUM OF THE CITY OF NEW YORK

☎ 212-534-1672 ; www.mcny.org ; **1220 Fifth Ave angle E 103rd St** ; contribution recommandée ; 🕙 10h-17h mar-dim ; 🚇 2, 3 jusqu'à **Central Park North-110th St** ; ♿

La collection de lithographies, photos, bandes dessinées, vêtements et autres objets retrace l'histoire des cinq *boroughs*. Toutes les facettes de la vie new-yorkaise y sont abordées, des skateurs de Brooklyn aux célèbres architectes de la ville.

RIVERSIDE CHURCH

☎ 212-870-6700 ; www. theriversidechurchny.org ; **490 Riverside Dr angle W 120th St** ; 🕙 9h-17h ; 🚇 1 jusqu'à 116th St ; ♿
Renommée pour savoir concilier convictions religieuses et prises de position progressistes, cette église a accueilli Martin Luther King Jr, Fidel Castro et Nelson Mandela qui se sont exprimés à sa chaire.

SCHOMBURG CENTER FOR RESEARCH IN BLACK CULTURE

☎ 212-491-2200 ; www.nypl.org/ research/sc/sc.html ; **515 Lenox Ave** ; 🕙 12h-20h lun-mer, 11h-18h jeu-ven, 10h-17h sam ; 🚇 2, 3 jusqu'à 135th St
Ce centre proche de W 135th St regroupe la plus importante collection de documents, livres rares, enregistrements et photos relative à l'histoire des Noirs américains. Arthur Schomburg, né à Porto Rico, commença sa collecte au début du XXe siècle, tout en militant pour les droits civiques et l'indépendance de son pays. Son impressionnante collection fut

Angela Montefinise
Directrice des relations publiques de la New York Public Library,
née à New York, fan absolue des Yankees

Dans quel quartier habitez-vous ? J'habite dans 110th St près
d'Amsterdam Ave. Le coin fait partie de Harlem mais on l'appelle Morningside
Heights. **Qu'est-ce qui vous plaît le plus dans ce quartier ?** On est à
Manhattan, l'ambiance grande ville en moins. Il y a de l'animation, beaucoup de
restaurants, de bars, de gens, mais en même temps, il y a aussi des familles et
des parcs. **Quel est le musée ou monument emblématique de New York
qui vaut vraiment la peine ?** Le MoMA (p. 164), sans aucun doute. Je peux y
passer des après-midi entiers. Et le Museum of Natural History (p. 194). Et puis
aussi le stade de base-ball, et le Cyclone de Coney Island (p. 219). Ah, et aussi,
même si c'est un peu cher, la patinoire du Rockefeller Center (p. 154). J'y suis allée
pour la première fois cette année. Ça peut paraître un peu idiot mais j'ai trouvé
ça magique. Et puis bien sûr, le Yankee Stadium (p. 228) ! Allez les Yankees !
Quels sont vos livres préférés sur New York ? En premier, Le Bûcher des
vanités. The Power Broker figure aussi en haut de la liste. Outremonde de Don
DeLillo se passe à New York, c'est un livre génial. **Quel est votre péché mignon
typiquement new-yorkais ?** Les hot dogs enrobés de bacon, avec un œuf
sur le plat, du fromage et des croquettes de pommes de terre. Terribles pour
les hanches mais irrésistibles !

acquise par la Carnegie Foundation et s'élargit avant d'être confiée à cette annexe de la New York Public Library.

🖸 STUDIO MUSEUM IN HARLEM

☎ 212-864-4500 ; www.studiomuseum. org ; 144 W 125th St angle Adam Clayton Powell Jr Blvd ; contribution recommandée ; 🕑 12h-18h mer-ven et dim, 10h-18h sam ; 🚇 2, 3, 4, 5, 6 jusqu'à 125th St ; 🛵

Un mélange éclectique d'œuvres d'artistes noirs et caribéens orne les murs de ce musée. De l'expressionnisme abstrait aux bandes dessinées politiques, les collections tordent le cou à l'idée selon laquelle la première moitié du XXe siècle n'a vu émerger aucun grand artiste noir en Amérique.

🛍 SHOPPING

🏠 125TH ST *Boutiques variées*

125th St entre Frederick Douglass Blvd et Madison Ave ; 🚇 A, B, C, D, 2, 3, 4, 5, 6 jusqu'à 125th St

Trépidante et pleine d'animation, 125th St est une importante rue commerçante de Harlem, où sont rassemblées de grandes enseignes comme Carol's Daughter, American Apparel, H&M et The Body Shop, et d'autres petites boutiques insolites où l'on vend de l'encens et des produits africains. Le grand

magasin Marshall's, au croisement de Lenox Ave et 125th St (en face du Starbucks), est le secret le mieux gardé de Harlem : il regorge de vêtements, chaussures, articles ménagers, etc. à prix réduits.

🏠 B. OYAMA HOMME *Mode et accessoires*

☎ 212-234-5128 ; 2330 Adam Clayton Powell Jr Blvd angle W 136th St ; 🕑 14h-20h lun, 11h-20h mar-ven, 10h30-18h sam ; 🚇 C jusqu'à 135th St

Surnommé le "chemisier de Harlem", Bernard Oyama propose des chaussures de ville, des costumes bicolores et des feutres lisses qui font craquer. Dans sa boutique, les costumes tailleurs côtoient un choix de chemises et d'accessoires : cravates, pochettes, gants, boutons de manchettes, bretelles.

🏠 HARLEM'S HEAVEN HAT BOUTIQUE *Chapeaux*

☎ 212-491-7706 ; www.harlemsheaven. com ; 2538 Adam Clayton Powell Jr Blvd angle W 147th St ; 🕑 12h-18h mar-sam ; 🚇 3 jusqu'à Harlem-148th St

Evetta Petty crée des chapeaux personnalisés dans sa boutique de Harlem depuis plus de quinze ans. Parmi sa vaste collection, il y aura forcément celui à arborer le dimanche de Pâques ou aux courses, sans compter les superbes modèles rétro, les feutres fantaisie scintillants, quelques couvre-chefs pour hommes et un formidable trésor composé de broches, de lunettes de soleil et de boucles d'oreille vintage.

LIBERTY HOUSE *Art et artisanat, mode et accessoires*

☎ 212-932-1950 ; http:// libertyhousenyc.com ; 2878A Broadway près de W 112th St ; 🕙 10h-18h45 lun-sam, 12h-17h45 dim ; 🚇 1 jusqu'à Cathedral Parkway-110th St

Le credo écolo de cette coopérative incontournable qui vise à promouvoir depuis les années 1960 les créations d'artisans et de producteurs américains résiste à la mondialisation actuelle. Elle propose des vêtements en fibres naturelles bio et éthiques (la main-d'œuvre n'est pas exploitée) pour femmes et enfants et des objets importés confectionnés en bois et autres matériaux recyclés ou n'étant pas menacés par des collectifs d'artistes et d'artisans.

🍴 SE RESTAURER

🍴 AFRICA KINE *Sénégalais, marocain* $

☎ 212-666-9400 ; www.africakine.com ; 1er ét., 256 W 116th St ; 🕙 déj et dîner ; 🚇 B, C jusqu'à 116th St ; ♿

Parmi les premiers restaurants apparus sur ce segment de W 116th St appelé aujourd'hui Little Senegal, Kine, très prisé le midi, concocte de succulents plats d'agneau ou de poisson, servis avec de grands bols de riz complet, des légumes à l'ail, et parfois du couscous. Cette adresse ne paie pas de mine, mais c'est un restaurant africain remarquable. À proximité, **Le Baobab** (☎ 212-864-4700 ; 120 W 116th St près de Lenox Ave ; 🕙 déj et dîner ; 🚇 B, C jusqu'à 116th St) ravira aussi les inconditionnels de la cuisine sénégalaise. Les chauffeurs de taxi ne s'y sont pas trompés qui viennent commander des plats à emporter dans ce minuscule restaurant minimaliste, authentique et savoureux. La spécialité de la maison, le *poulet yassa* (riz et poulet citronné épicé), a du succès : il faut le réserver par téléphone le soir.

🍴 CAFFE LATTE *Café* $

☎ 212-222-2241 ; www.ilcaffelatte. com ; 189 Lenox Ave près de 119th St ; 🕙 petit-déj, déj et dîner ; 🚇 2, 3 jusqu'à 116th St ; Ⓥ ♿

Fréquenté par de nombreux étudiants et séniors représentant le Harlem d'antan et celui d'aujourd'hui, le Caffe Latte est en train de devenir le bar le plus populaire du quartier. Au petit déjeuner, on se régale entre autres de café, d'omelettes, de muesli, de pancakes. On propose aussi quelques en-cas végétariens et bio, et quantité de spécialités de boulangerie cuites au four. Au déjeuner et au dîner, la cuisine se veut plus italienne (pâtes, raviolis, gratin de *ziti*). Burgers bio également.

LA "SOUL FOOD"

Les reines de la cuisine afro-américaine de Harlem sont bien vivantes : **Amy Ruth's** (☎ 212-280-8779 ; www.amyruthsharlem.com ; 113 W 116th St près de Lenox Ave ; 🕐 déj et dîner ; 🚇 2, 3 jusqu'à 116th St). *Collard greens, mac 'n' cheese*, poulet grillé et biscuits sont un délice. **Sylvia's** (☎ 212-996-0660 ; www.sylviassoulfood.com ; 328 Lenox Ave ; 🕐 déj et dîner ; 🚇 2, 3 jusqu'à 125th St). On y retrouve les mêmes plats que chez Amy Ruth's, ainsi que du *chicken-n-waffles* (poulet et gaufres), de la sauce *gravy* du Sud, etc.

🍴 CHEZ LUCIENNE
Français $$

☎ 212-289-5555 ; www.chezlucienne.com ; 308 Lenox Ave au croisement de 125th St ; 🕐 déj et dîner ; 🚇 2, 3 jusqu'à 125th St ; ♿

Les amateurs de cuisine française classique ne seront pas déçus car ce bistrot traditionnel sert du coq au vin, du steak au poivre, des escargots (à l'ail et au persil), et des moules frites. Mais on peut aussi se régaler de burgers au bœuf de Kobe, de *Cobb salad* et autres spécialités américaines. La jolie petite salle avec banquettes noires et éclairage tamisé se remplit vite, et accueille une clientèle de quartier mélangée. Si vous voulez être sûr d'avoir une table le week-end, mieux vaut réserver.

🍴 COMMUNITY FOOD AND JUICE
Cuisine familiale américaine $$

☎ 212-665-2800 ; www.communityrestaurant.com ; 2893 Broadway près de W 113th St ; 🕐 petit-déj, déj et dîner ; 🚇 1 jusqu'à 116th St-Columbia University ; Ⓥ ♿

Le nord de Manhattan compte enfin son restaurant écologique. Les équipements de cuisine peu gourmands en énergie, les tables en bois recyclé et l'eau du robinet filtrée reflètent la fibre écologique maison. Mais la carte des plats et des vins vole la vedette avec des produits bio, locaux, de saison et choisis à maturité. Le brunch du week-end – *pancakes* aux myrtilles, œufs brouillés aux légumes et *faro porridge* (chaud) – fait un malheur. Parmi les plats, citons les salades chaudes aux lentilles, les bols de betteraves (avec pistaches, fromage de chèvre et vinaigre balsamique), le poulet fermier grillé ou les hamburgers bio.

🍴 EL PASO TAQUERIA
Mexicain $

☎ 212-860-9753 ; www.elpasotaqueria.com ; 237 E 116th St ; 🕐 déj et dîner ; 🚇 6 jusqu'à 116th St ; ♿ Ⓥ ♿

Les trois restaurants de cette enseigne se trouvent dans le nord de Manhattan. Celui de **East Harlem** (🕐 212-831-9831 ; 1642 Lexington Ave à la hauteur de 104th St) comprend un jardin et une jolie salle décorée d'*azulejos*. L'**original El Paso Taqueria** (☏ 212-996-1739 ; 64 East 97th St) se situe quelques rues plus au sud. Le petit dernier, au 116th St, toujours dans Harlem, concocte la même cuisine mexicaine authentique : *flautas* (tortillas farcies fines et allongées), excellents *burritos* et plats de poulet, porc ou bœuf en sauce *muy, muy, muy buenos*.

Ⅶ SETTEPANI'S
Américain, italien $

☏ 917-492-4806 ; www.settepani.com ; 196 Lenox Ave ; 🕒 déj et dîner ; ◎ 2, 3 jusqu'à 116th St ; 🚻 Ⓥ ♿
Les cafés charmants de ce type fleurissent un peu partout à

Harlem mais cet établissement est particulièrement agréable aux beaux jours : son store couleur rouille flotte dans la brise qui parcourt la vaste Lenox Ave, et des clients de tous les milieux viennent savourer ses salades, ses sandwichs, ses quiches et ses desserts. Le service est parfois un peu lent, mais la clientèle est rarement pressée.

Ⅶ SOCIETY *Café* $

☏ 212-222-3323 ; www.cupofnyc.com ; 2104 Frederick Douglass Blvd angle W 114th St ; 🕒 7h-22h lun-jeu, 7h-minuit ven, 9h-24h sam, 9h-21h dim ; ◎ 2, 3 jusqu'à 116th St ; ♿
Ce café élégant aux murs en briques et aux nombreuses tables en bois

Le Settepani's propose café, quiches et desserts

a la cote à Harlem, surtout auprès des étudiants attirés par le Wi-Fi gratuit. Le brunch du week-end est très couru. Le reste du temps, on peut s'éterniser des heures autour d'un café au lait ou d'un verre de vin et grignoter toutes sortes de douceurs et de snacks dans une ambiance confortable et détendue.

⅄ PRENDRE UN VERRE

⅄ DEN *Bar*

☎ 212-234-3045 ; www.thedenharlem.com ; 2150 Fifth Ave près d'E 132nd St ; 🕙 18h-2h lun-ven, 20h-4h sam, 11h-5h dim ; 🚇 2, 3 jusqu'à 135th St

Cette séduisante adresse est fréquentée par une clientèle sexy venue pour rire, boire, manger et parfois s'emparer du micro le mardi lors des soirées "Kill Karaoke". À la fois galerie d'art (des œuvres de peintres new-yorkais habillent les murs), bar à gin (essayez l'Uncle Tom Collins) et restaurant afro-américain (viande de porc BBQ et sushis au menu), le Den est également une réussite esthétique. Il occupe le premier étage d'un *brownstone* restauré, où l'on se sent comme chez soi. Concerts de hip-hop et de blues les mercredi, vendredi et samedi soir.

⅄ NECTAR *Bar à vins*

☎ 212-961-9622 ; www.nectarwinenyc.com ; 2235 Frederick Douglass Blvd près

de 121st St ; 🕙 16h-1h ; 🚇 A, B, C jusqu'à 125th St

Dans ce bar à vins de style moderniste, l'un des murs disparaît sous une quantité impressionnante de bouteilles. Vous tomberez sous le charme de cet établissement discret, qui propose un choix de vins rouges, blancs et doux pour accompagner ses paninis et fromages artisanaux du monde entier (détaillés sur la carte).

⭐ SORTIR

⭐ LENOX LOUNGE *Jazz, bar lounge*

☎ 212-427-0253 ; www.lenoxlounge.com ; 288 Lenox Ave entre W 124th et W 125th St ; 🕙 12h-4h ; 🚇 2, 3 jusqu'à 125th St

Ce bar Art déco accueille régulièrement des célébrités. Particulièrement apprécié des amateurs de jazz new-yorkais, son cadre magnifique et historique ravira également ceux qui recherchent un bel endroit pour boire un verre. Ne manquez pas la luxueuse Zebra Room à l'arrière.

⭐ PERK'S *Discothèque*

☎ 212-666-8500 ; 553 Manhattan Ave angle W 123rd St ; 🕙 16h-4h lun-sam ; 🚇 2, 3 jusqu'à 125th St

Le week-end, on joue des coudes et on se trémousse sur la piste de danse sur une musique fusion mixée par un DJ. En semaine, la tension retombe et les meilleurs artistes de jazz new-yorkais donnent des concerts. Dans les deux cas, vous passerez une bonne soirée.

⭐ SHRINE *Concerts*
☎ 212-690-7807 ; www.shrinenyc.com ; 2271 Adam Clayton Powell Jr Blvd près de 134th St ; 🕓 16h-4h ; 🚇 2, 3 jusqu'à 135th St

Toutes sortes de gens s'entassent dans la joie et la bonne humeur chaque soir à l'*happy hour*, et profitent des concerts divers et variés allant du reggae au rock en passant par des airs de jazz et de blues. Selon les soirs, il y a même un karaoké ou des lectures de poésie. C'est le repaire favori des Africains de l'Ouest qui vivent à Harlem, mais tout le monde est le bienvenu pour écouter les groupes (gratuit) et profiter de l'ambiance sympa. Nourriture de bar et brunch servi le week-end.

⭐ SMOKE *Discothèque*
☎ 212-864-6662 ; 2751 Broadway près de W 106th St ; 🕓 17h-4h ; 🚇 1 jusqu'à 103rd St

Installé au milieu de nulle part (au nord de l'Upper West Side mais pas encore au cœur de Harlem), le Smoke a pourtant su séduire par son côté intime et chaleureux. Alangui dans les canapés duveteux encadrés par de longs drapés, on se sent comme à la maison. Les prix peu élevés attirent les étudiants du coin.

>BROOKLYN

Le *borough* le plus peuplé de New York, gigantesque succession de *brownstones*, de gratte-ciel, de rues pavées et de voies rapides étroites, héberge un mélange éclectique de yuppies branchés, de classes populaires d'Amérique latine, de familles caribéennes et d'une vague d'immigrants d'Europe de l'Est.

Fascinant et parfois étouffant, le quartier invite à l'exploration. Commencez par le dédale d'usines reconverties à Dumbo, puis parcourez les anciens *brownstones* de Carroll Gardens, Red Hook ou Cobble Hill, également réputés pour leurs bonnes tables. Park Slope, chic et décontracté, apprécié des gays, rappelle Manhattan. Autre destination plus excentrique, Coney Island avec ses foires aux monstres et ses montagnes russes datant de 1926.

Plus proche de Manhattan par ses prix et son mode de vie, l'ancien quartier industriel de Williamsburg devenu à la mode attire les jeunes diplômés et les trentenaires. La construction d'immeubles résidentiels n'a pas encore délogé la communauté polonaise traditionnelle qui vivait et travaillait là depuis des générations. Il est encore temps de courir les bars jalonnant Bedford Ave et les nombreuses boutiques et galeries d'art originales et avant-gardistes.

BROOKLYN

Voir carte p. 216

VOIR

111 FRONT STREET GALLERIES

111 Front St près de Washington St ; horaires variables ; A, C jusqu'à High St

Cette usine, réaménagée en un immense espace orangé, rassemble onze galeries d'art et ateliers où les artistes locaux exposent leurs œuvres.Certains artistes étrangers résidents exposent aussi. Dumbo accueille plusieurs programmes similaires chaque année.

BROOKLYN MUSEUM OF ART

718-638-5000 ; www.brooklynmuseum.org ; 200 Eastern Parkway ; contribution recommandée adulte/senior et étudiant 10/6 $; 10h-17h mer-ven, 11h-18h sam-dim ; 2, 3 jusqu'à Eastern Parkway

Situé à la lisière de Prospect Park, ce musée de style Beaux-Arts cultive la diversité. Ses collections permanentes comportent des chefs-d'œuvre de l'Antiquité égyptienne et assyrienne, ainsi qu'un étage dédié aux sculptures de Rodin. Par roulements, on peut y voir des expositions innovantes consacrées aussi bien au mouvement féministe qu'aux *Romantic Delusions* de Jesper Just. Le premier vendredi du mois (First Fridays), les habitants viennent danser lors d'une soirée spéciale.

Le Brooklyn Museum of Art – nul besoin d'être à Manhattan pour admirer de superbes œuvres d'art

Alexandra Poolos
Productrice de l'émission Anderson Cooper's 360° sur CNN

Qu'appréciez-vous le plus dans votre quartier, et pourquoi ? J'aime
l'ambiance de la rue, à Brooklyn. C'est très décontracté et très vivant. **Où
travaillez-vous, et quelles sont vos bonnes adresses dans le coin ?** Je
travaille au Time Warner Center (p. 166), à Columbus Circle. J'aime beaucoup
les fondues qu'on mange chez Kashkaval (p. 169), et les vins de Hell's Kitchen.
Où allez-vous manger quand vous êtes très pressée ? J'aime bien Le Pain
Quotidien (p. 179), qui est aussi très agréable pour se détendre, boire un café
et lire le journal. **Quel bar de Brooklyn recommanderiez-vous ?** Mon bar
préféré est l'Union Hall (p. 224) à Park Slope : il y a un terrain de pétanque à
l'intérieur ! **Et lorsque vous avez besoin de vous détendre, où allez-vous ?**
Je vais danser dans le Lower East Side. **Selon vous, quel piège à touristes
mérite-t-il tout de même la dépense ?** Les balades en calèche dans Central
Park. **Une bonne petite adresse inconnue et qui sorte des sentiers battus ?**
Un camion qui vend de délicieuses glaces bio se gare dans Seventh Ave à Park
Slope le week-end.

CONEY ISLAND BOARDWALK

www.coneyisland.com ; 1000 Surf Ave ; D, F, N, Q jusqu'à Coney Island-Stillwell Ave

Les jours de Coney Island sont comptés. Au moment où nous écrivions ces lignes, un promoteur immobilier s'apprêtait à lancer la première phase d'une vaste refonte de ce quartier et de sa promenade. Les discussions se poursuivaient avec la municipalité pour arrêter la date de début des travaux et la proportion du quartier historique touchée. En attendant, Coney Island conserve son charme kitsch, sa splendide vue sur l'Atlantique et sa communauté russe.

DUMBO ARTS CENTER

☎ 718-694-0831 ; www.dumboartscenter. org ; 30 Washington St ; 12h-18h mer-dim ; A, C jusqu'à High St

Véritable QG de Dumbo, ce centre permet de découvrir les artistes du quartier et de connaître leurs lieux de travail et d'exposition. Il organise également chaque année le Dumbo Art Festival et compte une excellente galerie d'art locale.

NEW YORK TRANSIT MUSEUM

☎ 718-694-1600 ; www.mta.info/mta/ museum ; Boerum Pl angle Schermerhorn St ; 5 $, certaines visites 15 $; 10h-16h mar-ven, 12h-17h sam-dim ; 2, 3, 4, 5 jusqu'à Borough Hall, M, R jusqu'à Court St

Occupant une ancienne station de métro construite en 1936 (et désaffectée depuis 1946), ce musée revient sur plus d'un siècle de transports new-yorkais. Les enfants adoreront les maquettes de vieux métros, les sièges de conducteurs de bus et la présentation chronologique de tourniquets. Recommandons la plate-forme, en bas, où chacun peut grimper dans 13 rames datant de 1904, époque à laquelle le Brooklyn Union Elevated Car arborait des sièges en osier vert et cramoisi.

PIEROGI 2000

☎ 718-599-2144 ; 177 N 9th St entre Bedford et Driggs Ave ; 11h-18h mar-dim ; L jusqu'à Bedford Ave

Depuis son ouverture en 2000, cette galerie d'art a assis sa réputation et gère quelque 1 000 artistes de Williamsburg et d'ailleurs, dont les œuvres sont exposées à l'avant. Les visiteurs peuvent feuilleter des dessins et autres créations dans la salle du fond, qui est également un lieu de rencontre accueillant des réunions culturelles.

PROSPECT PARK

www.prospectpark.org ; Grand Army Plaza ; 5h-1h ; 2,3 jusqu'à Grand Army Plaza, F jusqu'à 15th St-Prospect Park ;

Conçue par Olmsted et Vaux, mais moins célèbre que Central Park, cette oasis verdoyante n'a pourtant rien à lui envier. Ses

300 ha englobent le somptueux jardin botanique de Brooklyn, de nombreux lacs, des pistes cyclables et de jogging et des prairies. L'immense arche à l'entrée, sur Grand Army Plaza, près du Brooklyn Museum of Art et de la Brooklyn Public Library, est l'un des principaux monuments de Brooklyn.

SHOPPING

ASHA VEZA
Mode et accessoires
☎ 718-783-2742 ; www.ashaveza.com ; 69 Fifth Ave, Park Slope ; 🕑 12h-19h mer-ven, 11h-19h sam, 12h-18h dim ; Ⓜ F, M, R jusqu'à Fourth Ave-9th St
Les collections élégantes de stylistes internationaux comprennent des lignes tendance signées par de nouveaux talents d'Europe de l'Est et d'Asie du Sud-Est. Le propriétaire s'efforce de se fournir directement auprès des créateurs du monde entier et évite les grandes marques.

BROOKLYN FLEA MARKET
Marché aux puces
www.brooklynflea.com ; 176 Lafayette Ave à Fort Greene, One Hanson Pl à Boerum Hill ; 🕑 en plein air à Fort Greene 10h-17h sam nov, à l'intérieur à One Hanson Pl 10h-17h dim nov ; Ⓜ A, C jusqu'à Lafayette Ave à Fort Greene, 2, 3, 4, 5 jusqu'à Atlantic Ave à Boerum Hill ; ♿

Dommage que ce marché aux puces n'ait lieu que le week-end (le samedi à Fort Greene et le dimanche à Boerum Hill) car une vie ne suffirait pas à découvrir tous les trésors qu'il recèle. Ne manquez pas non plus les étals de nourriture, dont beaucoup proposent les délices préparées par de remarquables restaurants du quartier.

BUTTER *Mode et accessoires*
☎ 718-260-9033 ; 389 Atlantic Ave près de Bond St ; 🕑 12h-19h lun-sam, jusqu'à 18h dim ; Ⓜ A, C, G jusqu'à Hoyt-Schermerhorn
La crème des créateurs locaux se retrouve aux côtés des articles plus expérimentaux de Dries, Margiela, Rick Owens et d'autres.

CLOTH *Mode et accessoires*
☎ 718-403-0223 ; www.clothclothing.com ; 138 Fort Greene Pl ; 🕑 12h-20h ; Ⓜ B, Q, 2, 3, 4, 5 jusqu'à Atlantic Ave
Que vous ayez 20 ou 30 ans, vous serez séduit par les vêtements modernes à prix intéressants de cette charmante boutique proche de la Brooklyn Academy of Music.

JACQUES TORRES CHOCOLATE
Nourriture et boissons
☎ 718-875-9772 ; www.mrchocolate.com ; 66 Water St, Dumbo ; 🕑 9h-20h lun-sam, 10h-18h dim ; Ⓜ A, C jusqu'à High St

Gourmandises chez Jacques Torres Chocolate

Jacques Torres, maître-chocolatier, veille sur ce magasin à l'européenne et les trois tables de son café. Ses chocolats sont les plus fondants et les plus originaux qui soient. Dégustez-les dans l'Empire Fulton Ferry State Park voisin, en admirant la vue, du pont de Brooklyn à celui de Manhattan. Il vend aussi ses chocolats au Chocolate Bar, dans le Meatpacking District. Accès Internet.

🏠 SAHADI'S
Nourriture et boissons
☎ 718-624-4550 ; www.sahadis.com ; 187 Atlantic Ave près de Clinton St ; 🕙 9h-19h lun-sam ; Ⓜ 2, 3, 4, 5 jusqu'à Borough Hall
Olives de Kalamata, houmous frais, figues et dattes sucrées...

Tenu par une famille du Moyen-Orient, ce magasin vent toutes sortes de délices.

🏠 THISTLE & CLOVER
Mode et accessoires
☎ 718-855-5577 ; www.thistleclover. com ; 221 Dekalb Ave ; 🕙 12h-20h lun-ven, 11h-19h sam et dim ; Ⓜ G jusqu'à Clinton Ave-Washington Ave
Lancé par deux jeunes accros au shopping qui se sont rencontrées sur un marché aux puces en Écosse, Thistle & Clover propose de superbes vêtements pour femmes contemporaines et des bijoux vintage. Le dimanche soir, de petites choses à grignoter sont offertes, et il y a parfois une fête dans le jardin à l'arrière.

🍴 SE RESTAURER

🍴 AL DI LA TRATTORIA
Italien du nord $$

☎ 718-636-8888 ; www.aldilatrattoria.
com ; 248 5th Ave près de Carroll St ;
🕑 déj et dîner ; Ⓜ M, R jusqu'à Union St
Cette trattoria sert des pâtes maison
et des pizzas. Elle est aussi réputée
pour ses raviolis à la betterave, son
risotto *nero* (à l'encre de seiche), ses
tortellinis aux pois, son lapin braisé et
son onctueuse polenta

🍴 GRIMALDI'S *Pizzéria* $

☎ 718-858-4300 ; www.grimaldis.com ;
19 Old Fulton St ; 🕑 déj et dîner ;
Ⓜ A, C jusqu'à High St ; ♿ Ⓥ 👶

Pâte croustillante, sauces épicées,
fromages fondants... Les pizzas sont
ici légendaires et contentent tout
le monde, même si l'impossibilité
de réserver engendre parfois de
longues queues.

🍴 HABANA OUTPOST
Sud-américain $

☎ 718-858-9500 ; www.cafehabana.
com ; 757 Fulton St ; 🕑 midi-minuit ;
Ⓜ C jusqu'à Lafayette Ave ; ♿ Ⓥ 👶
Avec sa grande cour et ses
savoureuses spécialités d'Amérique
latine, ce petit café se veut
respectueux de l'environnement
(sans être bio) et utilise l'énergie
solaire. Les *burritos*, *quesadillas* et

Le River Cafe, un restaurant sur l'eau à la vue et à la cuisine exquises *enchiladas* se marient divinement avec des bananes plantains, du riz jaune et du maïs grillé.

🍽 NATHAN'S FAMOUS HOT DOGS *Hot dogs* $

☎ 718-946-2202 ; 1310 Surf Ave ;
🕙 petit-déj, déj et dîner nocturne ;
Ⓓ D, F jusqu'à Coney Island-Stillwell Ave
Si vous aimez les hot dogs, vous adorerez cette version pur bœuf à la choucroute et à la moutarde. Évitez toutefois le 4 juillet, jour d'un grand concours (record détenu par Joey Chestnut qui avala 60 hot dogs en 10 minutes).

🍽 RIVER CAFE *Américain* $$$

☎ 718-522-5200 ; www.rivercafe.com ;
1 Water St ; 🕙 déj et dîner tlj, brunch sam-dim ; Ⓐ A, C jusqu'à High St ; Ⓥ ♿
N'en déplaise aux puristes qui y voient un "piège à touristes" sans même y avoir peut-être mis le pied, ce restaurant flottant jouissant d'une superbe vue sur le pont de Brooklyn concocte une cuisine innovante. Quelques exemples : *mahi-mahi* saisi en croûte d'amandes et *ceviche* de Saint-Jacques. Les brunchs sont tout aussi légendaires pour leur Bloody Mary et leurs œufs.

🍽 TOTONNO'S *Pizzéria* $

☎ 718-372-8606 ; 1524 Neptune Ave près de W 16th St ; 🕙 12h-20h mer-dim ; Ⓓ D, F, N, Q jusqu'à Coney Island-Stillwell Ave ; ♿

Ouverte toute la journée, la pizzéria ferme lorsqu'il n'y a plus de pâte : c'est dire si la fraîcheur est une obsession de Totonno qui officie depuis des décennies. La pâte n'en est que plus croustillante et la sauce exquise. Le détour par Coney Island s'impose.

🍸 PRENDRE UN VERRE

🍸 68 JAY STREET *Bar*

☎ 718-260-8207 ; 68 Jay St ;
🕙 14h-3h ; Ⓐ A, C jusqu'à High St
Élégant malgré les éclaboussures de peinture, décoré d'arcades et d'une entrée flanquée de colonnes, 68 Jay Street se distingue des autres bars. Sa musique feutrée permet les discussions comme celles des clients réguliers, souvent issus des milieux artistiques, qui s'échangent les derniers potins autour d'un verre.

🍸 HENRY STREET ALE HOUSE *Pub*

☎ 718-522-4801 ; 62 Henry St près d'Orange St ; 🕙 16h-4h ; Ⓐ A, C jusqu'à High St, 2, 3 jusqu'à Clark St
À deux pas du métro, ce pub quasi parfait sert de savoureux en-cas (fromage gourmet, lamelles de pommes) en accompagnement des 16 variétés de bières.

ⓨ LAST EXIT *Bar*

☎ 718-222-9198 ; http://lastexitbar.com ;
136 Atlantic Ave près d'Henry St ; 🕐 16h-
4h ; 🚇 2, 3, 4, 5 jusqu'à Borough Hall, M,
R jusqu'à Court St, F, G jusqu'à Bergen St
Les barmen organisent parfois des
quiz, quand un DJ n'est pas aux
platines. Le plus souvent, la clientèle
du quartier décompresse autour
d'un verre, ravie de discuter avec des
étrangers en laissant filer la nuit.

ⓨ UNION HALL *Bar*

☎ 718-638-4400 ; 702 Union St entre
Fifth et Sixth Ave, Park Slope ; 🕐 16h-4h
lun-ven, 12h-4h sam-dim ; 🚇 M, R
jusqu'à Union St, 2, 3 jusqu'à Bergen St,
F jusqu'à Seventh Ave

À l'entrée, les canapés et les fauteuils
en cuir, la bibliothèque massive et
la cheminée confèrent à ce bar un
air d'ancien club de gentlemen.
Mais un peu plus loin, le niveau
sonore s'élève avec le terrain de
boules à l'extérieur et la scène
rock indépendant au sous-sol. Si
vous avez l'intention de taquiner le
cochonnet, comptez une ou deux
heures d'attente. Excellents en-cas.

★ SORTIR

★ BARBÈS *Concerts, arts*

☎ 718-965-9177 ; www.barbesbrooklyn.
com ; 376 9th St angle Sixth Ave ; entrée
libre au bar, contribution recommandée
10 $ pour les concerts ; 🕐 17h-2h lun-

St Ann's Warehouse, une salle de spectacles à l'histoire épicée

jeu, 12h-4h ven-sam, 12h-2h dim ;
🚇 F jusqu'à Seventh Ave

Baptisé d'après le quartier parisien éponyme, ce bar/salle de spectacle est tenu par deux musiciens français installés de longue date à Brooklyn. L'arrière-salle est consacrée à la musique, aux lectures et aux projections de films. Concerts variés, de la diva libanaise Asmahan aux *bandas* mexicaines, des *joropos* vénézuéliens aux fanfares roumaines.

⭐ **BROOKLYN BOWL** *Musique*
☎ 718-963-3369 ; www.brooklynbowl. com ; 61 Wythe Ave près de N 12th St ; 🕐 tlj ; 🚇 L jusqu'à Bedford Ave

Une fois repu de macaronis au fromage Blue Ribbon, écoutez des DJ comme Samantha Ronson et ?uestlove, ou des groupes tels les Dinosaur Feathers, The Fiery Furnaces, Glint et Destroy Babylon (soirée hommage aux Clash).

⭐ **GUTTER** *Bowling*
☎ 718-387-3585 ; 200 N 14th St entre Berry et Wythe St ; 🕐 16h-4h lun-jeu, 12h-4h ven-dim ; 🚇 L jusqu'à Bedford St

Délibérément simple et à contre-courant des tendances, ce bar installé dans un ancien entrepôt s'est doté d'un bowling de huit pistes. La bière est servie en pichet, il faut porter des chaussures de bowling et le perdant paie la tournée (règle de la maison) !

⭐ **ST ANN'S WAREHOUSE** *Arts*
☎ 718-254-8779 ; www. stannswarehouse.org ; 38 Water St entre Main et Dock St ; 🕐 horaires variables ; 🚇 A, C jusqu'à High St

Cette troupe d'avant-garde a réaménagé un ancien moulin à épices en intéressante scène artistique. Cet immense espace programme des pièces de théâtre innovantes qui attirent le tout-Brooklyn littéraire.

Dans une ville aux possibilités innombrables, trouver le quartier le plus adapté à vos envies peut s'avérer difficile. Voici des propositions thématiques pour vous guider.

Concerts gratuits dans un cadre d'exception – Dumbo (p. 22)

SPORTS ET ACTIVITÉS

Les passionnés de base-ball savent que les deux équipes phares de New York, les Yankees et les Mets, ont déménagé dans des stades flambant neufs.

L'ancien Yankee Stadium, n'est plus. Un stade semblable, quoique plus grand et plus smart, a vu le jour de l'autre côté de la rue à la fin 2009. Le vieux bâtiment a été rasé : ses morceaux ont été vendus à des amateurs de base-ball ou à des ferrailleurs. Le terrain laissé vacant devrait devenir un parc public, mais lors de notre passage, les choses n'avaient pas avancé. Le Shea Stadium, stade des Mets, a connu un sort semblable en 2009. Les Mets jouent désormais au rutilant CitiField où les célébrités comme Jerry Seinfeld (un ancien du Queens College) ont des loges de luxe. Les deux équipes ont d'ailleurs beaucoup de supporters célèbres qu'il n'est pas rare de croiser les jours de match. Dans quelle mesure ce changement influera sur les Yankees qui mènent en World Series ou portera chance aux Mets, éternels seconds ?

L'équipe de basket des New York Knicks, privée de victoire depuis de longues années, joue toujours au Madison Square Garden, de même que l'équipe féminine professionnelle des New York Liberty et les hockeyeurs sur glace des New York Rangers dont les rencontres ont lieu d'octobre à avril. Le Madison Square Garden est aussi la plus grande salle de concert de New York : U2 et les Jonas Brothers s'y sont notamment produits.

Les basketteurs du New Jersey Nets devaient déménager à Brooklyn en 2010, mais la construction de leur nouveau stade n'a pas avancé à cause de la crise économique et de l'opposition déterminée de certains habitants.

Les billets pour les matchs de football américain des NY Giants partent des années à l'avance. Il est plus facile d'en obtenir pour voir les New York Jets. Les deux équipes jouent désormais dans le nouveau stade des Meadowlands, dans le New Jersey. Afin de financer ce luxueux complexe, les Jets et les Giants ont adopté un système de tarification controversé : les détenteurs de billets pour la saison doivent poser une option à vie sur leur place moyennant des milliers de dollars. À cela s'ajoute la somme de 700 $ la saison pour les billets. Mais le supporter lambda peut cependant obtenir un billet vendu entre 100 $ et 200 $ qui le place tout en haut des tribunes.

L'US Open a lieu le week-end de la fête du Travail, à Flushing Meadows (à Flushing, dans le Queens). Seuls les matchs se déroulant à l'Arthur Ashe Stadium exigent des places réservées, qui partent des mois à l'avance. Des billets journaliers donnant accès à tous les courts sauf le central sont cependant vendus au matin de chaque match ; soyez sur place avant 9h.

Pour réserver facilement vos places, passez par **Ticketmaster** (☎ 800-745-3000).

ARCHITECTURE

New York se déploie toujours sur des échelles de grandeur variée, mais l'immensité et la verticalité gagnent du terrain. L'époque coloniale est représentée par quelques alignements de maisons basses et compactes de style fédéral dans Lower Manhattan et Colonnade Row (p. 91), à Astor Pl, constitue un bel exemple de l'architecture d'avant 1900. Des incendies ont détruit la majorité des bâtiments new-yorkais d'origine en bois. Depuis, les promoteurs construisent avec des matériaux moins inflammables.

Le Chrysler Building, l'intérieur de Grand Central Terminal et l'Empire State Building reflètent le penchant new-yorkais pour l'Art déco. Dans le Rockefeller Center, découvrez le GE Building, une autre construction Art déco réputée pour sa frise, représentant la Sagesse, au-dessus de l'entrée principale.

Le Time Warner Center, immeuble de bureaux et d'appartements à Columbus Circle, a été le premier gratte-ciel d'envergure de l'après 11-Septembre. Sa superbe façade vitrée noire et inclinée est le fruit d'une prouesse architecturale.

Mais c'est le style Beaux-Arts qui domine, comme en témoignent la New York Public Library et les milliers d'appartements résidentiels imposants qui jalonnent les larges avenues de l'Upper East Side et l'Upper West Side. Les façades blanc cassé en pierre s'agrémentent de jolies ornementations sculptées sur le rebord des fenêtres et sous les avant-toits.

BÂTIMENTS DE LÉGENDE
> Empire State Building (p. 152)
> Colonnade Row (p. 91)
> Dakota Building (p. 194)
> Time Warner Center (p. 166)
> Chrysler Building (ci-contre ; p. 152)

MONUMENTS HISTORIQUES ET RELIGIEUX
> Cathédrale St John the Divine (p. 204)
> Federal Hall (p. 44)
> St Paul's Chapel (p. 46)
> Cathédrale Saint-Patrick (p. 152)
> Ancienne cathédrale Saint-Patrick (p. 77)

SHOPPING ET SOUVENIRS

Les marchés de fin de semaine permettent de réaliser de bonnes affaires. Les New-Yorkais aiment flâner dans les parcs et sur les places de la ville et chiner des vêtements d'occasion ou anciens.

Chinatown et Times Square sont les hauts lieux du T-shirt. Dans ces quartiers, les magasins ouvrent en principe tous les jours de 10h à 20h. Les commerçants de confession juive orthodoxe ferment le vendredi et le samedi.

Pour dénicher des trouvailles, arpentez l'Antique Garage Flea Market, à Chelsea, le marché aux puces de Hell's Kitchen, le marché de Chelsea ou le marché de 17th Street. Ouverts le week-end, ils sont remplis d'articles de seconde main en bon état (voir p. 132).

Tribeca, Soho et Lower Manhattan sont les temples du lèche-vitrines. Outre de nombreux grands magasins généralistes tel Bloomingdale's à Soho, vous trouverez des boutiques plus originales à Nolita, dans le Lower East Side, à Greenwich Village et à East Village.

Le site www.dailycandy.com consacre toute une rubrique aux ventes d'échantillons. Autres sources utiles : www.lazarshopping.com, www.nysale. com et les bons plans du *New York Magazine* sur http://nymag.com/shopping.

LES MEILLEURES AFFAIRES
> Orchard Street Bargain District (p. 68)
> Century 21 (p. 47)
> Chinatown (p. 56)
> Barneys Co-Op (p. 133)
> Arthritis Thrift Shop (p. 187)

LES MEILLEURS GRANDS MAGASINS
> Takashimaya (p. 156)
> Macy's (p. 166)
> Barneys (p. 187)
> Filene's Basement (p. 144)
> Pearl River Mart (photo ci-dessus ; p. 57)

BARS

Les bonnes adresses pour prendre un verre sont légion à New York. Que vous soyez un adepte du whisky ou du cognac ou que vous ne juriez que par la bière, vous trouverez un bar à votre convenance.

Les plus curieux pourront goûter des cocktails mythiques, sans cesse renouvelés. Aux grands classiques, le martini, le Sidecar sans oublier, bien entendu, le Manhattan, s'ajoutent des boissons créatives. La grenade, le saké, le fruit de la passion et le miel constituent les derniers ingrédients incontournables de tout cocktail dans la course à la prochaine recette à succès.

Les pubs traditionnels irlandais émaillent la ville. Ils vous ouvrent grand leurs portes et diffusent généralement des matchs de football ou de football américain. Des micro-brasseries ont fait leur apparition aux Chelsea Piers, à Union Square et à Brooklyn. Quant à Chelsea, c'est le lieu exclusif des adresses chics dernier cri. Des bars méconnus jalonnent le Lower East Side, tournant le dos à la foule et proposant des anti-cocktails.

Enfin, pour ceux qui n'ont cure de la mode, les bars décontractés de Greenwich Village qui privilégient la convivialité aux tendances constituent l'adresse par excellence.

Beaucoup de bars, en particulier en centre-ville, pratiquent des *happy hours* en fin d'après-midi (consommations à moitié prix), et certaines discothèques font de même après minuit, afin de drainer la foule de noctambules.

BARS "COOL"
> Bemelmans Bar (p. 190)
> Whiskey Ward (p. 73)
> Park (p. 138)
> Campbell Apartment (p. 160)
> Bill's Gay Nineties (p. 159)

BARS À VINS ET À BIÈRES
> Jimmy's Corner (p. 170)
> DBA (p. 100)
> Morrell Wine Bar & Café (p. 160)
> Chelsea Brewing Company (p. 137)
> Bar Veloce (p. 137)

CLUBS ET DISCOTHÈQUES

En dépit de la sérieuse concurrence du Meatpacking District, la scène nocturne new-yorkaise se concentre encore à l'extrême ouest de Chelsea.

Les établissements ouvrent et ferment sans arrêt, au gré des descentes de police visant à juguler la consommation d'alcool chez les mineurs et le trafic de drogue. Chelsea reste l'un des quartiers les plus attractifs car les gérants peuvent, au besoin, sans trop de difficulté transférer leur club à quelques rues vers le nord ou le sud.

Le Meatpacking District se caractérise par des établissements plus intimistes. Parmi les adresses en vogue, citons G2. Kiss & Fly, une discothèque à l'ambiance européenne, où personne ne se prend au sérieux.

Le Lower East Side rivalise aussi afin d'attirer l'attention grâce à The Box, un cabaret-club-restaurant original.

Pour tout savoir sur les sorties, consultez les éditions du vendredi et du dimanche du *New York Times,* ainsi que les hebdomadaires *New York Magazine, Time Out New York* et *New Yorker. Village Voice* est une mine d'informations, notamment pour les clubs ; sa chronique hebdomadaire "Fly Life" répertorie les lieux où mixent les meilleurs DJ. Autre source d'idées : **Clubfone** (☎ 212-777-2582 ; www.clubfone.com).

CINQ GRANDES DISCOTHÈQUES	CINQ PISTES DE DANSE
> 675 Bar (p. 124)	> Cielo (p. 125)
> Griffin (p. 125)	> BEast (p. 123)
> Santos Party House (p. 114)	> G2 (p. 124)
> Eagle NYC (p. 138)	> Kiss & Fly (p. 125)
> Home (p. 138)	> 10ak (p. 138)

CAFÉS-THÉÂTRES ET CABARETS

À New York, une loi datant de la prohibition stipule que tout établissement dans lequel trois personnes se déhanchent simultanément doit posséder une licence spéciale (très difficile à obtenir).

Pourquoi cette législation reste-t-elle en vigueur ? Mystère. Quoi qu'il en soit, personne n'en tient compte et le monde du cabaret est bien vivant, des représentations traditionnelles du Café Carlyle aux spectacles burlesques animés de The Box, en passant par les spectacles de cabaret hilarants programmés au Duplex depuis 40 ans. À l'instar de Don't Tell Mama, ces vaillants établissements font de la résistance et ce, même si le public s'est détourné des spectacles grivois de style "broadwayesque".

Les cafés-théâtres connaissent également un regain d'intérêt, en rien cependant comparable à la popularité dont ils jouissaient dans les années 1980, à l'époque de Jerry Seinfeld, de Chris Rock et des frères Belushi. Dans l'Upper East Side, Dangerfield's et Comic Strip Live font toujours salle comble grâce à leurs spectacles en soirée. Caroline's, Gotham Comedy Cellar et Laugh Factory New York tiennent le haut de l'affiche à Midtown. Il y a en principe deux spectacles chaque soir. Un billet donne accès à l'ensemble des représentations (en général trois ou quatre comiques), ce à quoi il faut souvent ajouter une consommation minimum de deux boissons en service de table. La majorité des cafés-théâtres proposent désormais aussi de quoi grignoter pendant le spectacle.

LES MEILLEURS CAFÉS-THÉÂTRES ET CABARETS
> Duplex (p. 115)
> The Box (p. 172)
> Don't Tell Mama (p. 172)
> Upright Citizens Brigade (p. 135)
> Dangerfield's (p. 191)

LES MEILLEURS LOUNGES
> Bemelmans Bar (p. 190)
> Lenox Lounge (p. 212)
> Bar Next Door (p. 113)
> Sway Lounge (p. 89)
> Divine Bar West (p. 170)

MODE

Les accros de la mode et de la haute couture se donnent rendez-vous dans l'Upper East Side et le Meatpacking District. De temps à autres, quelques *fashionistas* avant-gardistes s'aventurent en centre-ville dans les boutiques moins stylées de Tribeca.

La "Gold Coast", le long de Madison Ave, constitue un ensemble de 40 pâtés de maisons où l'on touve les couturiers prestigieux tels Armani, Kors, Ferragamo, Bulgari et Prada. Dans ce quartier, quelques boutiques revendent les collections de l'année précédente à une armada de jeunes filles, mais la liste d'attente et la file sont longues.

Dans le Meatpacking District, l'ambiance s'avère un peu moins sélecte même si les boutiques restent haut de gamme. Des marques plus originales et jeunes telles Malandrino (p. 120), Miele (p. 120) et McQueen (p. 117) font un malheur.

Tribeca, en centre-ville, a les faveurs des jeunes mannequins en devenir qui arpentent les boutiques clinquantes plus disposées à exposer les dernières modes européennes ou asiatiques.

N'oubliez pas de vous inscrire sur www.dailycandy.com and http://nymag.com/shopping pour connaître les soldes du moment.

LES MEILLEURS QUARTIERS COMMERÇANTS

LES MEILLEURES BOUTIQUES

SHOPPING GASTRONOMIQUE

Les marchés de fruits et légumes fleurissent à New York grâce à l'engouement pour les produits locaux et bio qui s'est emparé de la ville. À la belle saison, arpentez les marchés de produits frais de Manhattan. Le principal, à Union Square, accueille aussi parfois des artisans. De bon matin, on peut souvent y croiser des chefs étoilés venus élaborer leur menu du jour.

Si les marchés vous semblent trop rustiques, faites vos emplettes dans les grandes chaînes ou dans les épiceries familiales fort appréciées. Partout en ville, les nombreux magasins Whole Foods vendent d'excellents produits biologiques et issus du commerce équitable. Trader Joe's, autre spécialiste de la gastronomie bio, a ouvert une enseigne à deux pas de Whole Foods, à Union Square. Si vous cherchez des boutiques du New York d'antan, optez pour Zabar's dans l'Upper West Side, l'omniprésent Gourmet Garage ou le marché pittoresque et haut de gamme de Grand Central Terminal. Le marché couvert de Chelsea, à l'ouest, parfait en cas de fringale pendant votre séance shopping, abrite également quantité de délicieux restaurants.

LES MEILLEURES ADRESSES GOURMANDES

> Andre's Patisserie (p. 188)
> Marché de Chelsea (p. 134)
> Trader Joe's (p. 96)
> Whole Foods au Filene's Basement (p. 144)
> Zabar's (photo ci-dessus ; p. 197)

LES MEILLEURES BOUTIQUES SPÉCIALISÉES

> Murray's Cheese (p. 109)
> Barney Greengrass (p. 197)
> Union Square Greenmarket (p. 142)
> Marché de Grand Central (p. 152)
> Canal St à Chinatown (p. 56)

CUISINE

La déferlante de chefs internationaux se traduit par une cuisine de haut vol qui ravira les gourmets en quête d'un repas inimitable. New York ne manque pas non plus de restaurants classiques, de brasseries et de bistrots intimistes, et les tables originales aux accents d'ailleurs abondent.

Pour chaque gastronomie le choix est vaste : cuisine du Sichuan ou pékinoise, cuisine française fusion ou traditionnelle, cuisine du nord du Mexique avec ses généreux *burritos* farcis aux haricots ou de la région d'Oaxaca et ses plats en sauce relevés au *mole* et aux piments. Il y en a pour tous les goûts et tous les budgets.

Certaines adresses cotées prennent uniquement les réservations en ligne (tel Momofuku ; p. 98). Comme tout New-Yorkais qui se respecte, consultez **Open Table** (www.opentable.com) pour lire des avis, suivre la tendance et réserver ou confirmer votre table parmi des centaines de lieux.

Pour vous aider à choisir entre les innombrables adresses new-yorkaises, chaque numéro de *Time Out New York* présente une sélection de 100 restaurants, tandis que le guide *Zagat* est vendu dans tous les kiosques. *Village Voice* dresse une liste d'établissements bon marché sur www.villagevoice.com. Avec un tel choix, tout le monde trouvera son bonheur.

LES TABLES LES PLUS COURUES
> Momofuku (p. 98)
> Il Buco (p. 86)
> Sfoglia (p. 189)
> Bond St (p. 86)
> Minetta Tavern (p. 112)

LES TABLES LES PLUS ROMANTIQUES
> Benoit (p. 167)
> BLT Market (p. 167)
> Pier i Café (p. 199)
> Schiller's Liquor Bar (p. 72)
> Al Di La Trattoria (p. 221)

LES TABLES À PRIX DOUX
> Bite (p. 85)
> Cascabel (p. 189)
> Fatty Crab (p. 198)
> Hourglass Tavern (p. 169)
> Zebu Grill (p. 189)

LES TROUVAILLES
> Chez Lucienne (p. 210)
> Kashkaval (p. 169)
> Shangai Kitchen (p. 59)
> Pinche Taqueria (p. 87)
> Georgia's East Side BBQ (p. 71)

À gauche Tâchez de dénicher une table au Momofuku Ko (p. 98) de David Chang : le jeu en vaut la chandelle
Ci-dessus Le décor chaleureux du Schiller's Liquor Bar (p. 72)

NEW YORK GAY ET LESBIEN

New York accueille la Gay Pride en juin. Pendant un mois, c'est la grande fête de la communauté homosexuelle, implantée de longue date dans toute sa diversité et s'exprimant en totale liberté dans une ville réputée pour ses habitants à l'esprit ouvert (voir le site www.heritageofpride.org).

New York ne fait pas de différence entre hétéros et homosexuels dès lors qu'il s'agit de danser, de manger ou de boire. Chelsea, Greenwich Village, Jackson Heights et Park Slope sont prisés de la communauté homosexuelle, mais de façon générale, gays et lesbiennes sont bienvenus partout. Sachez qu'à New York, la majorité sexuelle est fixée dans tous les cas à 17 ans.

Les magazines *HX* et *Next* sont disponibles dans les bars et les restaurants, *LGNY* et *NY Blade* dans les distributeurs installés dans la rue et le magazine de société *Metrosource* en boutique et au LGBT Community Center. *Time Out New York* consacre une bonne rubrique aux manifestations spécifiques. Conseils utiles, consultations ou renseignements sont accessibles auprès de la **Gay & Lesbian Hotline** (☎ 212-989-0999 ; glnh@glnh.org) et du **LGBT Community Center** (carte p. 106 ; ☎ 212-620-7310 ; www.gaycenter.org ; 208 W 13th St angle Seventh Ave ; ☾ 9h-23h).

Ci-dessus Statues de deux couples homosexuels réalisées par George Segal, Sheridan Square (p. 105)

NEW YORK LITTÉRAIRE

Saviez-vous qu'une myriade de prestigieux auteurs contemporains vivent à Brooklyn ? En réalité, leurs prédécesseurs comme Truman Capote, Norman Mailer et William Styron y avaient déjà élu domicile. Aujourd'hui, le quartier accueille une nouvelle génération d'auteurs, dont Paul Auster, Jonathan Safran Foer, Jonathan Lethem et Colson Whitehead.

E.E. Cummings, James Baldwin, William S. Burroughs, Mark Twain, Henry James et d'autres romanciers célèbres ont vécu à Greenwich Village, qui demeure le quartier littéraire historique. L'East Village a, lui, privilégié la littérature non romanesque, tels les discours séditieux de l'anarchiste Emma Goldman et de la pionnière du contrôle des naissances Margaret Sanger.

Dans la Oak Room, à l'Algonquin Hotel, vous êtes en terre sainte puisque Dorothy Parker fréquentait les lieux. Harlem vibre encore de la présence de Ralph Ellison, Zora Neale Thurston, Langston Hughes et bien d'autres.

Au nord de 14th St, le 92nd Street Y (p. 191) organise des lectures très intéressantes autour d'auteurs. À la fois décadente et chic, la librairie Bluestockings (p. 68) est votre meilleure chance de rencontrer un écrivain. Le KGB Bar (ci-dessous ; p. 101) organise aussi des lectures hebdomadaires. Pour connaître le programme, consultez le site www.clubfreetime.com.

GRANDS CLASSIQUES NEW-YORKAIS

> *Harlem quartet*, James Baldwin
> *Les Mambo Kings chantent des chansons d'amour*, Oscar Hijuelos
> *Les Orphelins de Brooklyn*, Jonathan Lethem
> *Lush Life*, Richard Price
> *Rise and Shine*, Anna Quindlen

NEW YORK DANS L'HISTOIRE

> *Low Life*, Luc Sante
> *Le Bûcher des vanités*, Tom Wolfe
> *The Tenement Saga*, Sanford Sternlicht
> *Gangs of New York*, Herbert Asbury
> *Gay New York (1890-1940)*, George Chauncey

CONCERTS

Pour trouver un concert à New York, laissez-vous simplement guider par vos oreilles, d'autant qu'au printemps et en été, les musiciens s'expriment au grand air. Blues jazzy sur les pelouses de Battery Park (p. 44), salsa et swing à South Street Seaport (p. 46) et au Lincoln Center (p. 195), groupes en tous genres au Central Park Summerstage, et concerts plus ou moins improvisés et gratuits (et très courus) au 400 Carroll St à Brooklyn (www. sundaybestnyc.com).

Pour être parfaitement au fait de l'actualité musicale, consultez le site www.whatsupnyc.com. C'est l'occasion d'assister à des spectacles confidentiels ne bénéficiant d'aucune publicité hormis le bouche-à-oreille (comme ce concert surprise de Prince, un matin à Prospect Park, dans Brooklyn).

Il reste une multitude de repaires de jazzmen à West Village et à Harlem, tandis que le punk et le grunge sont à l'honneur dans quelques bars décontractés du Lower East Side et à Hell's Kitchen. Depuis maintenant des décennies, le Lincoln Center accueille des spectacles de grande qualité et des artistes variés. Dans l'Upper West Side, les musiques du monde résonnent au Symphony Space (p. 201) grâce à des talents souvent méconnus.

LES MEILLEURES SCÈNES ROCK
> Arlene's Grocery (p. 74)
> Brooklyn Bowl (p. 225)
> Living Room (p. 74)
> Pianos (p. 75)
> Village Underground (p. 114)

LES MEILLEURES SCÈNES ÉCLECTIQUES
> 55 Bar (p. 114)
> Le Poisson Rouge (p. 114)
> Mercury Lounge (p. 75)
> Shrine (p. 213)
> Smoke (p. 213)

MUSÉES ET GALERIES D'ART

L'art est omniprésent à New York, dans les vénérables institutions telles que le Metropolitan (p. 14), le MoMA (p. 15) et le Guggenheim (p. 186) comme dans les ateliers avant-gardistes de Chelsea, Dumbo et du Lower East Side ou au New Museum of Contemporary Art (p. 66), récemment ouvert.

Chelsea, de 21st à 26th St entre 10th et 11th Ave, regroupe une enfilade d'ateliers, de boutiques, de marchands d'art et de galeries. Midtown Manhattan est devenu une succursale de l'art. Les nouveaux talents exposent dans le Lower East Side, mais c'est à Dumbo qu'ils vivent et travaillent.

Pour y voir plus clair, les articles du *New York Magazine* consultables gratuitement en ligne (www.nymetro.com), les listes de *Time Out New York* (www.timeoutny.com) et le *Gallery Guide* disponible dans les principales galeries sont indispensables. Le supplément week-end du *New York Times* et *Village Voice* (www.villagevoice.com) constituent des sources d'information précieuses et le site www.westchelseaarts.com indique toutes les galeries. Le **département des Affaires culturelles** (www.nyc.gov/html/dcla) détaille l'agenda des manifestations et vous pourrez cibler vos recherches par genre et par *borough*. Si votre temps est compté, contactez **New York Gallery tours** (☎ 212-946-1548 ; www. nygallerytours.com) pour un circuit exhaustif à travers Chelsea et Soho.

LES INCONTOURNABLES
> Agora Gallery (p. 127)
> White Columns (p. 117)
> New Museum of Contemporary
  Art (p. 66)
> Greene Naftali (p. 131)
> Gagosian (p. 131)

LES PERLES DE L'EAST SIDE
> Gallery OneTwentyEight (p. 63)
> Participant Inc (p. 67)
> Lower East Side Tenement Museum
  (p. 63)
> ABC No Rio (p. 67)
> Nuyorican Poets Café (p. 102)

Ci-dessus Le New Museum of Contemporary Art (p. 66), dessiné par Sejima + Nishizawa/SANAA

NEW YORK POUR LES ENFANTS

New York ravira les enfants. Des musées, restaurants, théâtres, et même quelques adresses ouvertes tard, leur sont spécialement dédiés.

L'American Museum of Natural History et le Children's Museum font partie des musées remarquables pour les bambins. En principe, les restaurants haut de gamme acceptent les jeunes enfants en début de service. Sinon, quantité de petits restaurants décalés et de bistrots accueillent les familles.

Les déplacements s'avèrent un peu plus compliqués de prime abord : les stations de métro ne sont pas adaptées aux poussettes. Ne vous inquiétez pas si un inconnu saisit l'arrière de votre poussette à l'approche des marches : à New York, il est de coutume d'aider les parents chargés. Les tourniquets étroits à la sortie du métro constituent un autre problème : demandez à un employé de vous ouvrir les portes latérales plus larges. Quelques musées refusent les poussettes certains jours, mais, en contrepartie, ils prêtent des porte-bébés.

Dans *Time Out New York Kids,* publié quatre fois par an et vendu dans les kiosques, vous trouverez quantité d'idées pour voir New York comme une fabuleuse cour de récréation. **GoCity Kids** (www.gocitykids.com) et **New York Kids** (www.newyorkkids.net) sont de bonnes sources d'information.

S'AMUSER EN FAMILLE
> American Museum of Natural History (p. 194)
> Children's Museum of Manhattan (photo ci-dessus ; p. 194)
> Safari Playground (p. 181)
> Central Park Wildlife Center (p. 176)
> South Street Seaport (p. 46)

SE RESTAURER EN FAMILLE
> S'Mac (p. 99)
> Tuck Shop (p. 99)
> Cafe Con Leche (p. 197)
> Pio Pio (p. 199)
> Shake Shack (p. 198)

NEW YORK ROMANTIQUE

Tout n'est pas que résultats financiers et réunions d'entreprise dans le New York affairiste, l'amour a également sa place. Une balade en barque à Central Park (p. 180), une embrassade sur le toit de l'Empire State Building (p. 152) ou un dîner sous les projecteurs de Brodway (p. 16) restent des plaisirs typiquement new-yorkais à goûter pendant votre séjour.

Par ailleurs, nul besoin de dissimuler vos sentiments, les New-Yorkais ont l'habitude de voir des couples – homos ou hétéros – se tenir par la main, se promener bras dessus bras dessous , voire s'embrasser fougueusement, par exemple lors d'un concert nocturne en plein air. Veillez simplement à ne pas bloquer le passage lorsque vous vous déplacez en tandem, sous peine de vous attirer des regards courroucés.

Voici quelques grands classiques d'une romance à New York : une promenade en calèche dans Central Park, un baiser dans les lumières éblouissantes de Times Square (p. 16), un concert au Lincoln Center (p. 195) en habit d'apparat, un tête-à-tête dans un club de jazz calfeutré à la lumière tamisée et un verre dans un bar glamour perché sur un toit.

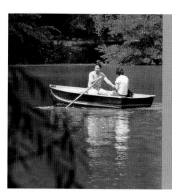

BARS CÂLINS
> Happy Ending (p. 73)
> Apotheke Bar (p. 60)
> Macao (p. 51)
> Auction House (p. 190)
> Park (p. 138)

POUR UN TÊTE-À-TÊTE
> Bemelmans Bar (p. 190)
> High Bar (p. 170)
> Den (p. 212)
> Bacaro (p. 61)
> Campbell Apartment (p. 160)

PARCS ET ESPACES VERTS

Les New-Yorkais sont passés maîtres dans l'art d'utiliser leurs espaces verts pour de multiples activités. En été, faites-en de même : projections de films le lundi soir à Bryant Park, festival Shakespeare in the Park et concerts Summerstage à Central Park, concerts du Hudson River Park et festival River to River à Battery Park et Lincoln Center Dance Nights (là, vous risquez de transpirer un peu). Mentionnons également les séances de tango en plein air à Central Park, le samedi soir, et à South Street Seaport, le dimanche.

Ainsi, il existe quantité de façons de profiter des plus de 14 000 ha d'espaces verts de la ville. Les infrastructures sportives – 614 terrains de base-ball, 550 courts de tennis et de nombreux terrains de basket, parcours de golf, pistes d'athlétisme, piscines couvertes et découvertes – sont aussi en accès libre. Consultez adresses et renseignements sur www.nycgovparks.org.

LES PLUS BEAUX PARCS

> Central Park (p. 174)
> Riverside Park (photo ci-dessus ; p. 195)
> Prospect Park (p. 219)
> Governor's Island (p. 47)
> Battery Park (p. 44)

LES MEILLEURES ACTIVITÉS DE PLEIN AIR

> Une balade à vélo au Hudson River Park (p. 105)
> Une promenade autour du réservoir Jacqueline Kennedy-Onassis, à Central Park (p. 176)
> Un tour en barque à Prospect Park (p. 219)
> Un pique-nique à Battery Park (p. 44)
> Une balade au-dessus de la ville sur la High Line (p. 13)

SPAS

Après une virée shopping, que diriez-vous d'un thé léger suivi d'une merveilleuse séance au spa pour retrouver éclat et fraîcheur ? Tentant n'est-ce pas ?

C'est désormais possible dans plusieurs grands magasins chic new-yorkais : Takashimaya, Saks Fifth Ave et Bloomingdales ont tous à cœur de chouchouter leurs clients.

Si vous avez peu de temps devant vous, **Juvenex** (☎ 646-733-1330 ; www.juvenexspa.com ; 4e ét., 25 W 32nd St entre Fifth et Sixth Ave), un institut asiatique de Little Korea, est ouvert 24h/24. Sa principale clientèle se compose d'artistes de Broadway (d'où les horaires flexibles). Des soins incluant des bains chauds et des pétales de rose ont été spécialement pensés pour les couples, mieux vaut réserver.

Dans les spas new-yorkais, chacun trouvera son compte : simple massage après le travail, *mani-pedi* (manucure et pédicure), épilation (maillot, brésilienne ou autre), soins du visage ou de la peau ou une combinaison de traitements doux pour atténuer les rides, chasser les cellules mortes, améliorer le teint, etc. Beaucoup de spas surfent sur la vague bio et proposent des cires biodégradables, des crèmes et des savons sans produits chimiques et parfument leur hammam de senteurs fraîches d'agrumes qui n'irritent pas les sinus.

Les femmes n'ont pas l'exclusivité du bien-être : plusieurs instituts sont réservés à la gent masculine ou sont mixtes et prodiguent des soins pour le visage et pour les mains.

V

ZOOM SUR...

THÉÂTRES

Même si le rideau a fini par tomber sur des succès de longue date, Broadway se taille toujours la part du lion à New York.

Les 38 théâtres de Broadway proposent de gigantesques productions au budget colossal qui captivent les foules. L'entretien de ces "grandes dames" (les théâtres pas les actrices), coûteux, se répercute sur le prix souvent élevé des billets, parfois supérieur à 100 $. Toutefois, le Theatre Development Fund (www.tdf.org) écoule des places à moitié prix. Ce dernier gère trois kiosques TKTS qui vendent des billets à tarif très avantageux pour des représentations le jour même. Il faut se rendre au kiosque principal à Times Square, à South Street Seaport, ou à Brooklyn (voir site Internet pour les coordonnées). Nombre de représentations en soirée débutent à 20h et, le mercredi et le week-end, les matinées sont à 14h.

Outre les têtes d'affiche à Broadway, le choix est vaste : théâtre expérimental dans le Lower East Side, ballets de renommée internationale au Lincoln Center ou mise en scène à petit budget d'une pièce de Tchekhov, de Stoppard ou de Miller dans les théâtres dynamiques du centre-ville.

Pour ne rien rater, consultez les éditions du vendredi et du dimanche du *New York Times,* ainsi que les hebdomadaires *New York Magazine, Time Out New York* et *The New Yorker. Village Voice* est intéressant pour les scènes alternatives et les représentations du off-off-Broadway. Le **département des Affaires culturelles** (☎ 212-643-7770) indique par téléphone les manifestations et concerts organisés dans les institutions culturelles et **NYC On Stage** (☎ 212-768-1818) fournit 24h/24 la liste des concerts, pièces de théâtre et spectacles de danse. Autres bonnes sources d'information : **All That Chat** (www.talkinbroadway.com/allthatchat/), **NYC Theater** (www.nyc.com) et la **Broadway Line** (☎ 888-276-2392).

THÉÂTRES DE PRESTIGE
> Joseph Papp Public Theater (p. 102)
> Ambassador Theater (p. 171)
> New Amsterdam Theater (p. 173)
> Newhouse, Lincoln Center (p. 195)
> Harry de Jur Playhouse, Abrons Art Center (p. 74)

SPECTACLES À SUCCÈS
> *Wicked* (www.wickedthemusical.com)
> *Chicago* (www.chicagothemusical.com)
> *Billy Elliott* (www.billyelliotbroadway.com)
> *Le Roi Lion* (www.lionking.org)
> *Avenue Q* (www.avenueq.com)

POINTS DE VUE

Que vous soyez en haut de l'Empire State Building (p. 152), à l'arrière d'un cyclo-pousse ou encore à bord d'une calèche, il existe mille façons d'admirer le tourbillon de la ville.

Les points de vue en hauteur sont les plus prisés, mais on peut aussi observer Manhattan "vue d'en bas" : les circuits du New York Transit Museum (p. 219), par exemple, empruntent des tronçons du métro abandonnés.

Central Park offre des belvédères de choix, notamment depuis la superbe fontaine centrale de Bethesda Terrace, non loin du Ramble. Par ailleurs, le Bow Bridge adjacent a été le témoin de plus d'une demande en mariage.

Harlem Meer est un joli étang peuplé d'oies cancanant et entouré de saules pleureurs, tandis que Battery Park (p. 44) ménage une superbe vue sur le port de New York. Pour jouir du plus beau coucher du soleil, il faut prendre le ferry pour Staten Island (p. 46) et planifier son retour juste avant le crépuscule afin de voir l'astre incandescent descendre derrière les gratte-ciel de Manhattan.

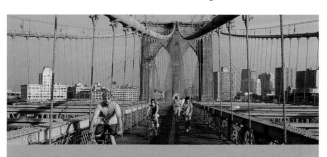

POUR UNE VUE IMPRENABLE
> Le High Bar (p. 170)
> La traversée du pont de Brooklyn (photo ci-dessus ; p. 22)
> Une promenade en bateau-taxi (p. 268)
> Une balade à vélo au Hudson River Park (p. 105)
> Une escapade en ferry à Governor's Island (p. 47)

STATUES PHOTOGÉNIQUES
> José Martí (Columbus Circle)
> George Washington (Federal Hall)
> Duke Ellington (Harlem)
> Giovanni da Verrazano (Battery Park)
> Eleanor Roosevelt (Riverside Park)

NEW YORK GRATUIT

Contrairement aux idées reçues, il existe des activités gratuites ou peu coûteuses à New York, toute la difficulté étant de les dénicher. Pour ce faire, il existe plusieurs sites : www.lifebooker.com, www.freenyc.net, www. clubfreetime.com et www.freeinnyc.net. Vous y trouverez de quoi occuper vos dimanches pendant un mois sans bourse délier. Partant du principe qu'il vaut mieux proposer une activité à moitié prix que de manquer de clients, le site de réservation LifeBooker recense des séances de spas, de coiffure ou de manucure dans des salons de beauté à tarifs réduits. Clubfreetime publie des propositions mises à jour sur des événements culturels et autres. Les sites Freenyc et Freeinnyc en font de même et proposent également des activités gratuites telles que du yoga au parc et des expositions dans les galeries d'art.

Enfin, sachez que la plupart des musées (hormis le Metropolitan Museum of Art) pratiquent des tarifs réduits avec participation libre au moins un soir par semaine. Un CityPass (www.citypass.com) permet aussi de bénéficier de réductions substantielles pour l'accès à sept curiosités principales.

LES MEILLEURS BONS PLANS
> Ferry de Staten Island
  (photo ci-dessus ; p. 46)
> Museum of Modern Art, le vendredi
  soir (p. 164)
> Shakespeare in the Park (p. 176)
> River to River Festival (p. 51)
> Summerstage (p. 179)

LES MEILLEURES HAPPY HOURS
> Cleopatra's Needle (p. 200)
> DBA (p. 100)
> Whiskey Ward (p. 73)
> Henry Street Ale House (p. 223)
> Stir (p. 190)

>HIER ET AUJOURD'HUI

Grand Central Terminal (p. 152) fonctionne avec la précision d'une horloge

HIER ET AUJOURD'HUI
HISTOIRE

Le territoire de l'actuel Manhattan était déjà occupé par un grand nombre d'Indiens algonquins bien avant que Giovanni da Verrazano ne découvre Staten Island en 1524 et qu'Henry Hudson ne réquisitionne des terres pour le compte de la Compagnie hollandaise des Indes orientales en 1609.

Les Amérindiens Lenape, qui récoltaient des huîtres et pêchaient le bar dans la baie de New York, établirent des routes marchandes fréquentées à travers l'île vallonnée (Manhattan signifie "île des collines" en amérindien). Ces mêmes itinéraires donnèrent plus tard naissance à Broadway, Amsterdam Ave et à d'autres grandes artères new-yorkaises. La légende veut que le marchand hollandais Peter Minuit ait acheté l'île aux Lenape pour quelques babioles d'une valeur de 24 $, mais les historiens en doutent, dans la mesure où cette ethnie n'adhérait pas au principe de propriété privée. Toujours est-il que les Hollandais prirent le contrôle de l'île et fondèrent une colonie, la Nouvelle-Amsterdam, qui en 1630 comptait 270 membres parmi lesquels quelques Wallons, des huguenots français et des Anglais.

En 1647, Peter Stuyvesant vint remettre de l'ordre dans la colonie, mais son intolérance religieuse provoqua des troubles. Les Anglais rencontrèrent peu d'opposition lorsqu'ils s'emparèrent pacifiquement de la colonie en 1664. Rebaptisée New York, elle devint un bastion britannique et resta fidèle au roi George III durant la guerre d'indépendance des années 1770. L'armée de jeunes paysans dirigée par George Washington fut presque anéantie par les troupes du général Cornwallis à l'emplacement de l'actuel Brooklyn Heights. Seul un audacieux mouvement de troupes vers le nord, effectué en une nuit, les sortit de la débâcle.

La période qui suivit la guerre fut profitable à la plupart des New-Yorkais, même si les pères fondateurs n'appréciaient guère ce port animé. Ils déplacèrent donc la capitale à Washington, mais ils ne furent pas vraiment suivis par la population. En 1830, New York comptait 250 000 habitants, dont beaucoup d'immigrants qui travaillaient dans les conditions difficiles et vivaient dans des *tenements* (immeubles précaires) du Lower East Side. Dans le même temps, des hommes politiques corrompus profitaient de travaux publics pour détourner des millions de dollars et des magnats de l'industrie amassaient des fortunes sans payer le moindre impôt. Rapidement, le manque d'espace obligea les promoteurs à construire verticalement. Les gratte-ciel commencèrent à pousser, tandis que les lignes de métro

L'AFRICAN BURIAL GROUND

Les Africains sont présents à New York depuis le XVIIᵉ siècle. Introduits dans la colonie hollandaise comme esclaves, ils ont construit nombre des grands édifices coloniaux de Lower Manhattan. Une fois l'esclavage aboli dans le nord du pays, leur contribution fut reléguée aux oubliettes. Découvert par hasard en 1991, l'African Burial Ground (www.africanburialground. gov), où sont enterrés quelque 400 esclaves pour la plupart ghanéens, nous rappelle leur douloureux passé. Le cimetière se trouve à l'angle de Duane St et d'Elk St, au niveau de 290 Broadway. À Harlem, le Schomburg Center for Research in Black Culture (p. 206) accueille par ailleurs une exposition permanente consacrée à ce sujet.

continuaient leur progression. En 1898, les quartiers indépendants de Staten Island, du Queens, du Bronx et de Brooklyn fusionnèrent avec Manhattan pour former les cinq *boroughs* de New York. Les vagues successives d'immigrants firent grimper la population à trois millions d'habitants en 1900.

Bars clandestins, prostitution, crime organisé d'un côté, mais aussi obtention du droit de vote pour les femmes (19ᵉ amendement de la Constitution américaine) et renaissance de Harlem : New York était d'une incroyable vitalité les années qui précédèrent et suivirent la Première Guerre mondiale. Margaret Sanger prêchait en faveur de la contraception dans le Washington Square Park, Wall Street transformait des rustres en *golden boys* et F. Scott Fitzgerald décrivait cette époque dans *Gatsby le Magnifique*. Pourtant, l'effondrement de la Bourse le Jeudi noir (29 octobre 1929) balaya en une nuit l'avenir brillant promis à New York. S'ensuivirent des années difficiles, et même si New York était la première ville du pays après la Seconde Guerre mondiale, l'économie continuait de stagner. Dans les années 1970, il fallut un important programme de prêts fédéraux pour éviter la banqueroute.

VIVRE À NEW YORK

New York est le meilleur exemple de *melting pot*, une expression employée au début du XXᵉ siècle par les dirigeants américains pour encourager le brassage des colons et des nouveaux arrivants, afin d'aboutir à une population uniforme, sans ségrégation sociale ni divisions ethniques. Mais au lieu d'être assimilés par la culture dominante (alors essentiellement anglo-saxonne), chaque communauté a continué à parler sa langue et à perpétuer fièrement ses traditions, et chacune a investi un secteur de la ville : Greenwich Village pour les Irlandais, le Lower East Side pour les juifs d'Europe de l'Est, Little Italy pour les Italiens. Dans les années 1950 et 1960, les Dominicains se sont installés dans le futur Spanish Harlem, tandis que les Portoricains occupent encore la majorité du Bronx. Des immigrants de diverses nationalités sont arrivés entre-temps, se côtoyant sans heurts. Une culture bouillonnante issue d'influences multiples a ainsi pris le dessus sur l'homogénéité dont rêvaient les fondateurs de la ville. Quelle que soit son origine, le New-Yorkais lambda parle aujourd'hui un peu espagnol ou une autre langue étrangère (quand il n'est pas parfaitement bilingue), connaît le calendrier lunaire chinois (et ne rate pour rien au monde la parade du Nouvel An chinois et ses dragons) et peut commander un bagel et du *schmear* (fromage à tartiner) avec le plus grand naturel.

Bien entendu, une ville de quelque neuf millions d'habitants connaît forcément quelques problèmes de cohabitation. Les hommes politiques sont d'ailleurs sanctionnés dès lors qu'ils ne parviennent pas à résoudre ces conflits. Mais, lorsqu'il s'agit de défendre leur collectivité, les New-Yorkais serrent les rangs et font preuve de solidarité.

Dans la rue, tout se fait au pas de course, mais de brefs échanges fusent de partout (comme "Ça va ?", "Tout baigne ?", "Vous avez l'heure ?" et autres). N'hésitez pas à répondre si une personne bien attentionnée vous adresse un mot gentil. La politesse – *please, thank you*, etc. – est de mise et une attitude méprisante, envers un chauffeur de taxi ou un portier, est très mal vue dans cette ville démocratique. Quelques comportements agacent cependant les New-Yorkais. N'ouvrez pas votre plan juste à la sortie du métro au risque de bloquer le passage, mais installez-vous plus loin. Ne prenez pas trop de temps pour choisir votre déjeuner aux heures de pointe, décidez de votre commande avant de faire la queue. Si la veste et la cravate sont de rigueur dans les restaurants chics, aucun style ne s'impose le reste du temps.

VIE POLITIQUE

New York compte cinq présidents de *boroughs*, un contrôleur des finances, un *public advocate* (sorte de médiateur municipal) et un conseil municipal composé de 51 élus pour contrebalancer le pouvoir du maire. Portés par la victoire de Barack Obama aux élections présidentielles de novembre 2008, les démocrates ont regagné du terrain au nord de l'État de New York et dans le corps législatif. Pour la première fois depuis longtemps, l'État de New York possède une législature et un gouverneur de même couleur politique. Seule la ville de New York, traditionnellement la plus démocrate de l'État, n'a pas élu un démocrate en 2009. Mais c'est parce que le maire actuel, le millionnaire Mike Bloomberg, a réussi à faire abroger la loi interdisant les triples mandats. Il s'est présenté sans étiquette politique et a remporté l'élection, mais il a dépensé des millions dans sa campagne électorale et n'a gagné que d'une courte tête. Pour contrer le déclin économique amorcé fin 2008, Bloomberg a instauré des restrictions budgétaires dans les services publics. Le logement reste un sujet brûlant. Un important effort a été mené pour améliorer les conditions de logement des classes populaires, chassées de Manhattan et de presque tous les *boroughs* limitrophes par des loyers excessifs. Le sempiternel débat sur la réforme de la politique d'immigration se heurte à bien des résistances à New York, terre d'accueil de certaines des plus importantes communautés étrangères du pays. Exhortés à prendre position, les dirigeants new-yorkais se sont prononcés pour des programmes d'amnistie qui garantiraient un statut légal aux sans-papiers résidents new-yorkais de longue date.

ÉCONOMIE

New York n'échappe pas à la plus importante récession de la dernière décennie que traversent les États-Unis. Le grand écart entre salaires et inflation a contraint une grande partie de la classe moyenne mais aussi plus aisée à quitter la ville. Un temps protégée, semble-t-il, du marasme économique par l'afflux de devises étrangères des touristes en quête de bonnes affaires, New York a flanché fin 2008. L'effondrement en cascade de Wall Street et d'institutions bancaires (licenciement de la quasi-totalité du personnel de Bear Stearns, écroulement de Lehman Brothers) a ébranlé les fondements des finances de la ville et a déclenché une crise économique généralisée. Avec Wall Street dans la tourmente, New York a vu s'évaporer sa principale source de revenus presque du jour au lendemain, signant l'arrêt brutal de ce qui semblait être un cercle vertueux invincible.

Les New-Yorkais ont cependant bon espoir que le président des États-Unis trouvera un moyen d'inverser la tendance. Nombre d'entre eux voient également d'un bon œil la réélection du maire actuel, artisan d'une politique fiscale stricte. Celui-ci a drastiquement réduit les dépenses municipales, menacé de fermer certaines casernes de pompiers et pris pour cible les plans de retraite et congés maladie de nombreux ouvriers syndiqués. Il a aussi réduit les salaires de son équipe. Les New-Yorkais, qui s'attendent déjà à voir grimper le prix du métro et les factures d'eau et d'électricité et de gaz, ne souffriront pas une augmentation des impôts fonciers ou locaux. Une question est déjà pratiquement sur toutes les lèvres : "Comment vais-je pouvoir continuer à vivre ici ?" Après presque une décennie de gouvernement républicain, les habitants attendent des réponses des démocrates, à la tête du pays et de l'État de New York.

ENVIRONNEMENT

Les New-Yorkais, de plus en plus soucieux des questions environnementales, font preuve d'initiative afin de changer la donne. Nombre de restaurants ont remplacé les bouteilles d'eau minérale en verre ou en plastique par de l'eau filtrée et recyclée.

Le projet de péage urbain de Michael Bloomberg a reçu le soutien d'une grande partie des habitants. Si l'idée a été enterrée par les législateurs, plusieurs autres propositions pour limiter la circulation restent d'actualité. De plus en plus de New-Yorkais adoptent le vélo, séduits par l'originalité de ce moyen de transport et découragés par l'augmentation du tarif du métro et la détérioration de la qualité du service. Pédaler à New York ne s'avère cependant pas aussi simple qu'à Paris ou à Copenhague : les cyclistes doivent se montrer réactifs, très prudents et se conformer au code de la route local.

Les habitants s'inquiètent également de la spéculation immobilière qui menace le fragile écosystème de Croton Watershed, zone marécageuse jouant le rôle de filtre naturel des eaux de pluie et alimentant New York en eau potable. Les écologistes ont réussi à limiter les dégâts, mais la lutte s'annonce de plus en plus âpre dans les années à venir. Les dangers de la construction à outrance sont déjà perceptibles au Gateway National Park, dans Jamaica Bay (Queens). Cet énorme marais se réduit désormais comme peau de chagrin. Il continue à péricliter, pour des raisons inconnues, et les scientifiques de l'Army Corp of Engineer prévoient sa disparition d'ici à 25 ans. La municipalité a récemment pris des mesures pour limiter les constructions dans les zones marécageuses, mais beaucoup craignent qu'il ne soit trop tard.

QUELQUES IDÉES DE LECTURE
NEW YORK DANS LA LITTÉRATURE

Le Bûcher des vanités (Tom Wolfe ; le Livre de poche, 1987). Ce roman haletant sur les démêlés d'un banquier d'affaires avec le monde noir du South Bronx offre une plongée dans les années fric (1980).

La Conversion (James Baldwin ; Rivages, 2004). Une journée dans la vie de John Grimes, 14 ans, dans le Harlem de la Grande Dépression.

Jazz (Toni Morrison ; Rivages, 1992). Lauréate du prix Pulitzer, Toni Morrison explore les années jazz de Harlem à travers l'histoire tragique de trois destins croisés.

Les Orphelins de Brooklyn (Jonathan Lethem ; éditions de l'Olivier, 2003). Cette histoire étrange et captivante où Lionel Essrog, orphelin et détective souffrant du syndrome Gilles De La Tourette enquête sur la mort de son patron, explore les histoires et les zones d'ombre du nord de Brooklyn, que ses habitants récents sont loin de soupçonner.

Push (Sapphire ; Seuil, 1996). L'histoire contemporaine déchirante de Precious Jones, jeune fille de 16 ans vivant à Harlem, victime d'abus sexuels.

MUSIQUE EN SOUS-SOL

Chaque année, la régie des transports new-yorkais (MTA) invite les meilleurs musiciens locaux à descendre dans le métro. Violonistes, quatuor choristes, joueurs de tympanons chinois, chanteurs de variétés haïtiennes, violoncellistes, orchestre de jazz, troupe de salsa, chanteurs d'opéra et danseurs de hip-hop ne sont qu'un aperçu des courants musicaux représentés. Les artistes passent des auditions afin d'intégrer la liste officielle. Pour savoir où ils jouent, consultez le site www.mta.info/mta/aft/muny.

Lendemains de terreur (Lawrence Block ; Seuil, 2004). Dans ce thriller angoissant, un homme veuf depuis les attentats du 11-Septembre devient tueur en série dans un accès de vengeance.

PETIT ET GRAND ÉCRANS

American Gangster (2007). Réalisé par Ridley Scott, tiré d'une histoire vraie, ce récit de dealers se déroule à Harlem et évoque l'importation d'héroïne, les liens avec la mafia et l'intervention d'un policier honnête.

Liaison fatale (1987). Dans ce thriller psychologique d'Adrian Lyne, la vie d'un mari heureux tourne au cauchemar après une aventure d'une nuit où sa partenaire devient névrosée. Aperçus intéressants du Meatpacking District avant son embourgeoisement.

Kids (1995). Tournée par Larry Clark sous forme de documentaire avec des acteurs inconnus à l'époque tels Rosario Dawson et Chloë Sevigny, une histoire terrifiante de promiscuité sexuelle, drogue et sida.

Law & Order (New York District en V.F). Située et tournée à New York, la série d'une incroyable longévité de Dick Wolf sur le système judiciaire pénal de la Grosse Pomme s'inspire d'histoires news-yorkaises ayant fait les gros titres.

Manhattan (1979). Réalisé par Woody Allen, avec Diane Keaton, Mariel Hemingway et Woody Allen. Un New-Yorkais divorcé fréquente une étudiante (l'adorable Hemingway à la voix enfantine) et tombe amoureux de la maîtresse de son meilleur ami. Une véritable déclaration à la ville de New York.

Party Monster (2003). Macaulay Culkin interprète Michael Alig, célèbre jeune clubber fou et meurtrier que l'on suit dans l'enfer des boîtes et de la drogue du New York de la fin des années 1980.

Project Runway. Heidi Klum et le charmant Tim Gunn chapeautent des stylistes en herbe dans les meilleures boutiques de tissus du Fashion District. Ces derniers s'affrontent pour remporter le pactole de 100 000 $ de cette émission de télé-réalité.

La Fièvre du samedi soir (1977). John Travolta, en gosse de Brooklyn devenu roi de la piste de danse, est irrésistible dans ses pantalons à pattes d'éléphant.

Sex and the City (2008). Dans cette suite cinématographique tant attendue de la série culte, les quatre célèbres héroïnes n'ont rien perdu de leur piquant, entre tromperies, ruptures et enfants.

Spider-Man 3 (2007). Ce dernier volet de la trilogie, où Tobey Maguire affronte les méchants à New York, est le plus noir et le plus riche en actions des trois.

Taxi Driver (1976). Dans ce film de Martin Scorsese, Robert De Niro incarne un vétéran déséquilibré de la guerre du Vietnam, en proie à de violentes impulsions avivées par les tensions urbaines d'une ville beaucoup plus crue qu'aujourd'hui.

What Not to Wear. Tournée aux Silvercup Studios dans le Queens, où plus d'une trentaine de programmes ayant pour cadre New York sont enregistrés, cette émission de télé-réalité apprend aux femmes à choisir des vêtements les mettant en valeur lors d'une virée shopping à Tribeca.

HÉBERGEMENT

SE LOGER À NEW YORK

Avec un peu de chance et des préparatifs sérieux, vous trouverez peut-être un bon hébergement qui ne grèvera pas trop votre budget. La bonne nouvelle, c'est que le service est à la hauteur, même si les chambres véritablement spacieuses sont rares.

Pour un séjour paisible et convivial avec visites de musées et activités culturelles, concentrez vos recherches dans l'Upper West Side et l'Upper East Side. Les adresses de charme classiques et très élégantes fourmillent autour d'Union Square, Bryant Park et Times Square. Les personnes voyageant pour affaires ou souhaitant profiter de Broadway chercheront d'abord à Midtown. On déniche quelques chambres à bon prix dans les hôtels plus anciens de Chelsea et dans les B&B de Greenwich Village et d'East Village.

Quelques bons sites de recherche : le site anglais de Lonely Planet (www.hotels.lonelyplanet. com), Just New York Hotels (www.justnewyorkhotels.com), New York Deals on Hotels (www.newyork.dealsonhotels.com), New York City Hotels Today (www.newyorkcityhotelstoday.com) et NYC Hotels (www.nyc-hotels.net). Certains hôtels proposent des offres promotionnelles exclusivement sur Internet. Les sites Priceline (www.priceline.com), Hotwire (www.hotwire.com), Orbitz (www.orbitz.com), Hotels.com (www.hotels.com), Hoteldiscounts.com (www.hoteldiscounts.com) et Travelzoo (www.travelzoo.com) affirment pratiquer des tarifs jusqu'à 70% inférieurs aux prix standard.

CATÉGORIE SUPÉRIEURE

GREENWICH HOTEL
☎ 212-941-8900 ; www.greenwichhotelny.com ; 377 Greenwich St, entre N Moore St et Franklin St ; d à partir

LES MEILLEURES NOUVELLES ADRESSES
> The Standard (www.standardhotels.com)
> Greenwich Hotel (www.greenwichnyhotel.com)
> Cooper Square Hotel (www.thecoopersquarehotel.com)
> Ace Hotel (www.acehotel.com)
> Stay Hotel (www.stayhotelny.com)

LES MEILLEURS HÔTELS DE CHARME
> Mercer (www.mercerhotel.com)
> 60 Thompson (www.60thompson.com)
> Gansevoort (www.hotelgansevoort.com)
> Casablanca Hotel (www.casablancahotel.com)
> Gild Hall (www.thompsonhotels.com)

de 475 $; ☺ 1 jusqu'à Franklin St, A, C, E jusqu'à Canal St ; ✸ 🖳

L' hôtel de Robert De Niro frise la perfection. Un vestibule voûté et baigné de lumière vous mène vers les chambres. Décorées avec goût, celles-ci ne sont pas très grandes mais elles sont équipées de baies vitrées donnant sur le jardin intérieur, un havre fleuri et serein. Les parquets sont en bois patiné, les sdb en marbre de Carrare. Hormis des sdb et des placards plus vastes, les suites sont identiques. Si vous voulez vous offrir le luxe suprême, prenez la suite du dernier étage, un perchoir de verre avec terrasse privée et Jacuzzi.

🏠 HOTEL GIRAFFE
☎ 212-685-7700, 877-296-0009 ; www.hotelgiraffe.com ; 365 Park Ave South à la hauteur de 26th St ; ch/ste avec petit-déj à partir de 339/475 $; ☺ N, R, W et 6 jusqu'à 23rd St ; ✸ 🖳

Un cran au-dessus de la plupart des hôtels chics indépendants de ce quartier sud, le nouveau Giraffe offre 11 étages de chambres modernes aux lignes pures, dans un quartier d'immeubles Art déco, plus une

terrasse sur le toit pour prendre un verre ou grignoter des tapas. La plupart des 72 chambres ont un petit balcon, et toutes une TV à écran plat avec lecteur DVD, un bureau en granit, et des stores qu'on commande depuis le lit. Les suites d'angle disposent d'un salon avec canapé-lit.

🏠 MERCER
☎ 212-966-6060 ; www.mercerhotel.com ; 147 Mercer St à la hauteur de Prince St ; d à partir de 350 $; ☺ N, R, W jusqu'à Prince St ; ✸ 🖳

En plein cœur de Soho, le majestueux Mercer est l'adresse des stars : ambiance feutrée dans le vestibule, excellent restaurant de Jean George Vongerichten au sous-sol, et 75 chambres offrant de l'élégance version loft dans un entrepôt séculaire. Télévision à écran plat, parquet et sdb à carreaux de marbre ajoutent une touche moderne à des chambres qui ne font pas mystère de leur antécédent industriel, avec fenêtres ovales géantes, colonnes métalliques et murs en briques apparentes.

🏠 RITZ-CARLTON – NEW YORK,CENTRAL PARK

☎ 212-308-9100, 800-241-3333 ; www.ritzcarlton.com ; 50 Central Park South, entre Sixth Ave et Seventh Ave ; d 650 $; ⊕ F, N, R, Q, W jusqu'à 57th St ; 🔀 🖳

Tout le luxe dont Manhattan est capable, soit un immeuble classé, avec une vue sur Central Park tellement rapprochée que c'est à peine si l'on voit New York. Il y a là 261 chambres au petit air colonial, agrémentées de fauteuils, de belles et vastes sdb en marbre. Pour une folie, offrez-vous une chambre donnant sur le parc, avec téléscope. C'est Laurent Tourondel, du bistrot BLT, qui se charge des dîners du Ritz, combinant avec art les classiques des cuisines française et américaine. Le spa haut de gamme met à disposition des produits La Prairie.

CATÉGORIE MOYENNE

🏠 BED & BREAKFAST ON THE PARK

☎ 718-499-6115 ; www.bbnyc.com ; 113 Prospect Park West, entre 6th St et 7th St, Park Slope ; ch 225-325 $; ⊕ F jusqu'à Seventh Ave ; 🔀

En face de Prospect Park, dans le quartier embourgeoisé de Park Slope (Brooklyn), ce B&B d'une intimité toute victorienne offre 7 chambres (sdb individuelles)

meublées de tapis orientaux, de lits à baldaquin et de cheminées fonctionnant au gaz, avec parquets, moulures et d'impressionnantes fenêtres teintées. Le petit-déjeuner est copieux. Vous pouvez profiter du jardin à l'arrière.

🏠 CASABLANCA HOTEL

☎ 212-869-1212, 888-922-7225 ; www. casablancahotel.com ; 147 W 43rd St entre Sixth Ave et Broadway ; ch à partir de 249 $; ⊕ S, N, Q, R, W, 1, 2, 3, 7 jusqu'à 42nd St-Times Sq ; 🔀 🖳

Situé à deux pas de Times Square, discret et orienté vers une clientèle touristique, cet hôtel de 48 chambres décline le thème de l'Afrique du Nord sur tous les tons (statues de tigre, fresques marocaines, tapis encadrés et, au 2e étage, bar baptisé Rick's Cafe, comme dans le film). Les chambres sont belles et confortables, avec revêtement de sol genre sisal et coin salon près de la fenêtre. Internet gratuit, lits d'appoint, expresso servi à toute heure de la journée, vin servi à 17h.

🏠 CHELSEA HOTEL

☎ 212-243-3700 ; www.hotelchelsea. com ; 222 W 23rd St, entre Seventh Ave et Eighth Ave ; ch/ste à partir de 129/585 $; ⊕ C, E, 1 jusqu'à 23rd St ; 🔀 🖳

Immortalisé par des poèmes, des overdoses célèbres (notamment celle qu'aurait eu Sid Vicious, après la mort non élucidée de sa compagne, Nancy Spungen), ou encore par la retraite qu'y fit l'acteur Ethan Hawke, cet hôtel unique en son genre à Chelsea a changé de direction. Si cette dernière a prévu d'améliorer les locaux, il est encore possible d'admirer l'assortiment de chambres joliment marquées par le temps. La plupart sont spacieuses, certaines comportent une kitchenette et un séjour. Il y a toujours quelques excentriques, bien que les habitants de longue date aient été jetés dehors par les derniers propriétaires. Pendant la basse saison, le prix d'une chambre avec sdb commune réservée sur Internet oscille autour de 99 $

🏠 DREAM
☎ 212-247-2000, 866-437-3266 ; www.dreamny.com ; 210 W 55th St entre Broadway et Seventh Ave ; d à partir de 299 $; Ⓜ N, R, Q, W jusqu'à 57th St-Seventh Ave ; 🔀 🖳

Pour ceux qui aiment le minimalisme des chambres toutes blanches, avec leurs lampes bleues qui éclairent par-dessous les lits ou les bureaux en verre, le Dream est, comme son nom l'indique, un rêve. Télévision à écran flottant, station d'accueil pour iPod et Wi-Fi ajoutent à l'ambiance futuriste. Le hall bizarre comporte un immense aquarium rempli de poisons des Caraïbes et une statue géante récupérée dans un restaurant russe du Connecticut. L'Ava, bar situé sur le toit, est un petit bijou.

🏠 LIBRARY HOTEL
☎ 212-983-4500, 877-793-7323 ; www.libraryhotel.com ; 299 Madison Ave à la hauteur de 41st St ; ch à partir de 269 $; Ⓜ S, 4, 5, 6, 7 jusqu'à 42nd St-Grand Central ; 🔀 🖳

Chacun des 10 étages est consacré à l'une des 10 catégories du système décimal de Dewey (inventeur d'un système de classification des livres : sciences sociales, littérature, philosophie, etc.), avec 6 000 volumes répartis entre les chambres. Le style de l'endroit est lui-même studieux, avec panneaux d'acajou, salles de lecture silencieuses et ambiance de club de gentlemen à laquelle contribue grandement la majesté de l'édifice – un hôtel particulier en brique de 1912. Le bar, sur le toit, jouit d'une vue plongeante sur la vraie bibliothèque de la 41st St.

🏠 STRAND
☎ 212-991-6231 ; www.thestrandnyc.com ; 33 W 37th St entre Fifth Ave et Sixth Ave ; ch 249 $; Ⓜ B, D, F, R, N, W jusqu'à 34th St ; 🔀 🖳

Ce resplendissant hôtel, nouveau venu sur la scène de Manhattan, se trouve à quelques pas de l'Empire State Building, de Bryant Park, de Macy's, Grand Central et de bien d'autres sites d'intérêt. Le hall attire l'œil avec ses néons, son escalier incurvé, sa cascade et son piano-bar. Le bar situé sur

HÉBERGEMENT

le toit est encore plus agréable (le toit s'ouvre en été). Même les chambres standards sont assez grandes pour y accepter un canapé et un fauteuil, leur donnant ainsi un air de suite. Le petit-déjeuner/buffet est inclus dans le prix.

⌂ WALDORF-ASTORIA
☎ 212-355-3000, 800-925-3673 ; www.waldorfastoria.com ; 301 Park Ave entre 49th St et 50th St ; ch à partir de 289 $; ◉ 6 jusqu'à 51st St, E, F jusqu'à Lexington Ave-53rd St ; ✂ ▣
Ce légendaire hôtel de 41 étages et 416 chambres est un monument Art déco occupant tout un pâté de maisons. Les 13 salles de conférence, des boutiques et des restaurants entretiennent un va-et-vient permanent au rez-de-chaussée. Les chambres ont quelque chose d'européen dans leur élégance tarabiscotée. La majeure partie du flot quotidien de visiteurs viennent uniquement pour voir – et il y a de quoi – la mosaïque *Wheel of Life* (à l'entrée de Park Ave) qui compte quelque 150 000 carreaux de faïence.

PETITS BUDGETS
⌂ BAISLEY HOUSE
☎ 718-935-1959 ; 294 Hoyt St, entre Union St et Sackett St, Boerum Hill ; ch à partir de 125 $; ◉ F, G jusqu'à Carroll St ; ✂

À 5 minutes à pied du métro, dans une petite rue bordée de maisons du XVIIIe siècle délabrées, Baisley House vous ramènera 150 ans en arrière. Elle est décorée d'une profusion d'objets du XVIIe au XIXe siècle et les trois chambres ont accès à une sdb commune. Copieux petit-déjeuner, différent chaque jour, servi dans le jardin quand le temps le permet. Wi-Fi gratuit.

⌂ BIG APPLE HOSTEL
☎ 212-302-2603 ; 119 W 45h St, entre Sixth Ave et Broadway ; dort 35-40 $, ch 105-135 $; ◉ B, D, F, V jusqu'à 42nd St-Bryant Park ; ✂
Tout près de Times Sq, cette auberge sans caractère ni superflu dispose de chambres propres et sûres, et d'un personnel très gentil. Ses autres atouts : une cour, une cuisine et une buanderie au sous-sol. Comme les dortoirs, les chambres individuelles n'ont accès qu'à des sdb communes, mais disposent d'une TV câblée et de deux chaises.

⌂ CHELSEA PINES INN
☎ 212-929-1023, 888-546-2700 ; www.chelseapinesinn.com ; 317 W 14th St, entre Eighth Ave et Ninth Ave ; ch avec peti-déj à partir de 159 $; ◉ A, C, E jusqu'à 14th St, L jusqu'à Eighth Ave ; ✂ ▣
Avec ses 4 étages (sans ascenseur), codés aux couleurs du drapeau arc-en-ciel, le Chelsea Pines est

l'un des hôtels gay et lesbiens les plus courus de Chelsea – mais les clients de tous bords sont les bienvenus. Mieux vaut connaître la filmographie hitchcockienne, car de vieilles affiches tapissent les murs. Les chambres ont pour noms Kim Novak, Doris Day, Ann-Margret et autres starlettes. Dans les chambres standard, la penderie-débarras est équipée d'un lavabo, et des sdb propres se trouvent au fond du hall. Le petit café, en bas, dispose d'une borne Wi-Fi et s'ouvre sur une toute petite cour arrière. Le personnel plein d'entrain vous conseillera sur les lieux de drague, de fête et de restauration.

☐ HARLEM FLOPHOUSE
☎ 212-662-0678 ; www. harlemflophouse.com ; 242 W 123rd St, entre Adam Clayton Powell Blvd et Frederick Douglass Blvd ; ch 100 $; ⓜ A, B, C, D jusqu'à 125th St
Un bon choix que cette maison des années 1890 ramenant à l'époque du jazz, avec objets anciens, parquets cirés et vieilles radios branchées sur une station de jazz. Les sdb sont communes, mais il n'y a ni clim ni TV. Un vrai voyage dans le temps. Le propriétaire peut vous indiquer les services religieux des environs, où est chanté du gospel authentique (sans les cars de touristes), et des restaurants de bonne cuisine afro-américaine.

☐ HOTEL 17
☎ 212-475-2845 ; www.hotel17ny. com ; 225 E 17th St, entre Second Ave et Third Ave ; ch 89-150 $; ⓜ N, Q, R, 4, 5, 6 jusqu'à 14th St-Union Sq, L jusqu'à Third Ave ; ⌗
À deux pas de Stuyvesant Sq, dans un îlot résidentiel verdoyant, cette célèbre maison de 7 étages offre tout le charme du New York d'autrefois à des prix abordables. De plus, Woody Allen y a tourné une scène de son film *Meurtre mystérieux à Manhattan* (1993). Seules 4 des 120 chambres disposent de sdb ; toutes sont petites et meublées simplement dans le goût traditionnel (moquette grise, papier à rayures, couvre-lit en chintz, stores bordeaux) et manquent considérablement de lumière naturelle. Si l'établissement est complet, essayez son petit frère l'**Hotel 31** (☎ 212-685-3060 ; 120 E 31st St entre Lexington Ave et Park Ave).

☐ HOTEL NEWTON
☎ 212-678-6500 ; www.newyorkhotel. com/newton ; 2528 Broadway entre 94th St et 95th St ; ch à partir de 130 $; ⓜ 1, 2, 3 jusqu'à 96th St ; ⌗ ▣
Le Newton ne va sûrement pas gagner un concours de décoration d'intérieur, mais il est bien tenu et meublé de neuf. Il accueille une clientèle de visiteurs du monde entier et d'enseignants se rendant

à l'université de Columbia, 20 blocs plus au nord. Toutes les chambres sont pourvues d'un réfrigérateur, d'un micro-ondes, d'un accès Internet et d'un double vitrage ; en dehors de cela, elles sont tout ce qu'il y a d'ordinaire. Les sdb entièrement carrelées sont minuscules mais avenantes ; les chambres les plus grandes ont un petit coin canapé. L'immeuble ne comporte qu'un tout petit ascenseur.

JAZZ ON THE PARK HOSTEL
☎ 212-932-1600 ; www.jazzhostels. com ; 36 W 106th St entre Central Park West et Manhattan Ave ; dort 27-32 $, d 85 $; ⊕ B, C jusqu'à 103rd St ; ✄ ▣
Cet ancien refuge de nuit, situé dans une rue qui porte désormais le nom de Duke Ellington, jouit d'une popularité méritée. En plus des chambres, petites et simples, différents espaces sont à votre disposition : deux salons en terrasse et un bar au sous-sol. Le snack-bar sert des expressos ou des lasagnes à 3,50 $. Certains dortoirs sont mixtes, d'autres non ; ils peuvent accueillir quatre à douze personnes et les sdb sont communes. Local à bagages fermé à clef et ordinateur avec accès Internet au rez-de-chaussée. Les chambres individuelles tiennent du placard ; elles se trouvent toutes, à une exception près, dans l'**annexe** située non loin de là (54 W 105th St).

MURRAY HILL INN
☎ 212-683-6900, 888-996-6376 ; www. murrayhillinn.com ; 143 E 30th St, entre Lexington Ave et Third Ave ; ch 99-149 $; ⊕ 6 jusqu'à 33rd St ; ✄ ▣
Portant le nom de cet agréable quartier résidentiel et verdoyant de Midtown, ce petit hôtel est meilleur que la moyenne dans cette catégorie de prix. Les chambres possèdent un petit réfrigérateur et une penderie, et sont équipées de Wi-Fi et d'une TV à écran plat. Toutes, sauf deux, ont des sdb privées. Il n'y a pas d'ascenseur.

OFF-SOHO SUITES
☎ 212-979-9815 ; www.offsoho.com ; 11 Rivington St entre Chrystie St et The Bowery ; ch 119 $; ⊕ J, M, Z jusqu'à Bowery ; ✄ ▣
Les 40 chambres de l'Off-Soho Suites ne prétendent pas à la sophistication. Elles sont prévues pour quatre personnes et comportent une kitchenette (avec micro-ondes, plaque de cuisson, four et provisions). L'emplacement est imbattable : juste entre Nolita, Chinatown et Lower East Side, ce qui compense le triste décor des chambres. Il n'a rien de branché mais l'endroit est sympathique, fonctionnel et doux pour le porte-monnaie.

SOLITA SOHO
☎ 212-925-3600 ; www.clariohotel. com ; 159 Grand St entre Centre St et Lafayette St ; ⊕ 6 jusqu'à Canal St ; ✄

Le Solita est idéal pour ceux qui veulent s'imprégner de l'atmosphère de Chinatown et Little Italy. Le hall est propre et on y accède par un portique surmonté d'une verrière. Les chambres, en noir et blanc, sont plutôt petites et possèdent de grands lits, des sdb privées et un petit coin bureau. Bien que les prix soient bas, le service et l'ameublement sont ceux d'un hôtel de charme.

VILLAGE GUEST HOUSE

☎ 646-257-0268 ; http:// villageguesthousenyc.com ; 123 Washington Pl à côté de Sheridan Sq ;

ch 150 $; ◉ 1 jusqu'à Christopher St, A, C, E jusqu'à West 4th St ; ⛶ 🖥 ⌧

À quelques pas de Washington Square Park, se trouve le village Guest House, comprenant six confortables chambres-appartements à louer, avec sdb privée, Wi-Fi et lits *king-size*. Les propriétaires vivent sur place et chouchoutent cet immeuble de style fédéral datant de 1831, décoré d'éléments d'époque. Sur Internet, et pendant la basse saison, il est possible de trouver des chambres à 100 $/nuit. Certaines se trouvent dans l'annexe, à un pâté de maisons, au 17 Barrow St.

CARNET PRATIQUE

TRANSPORTS

ARRIVÉE ET DÉPART

AVION

De nombreux vols directs relient quotidiennement New York aux principales villes d'Europe. En principe, les vols internationaux atterrissent à John F. Kennedy (JFK). Le Newark Liberty International Airport, dans le New Jersey, est une autre option, à 26 km de Manhattan en voiture.

Depuis la France

Au départ de Paris, comptez en moyenne 8 heures de vol à l'aller et 7 heures au retour. Les tarifs varient de 370 € à 900 € en fonction de la saison. La haute saison new-yorkaise s'étend de mi-juin à mi-septembre,

Depuis/vers JFK

	Train/métro	Taxi	Bus	Service de voiturage
Départ	Dans les terminaux, suivez les panneaux AirTrain jusqu'à la station de métro Rockaway, d'où vous prendrez la ligne A jusqu'à Manhattan.	Devant tous les terminaux. Repérez les files, il y a des zones d'attente spécifiques sous les panneaux "Taxi"	Devant tous les terminaux. Les bus circulent toutes les 15-20 min jusqu'à minuit	Terminaux de JFK
Arrivée	N'importe où sur la ligne A	À l'adresse de votre choix	Penn Station, gare routière de Port Authority et Grand Central Terminal	Dans tout Manhattan
Coût	Train/métro 5/2,25 $	45 $ pour Manhattan et une grande partie de Brooklyn.	12-15 $ aller	50-75 $
Durée	1 heure	1-2 heures	60-75 min	1 heure
Contact	www.airtrainjfk.com, www.mta.info		Pour les bus express, ☎ 718-875-8200 ; www.nyairportservice.com	Quelques sociétés : Big Apple (☎ 718-232-1015), Carmel (☎ 212-666-6666), Citywide (☎ 718-405-5822), Dial (☎ 718-743-2877) et Tel Aviv (☎ 212-777-7777)

Depuis/vers LaGuardia

	New York Airport Service	Taxi	Train/métro
Départ	Pour LaGuardia, les bus partent toutes les 20 min entre 6h et 24h de Penn Station, la gare routière de Port Authority et Grand Central Terminal	Devant tous les terminaux. À l'aéroport prenez le bus M60 jusqu'à W 106th St et Broadway ; il permet une correspondance avec les trains et le métro pour Manhattan	Un taxi peut vous conduire aux trains N et W à Astoria Queens, les lignes de métro A, B, C, D, 2, 4, 5, 6, desservent 125th St et la ligne 1 116th St, 110th S t et Broadway
Coût	15 $	15-30 $	2,25 $
Durée	1 heure	20-40 min	environ 1 heure
Contact	☎ 718-875-8200 ; www.nyairportservice.com		www.mta.info

et une semaine avant et après Noël. Les compagnies ci-dessous sont susceptibles d'offrir des vols sans escale à des prix intéressants :
Air France (☎ 0820 870 870 ; www.airfrance.fr)
American Airlines (☎ 0810 870 870 ; www.americanairlines.fr)
Continental Airlines (☎ 0800 523 3273 ; www.continental.com)
Delta Airlines (☎ 0800 354 080 ; www.delta.com)
United Airlines (☎ 0810 727 272 ; www.united.fr)
US Airways (☎ 0810 632 222 ; www.usairways.com)

La compagnie **OpenSkies** (☎ 0800 91 21 28 ; www.flyopenskies.com) propose des vols en classe affaires, au départ de Paris-Orly, à des tarifs avantageux.

Depuis/vers la Belgique
Depuis la Belgique, les tarifs sont assez similaires à ceux qui sont pratiqués en France. Vous pourrez vous adresser aux agences **Airstop** (☎ 070 23 31 88 ; www.airstop.be) ou **Connections** (Bruxelles ☎ 02/753 25 00 ; www.connections.be). La compagnie **Continental Airlines** (☎ 02/643 39 39 ; www.continental.com) propose un vol quotidien depuis Bruxelles vers l'aéroport de Newark.

Depuis/vers la Suisse
Selon la saison, vous pourrez trouver des billets au départ de Genève pour environ 1 000 FS.
STA Travel (www.statravel.ch ; Lausanne ☎ 058/450 48 50 ; Genève ☎ 058/450 48 30 ou 058/450 48 00) vous renseignera. En outre, **Swiss** (☎ 0848 700 700 ; www.swiss.com) et **Continental Airlines** (☎ 022 417 72 80 ; www.continental.com) proposent de nombreux vols depuis Zurich vers l'aéroport JFK et depuis Genève vers l'aéroport de Newark.

Aéroports

L'**aéroport international John F. Kennedy** (www.kennedyairport.com) se situe à l'extrémité du Queens, à environ 24 km de Midtown (45 à 75 min en voiture, davantage aux heures de pointe). Voici quelques numéros utiles :

Informations générales (☎ 718-244-4444)

Réservations hôtelières (☎ 212-267-5500)

Objets trouvés (☎ 718-244-4225/6)

NEWARK LIBERTY INTERNATIONAL AIRPORT

Bien que situé dans l'état du New Jersey, beaucoup de voyageurs préfèrent cet aéroport aux deux aéroports new-yorkais surchargés. Le trajet de Newark à Manhattan peut s'éterniser en cas de mauvaises conditions de circulation, mais des transports en commun rapides et efficaces desservent l'aéroport. Prenez le **monorail** (☎ 973-275-5555 ; www.njtransit.com ⌚ 6h-21h ; 15 $) de l'aéroport à la station ferroviaire NJ Transit. De là, montez dans un train pour Newark's Penn Station (à ne pas confondre avec Manhattan's Penn Station) puis un **train PATH** (2 $; ⌚ 24h/24) jusqu'à Manhattan. Le **Coach/Olympia Express Bus** (☎ 877-8-NEWARK ; www.coachusa. com ; aller simple 15 $, aller-retour 25 $; ⌚ 24h/24) relie également l'aéroport de Newark à Manhattan, mais aux heures de pointe, les bouchons guettent.

Services médicaux (☎ 718-656-5344)

Parkings (☎ 718-244-4444)

Traveler's aid (☎ 718-656-4870 ; ⌚ 10h-18h). Située dans le hall d'arrivée des terminaux 1, 3, 4, 6, 7, 8 et 9, cette association aide les voyageurs bloqués.

LaGuardia Airport

L'**aéroport de LaGuardia** (www.laguardiaairport.com) se trouve au nord du Queens, à 13 km de Manhattan, soit à 20 min de voiture mais jusqu'à 2 heures avec la circulation. Les mêmes services de voiturage sont proposés à l'aéroport JFK et à LaGuardia (voir tableau ci-contre). Voici quelques numéros utiles :

Informations générales (☎ 718-533-3400)

Objets trouvés (☎ 718-639-1839)

Parkings (☎ 718-533-3400)

TRAIN

Les trains Amtrak s'arrêtent à Boston, à Philadelphie et à Washington et dans plusieurs autres villes secondaires et arrivent en plein Midtown. Les trains grandes lignes d'Amtrak et de Long Island Rail Road arrivent à **Pennsylvania (Penn) Station** (☎ 212-582-6875, 800-872-7245 ; W 33rd St entre Seventh et Eighth Ave). Les trains de banlieue (MetroNorth) partent de **Grand Central Terminal** (carte p. 151, B4 ; ☎ 212-532-4900 ; Park Ave à la hauteur de E 42nd St). Les trains de la **New Jersey PATH** (☎ 800-234-7284) desservent le World Trade Center, Christopher St, 14th St, 28th St et 34th St.

NOUVEAU FORMULAIRE

Attention, depuis le 12 janvier 2009, il est impératif de remplir l'ESTA (Electronic System for Travel Authorization) avant d'embarquer sur un avion, pour obtenir une autorisation de voyage aux États-Unis. Ce formulaire remplace celui que l'on remplissait précédemment dans l'avion. Il est valable pour une durée de 2 ans ou jusqu'à expiration du passeport. Il peut être rempli au plus tard 72 heures avant le départ, mais il est plus sage de le faire aussitôt le voyage planifié. Pour ce faire, il convient de se rendre sur le site Internet **ESTA. us** (https://esta.cbp.dhs.gov). Dans la plupart des cas, les agents de sécurité intérieure donnent leur accord en ligne presque immédiatement en renvoyant la mention "autorisation approuvée". Depuis le 8 septembre 2010 ce formulaire n'est plus gratuit. Les frais s'élèvent à 14 $.

FORMALITÉS

VISAS

Les ressortissants français, belges et suisses peuvent séjourner aux États-Unis sans visa, pour une durée inférieure à 90 jours, à condition d'être munis d'un passeport sécurisé à lecture optique (dit modèle Delphine en France), délivré avant le 26 octobre 2005.

Les citoyens en possession d'un passeport électronique (ou biométrique, avec photo numérisée), délivré depuis mai 2006, bénéficient aussi de l'exemption de visa.

DOUANES ET DÉTAXE

Si vous emportez l'équivalent de plus de 10 000 $ en espèces, chèques de voyage ou mandats-poste, il est obligatoire de le déclarer. Les douanes autorisent à importer 1 litre d'alcool (réservé aux plus de 21 ans), ainsi que 200 cigarettes, 50 cigares (sauf cubains) ou 2 kg de tabac et des cadeaux pour une valeur totale de 100 $ (800 $ pour les ressortissants américains). Si vous prenez des médicaments sur ordonnance, emmenez-les dans leur emballage clairement étiqueté. Le site www. cbp.gov fournit les dernières mises à jour.

SÉCURITÉ

La sécurité est omniprésente et draconienne dans les trois aéroports. Prévoyez une marge horaire suffisante pour l'enregistrement et ayez toujours une pièce d'identité à portée de main. Les objets suivants sont interdits dans les bagages à main : limes à ongles en métal, couteaux suisses, canifs, rasoirs, tire-bouchons ou tout autre

Se déplacer dans New York

	Theater District	The Met	American Museum of Natural History	Harlem	Dumbo	Coney Island	Williamsburg
Lower Manhattan	métro 10 min	métro 15 min	métro 15 min	métro 25 min	métro 10 min	métro 45 min	métro 30 min
Upper East Side	taxi 10 min	taxi/à pied 5/10 min	taxi 10 min	métro 15 min	métro 30 min	métro 1 heure	métro 30 min
Upper West Side	taxi/à pied 5/10 min	taxi 10 min	à pied 5-10 min	métro 10min	métro 20-25min	métro 1hr	métro 40 min
Theater District	à pied/métro 10-15 min	à pied/métro 15/10 min	métro 15 min	métro 15 min	métro 20-30 min	métro 45 min-1 heure	métro 40 min
Southern Brooklyn	métro 40 min	métro 30 min	métro 40 min	métro 45 min	métro 20 min	métro 30 min	métro 35 min

objet coupant, ainsi que tout type d'armes, explosifs, produits inflammables (solides ou liquides) et autre matériel dangereux. Les liquides non inflammables placés dans les bagages à main ne doivent pas dépasser 100 ml chacun, mettez les grands flacons de parfum en soute. Les gardes n'hésiteront pas à jeter tout liquide excédant cette contenance lors des contrôles à l'embarquement.

COMMENT CIRCULER

Les embouteillages sont récurrents dans les rues passantes de Manhattan. Le métro constitue donc, en principe, le moyen de transport le plus rapide et le plus économique. Les bus peuvent s'avérer intéressants, lorsque le trafic est fluide. Procurez-vous un plan du

réseau de transports en commun aux guichets du métro. Après 1h, le taxi est plus pratique.

BATEAU

Les ferries de **New York Waterway** (☎ 800-533-3779 ; www.nywaterway. com) remontent l'Hudson et vont de Midtown au Yankee Stadium, dans le Bronx. Une ligne très fréquentée relie la gare ferroviaire New Jersey Transit à Hoboken, au World Financial Center dans Lower Manhattan ; les bateaux partent toutes les 5 à 10 min aux heures de pointe (6 $/trajet, 10 min).
Les **New York Water Taxi** (☎ 212-742-1969 ; www.nywatertaxi.com ; 5 $ d'un arrêt au suivant) rencontrent un franc succès. Ces bateaux-taxis jaunes desservent plusieurs débarcadères

le long de West Side. C'est une superbe façon de rejoindre Midtown, Lower Manhattan, et des quartiers de Brooklyn et du Queens. Water Taxi Beach (www.watertaxibeach.com) est un arrêt très apprécié.

BUS

Les bus urbains (☎ 718-330-1234) circulent 24h/24. Ils empruntent généralement les avenues dans le sens nord-sud et les grands axes d'est en ouest. Le ticket coûte 2,25 \$. Il faut faire l'appoint (pièces uniquement) ou utiliser une MetroCard car les chauffeurs ne rendent pas la monnaie.

CARTES DE TRANSPORT

La **MetroCard** (☎ 718-330-1234) est la solution la plus simple pour circuler en transports en commun. Elle s'achète chez les marchands de journaux ou dans les stations de métro. Le *one-day Fun Pass* (8,25 \$) est très avantageux : il permet d'emprunter métros et bus en accès illimité. Une fois validé, il est valable jusqu'à 3h du matin. Les cartes hebdomadaires (27 \$) ou mensuelles (89 \$) sont également rentables, mais il faut attendre 18 min entre chaque utilisation, afin que deux personnes ne partagent pas la même carte. On peut aussi créditer du montant de son choix la MetroCard, auprès d'un

automate ou au guichet (un trajet offert pour plusieurs achetés). À savoir : les tickets achetés à l'unité dans les distributeurs du métro expirent au bout de deux heures. Au moment où nous écrivons ces lignes, le ticket à l'unité coûtait 2,25 \$, mais ce tarif est sujet à modification.

MÉTRO

Le métro new-yorkais (☎ 718-330-1234) fonctionne 24h/24. Dans ce guide, l'icône Ⓜ signale la station la plus proche pour chaque adresse. Si vous passez du métro au bus (ou l'inverse) moins de 18 min après la première validation, la correspondance est gratuite. Pour connaître les itinéraires de lignes de bus et de métro les plus récents et être informé des modifications de dernière minute, consultez la rubrique "NYC Transit" sur www.mta.nyc.ny.us. Les sites www.hopstop.com, www.trips123.com et www.publicroutes.com offrent des informations gratuites sur les transports publics new-yorkais et limitrophes.

LOCATION DE VOITURE

Avis (☎ 800-331-1212), **Budget** (☎ 800-527-0700), **Dollar** (☎ 800-800-4000), **Hertz** (☎ 800-654-3131) et **Thrifty** (☎ 800-367-2277) comptent parmi les principales agences de location à New York.

TAXI

Les taxis libres ont une lumière allumée sur le toit (les lumières latérales indiquent que le chauffeur a fini son service). La course facturée au compteur démarre à 2,50 $, à laquelle il faut ajouter un pourboire de 15% minimum, une taxe de 1 $, et un supplément de 50 ¢ de 20h à 6h. Paiement par carte de crédit accepté.

RENSEIGNEMENTS

AMBASSADES ET CONSULATS

New York étant le siège des Nations unies, presque tous les États du monde y disposent d'une représentation diplomatique. La plupart figurent dans les pages blanches de l'annuaire sous la rubrique "Consulates General of (pays)". Voici quelques adresses utiles :
France (☎ 212-606-3680 ; 934 Fifth Ave ; www.consulfrance-newyork.org)
Canada (☎ 212-596-1783 ; 1251 Sixth Ave entre 49th et 50th Sts ; www.canada-ny.org)
Belgique (☎ 212-586-5110 ; 1330 Sixth Ave)
Suisse (☎ 212-599-5700 ; 780 Third Ave)

ARGENT

DAB

Vous trouverez des DAB fonctionnant 24h/24 dans les banques et la plupart des supérettes. À moins qu'ils ne soient affiliés à votre banque, comptez 3 $ de commission par retrait. Évitez les DAB des discothèques et autant que possible ceux situés dans les petits magasins ou donnant sur la rue, surtout s'ils ne disposent pas de caméras de surveillance car beaucoup, truqués, enregistrent les numéros de carte.

CHANGE DE DEVISES

Le taux de change est souvent meilleur dans les banques que dans les bureaux de change ; comparez les taux, les commissions et autres frais supplémentaires. La banque Chase, dotée de plus de 80 succursales à Manhattan, ne prélève aucun frais.

CARTES BANCAIRES

Les cartes Visa, MasterCard, American Express et Discover sont communément acceptées. Numéros à contacter en cas de perte :
American Express (☎ 800-528-4800)
Diners Club (☎ 800-234-6377)
Discover (☎ 800-347-2683)
MasterCard (☎ 800-826-2181)
Visa (☎ 800-336-8472)

MONNAIE

Le dollar américain est divisé en 100 cents (¢). Il existe des pièces de 1 ¢ (*penny*), 5 ¢ (*nickel*), 10 ¢ (*dime*), 25 ¢ (*quarter*), 50 ¢ (*half-dollar* ; rare) et 1 $. Les billets se présentent en coupures de 1 $, 2 $ (rare) 5 $, 10 $, 20 $, 50 $ et 100 $. Certains magasins n'acceptent pas les coupures de plus de 20 $.

ÉLECTRICITÉ

Aux États-Unis, l'électricité fonctionne en 110 V et en 60 Hz. Les prises ont deux fiches plates, avec souvent une troisième fiche, ronde, pour la terre. Les adaptateurs pour prises européennes se trouvent aisément.

HEURE LOCALE

New York appartient au fuseau horaire de l'Eastern Standard Time (EST) soit un retard de 5 heures par rapport au méridien de Greenwich (GMT). L'heure d'été s'applique du premier dimanche d'avril (+ une heure) au dernier samedi d'octobre.

Lorsqu'il est midi à New York, il est 9h à San Francisco et 18h à Paris.

HOMOSEXUALITÉ

New York ne fait pas de différence entre hétéros et homosexuels dès lors qu'il s'agit de danser, de manger ou de boire. Voir le chapitre sur le New York gay et lesbien p. 238.

RENSEIGNEMENTS ET ASSOCIATIONS

Les magazines gratuits *HX* et *Next* sont disponibles dans les bars et restaurants. *LGNY* et *NY Blade* occupent des présentoirs dans la rue. Le magazine de société *Metrosource* est vendu en kiosque et au LGBT Community Center. *Time Out* dispose d'une bonne rubrique événementielle.

Conseils utiles et consultations sont disponibles auprès des centres d'information suivants :
Gay et Lesbian Hotline (☎ 212-989-0999 ; glnh@glnh.org)
LGBT Community Center (carte p. 106 ; ☎ 212-620-7310 ; www.gaycenter.org ; 208 W 13th St angle Seventh Ave)

HORAIRES D'OUVERTURE

La plupart des commerces ouvrent du lundi au samedi de 10h à 18h et le dimanche de 11h à 18h ; certains font nocturne le jeudi, beaucoup sont fermés le lundi. Les heures d'ouverture varient selon la saison dans certaines entreprises, dans ce cas les horaires sont restreints en été. Dans les banques et les administrations, on travaille de 9h à 17h du lundi au vendredi et, souvent, de 9h à 15h le samedi. Les musées et les galeries d'art sont généralement ouverts du mardi au dimanche de 10h à 17h. Les jours fériés, les banques, les écoles et les services publics (bureaux de poste inclus) sont fermés et les horaires du dimanche s'appliquent dans les transports en commun.

INTERNET

L'accès à Internet est gratuit dans les bibliothèques publiques et les cybercafés sont monnaie courante.

CYBERCAFÉS

Cyber Café (carte p. 163, B3 ; ☎ 212-333-4109 ; 250 W 49th St entre Broadway et

Eighth Ave ; 7 $/30 min ; 🕑 8h-23h).
Ordinateurs avec connexions haut débit,
imprimantes couleur, scanners et webcams.
Café et bar à vins sur place.
Kinkos (carte p. 183, B3 ; ☎ 212-
628-5500 ; www.fedex.com ; 1122
Lexington Ave près de 77th St ; 6 $ les
30 min ; 🕑 24h/24). Il suffit d'une carte de
crédit pour se connecter à Internet.
LGBT Community Center (carte p. 106 ;
☎ 212-620-7310 ; 208 W 13th St à la
hauteur de Seventh Ave ; contribution
recommandée 3 $; 🕑 9h-23h). Le *cyber-
center* possède 15 postes en accès libre.
Newsbar (carte p106, G1 ; ☎ 212-353-
1246 ; 107 University Pl entre 12th St
et 13th St ; 6 $ les 30 min ; 🕑 8h-21h).
Au menu : café végétarien, lecture en
abondance et ambiance décontractée.

SITES INTERNET

Vous trouverez des informations et
des liens sur New York sur le site de
Lonely Planet (www.lonelyplanet.fr).
Autres sites intéressants :
New York City Insider (www.theinsider.com)
New York City Search (www.newyork.
citysearch.com)
New York Times (www.nytimes.com)
NYC & Co (www.nycvisit.com)

WI-FI

Depuis 2005, Bryant Park dispose
d'un réseau sans fil et toute la
ville de New York a suivi. Les sites
de **WiFi Salon** (http://wifisalon.com) et
www.nyc.wireless.net répertorient
les emplacements.

JOURNAUX ET MAGAZINES

Premier quotidien national,
le *New York Times* propose
un large supplément culturel
dans son édition du week-end.
L'hebdomadaire *New York Observer*
traite des médias et de la politique
au niveau local. Le *Daily News* et
le *New York Post* sont des tabloïds
populaires, tandis que le *Wall
Street Journal* est le quotidien
économique de référence.

Time Out New York recense
les événements, restaurants et
boutiques et le magazine *New
Yorker* détaille l'agenda culturel
(théâtre, art, musique). Les journaux
distribués gratuitement comme
Village Voice, AM New York et *Metro
New York* offrent de bonnes idées
de sorties.

JOURS FÉRIÉS

New Year's Day 1er janvier
Martin Luther King Jr Day troisième lundi
de janvier
Presidents' Day troisième lundi de février
Pâques mars-avril
Memorial Day dernier lundi de mai
Independence Day 4 juillet
Fête du travail premier lundi de septembre
Columbus Day deuxième lundi d'octobre
Veterans' Day 11 novembre
Thanksgiving quatrième jeudi de novembre
Noël 25 décembre

OBJETS TROUVÉS

Transports en commun (☎ 212-712-4500)
Taxis (☎ 212-692-8294)

OFFICES DU TOURISME

NYC et Co (carte p. 163, C4 ; ☎ 212-484-1222 ; www.nycvisit.com ; 810 Seventh Ave angle 53rd St ; ⏰ 8h30-18h lun-ven, 9h-17h sam-dim ; Ⓜ 42nd St-Times Sq (N, R, W, 2, 3) vous informe 24h/24 via un numéro vert sur les manifestations et les modalités de réservation. Sur place, le personnel serviable et compétent fournit des informations exhaustives.

D'autres guichets d'information sont installés dans les aéroports, à Times Square (carte p. 163), à Grand Central Terminal (carte p. 151) et à Penn Station.

POSTE

La **poste principale** (☎ 212-967-8585 ; 421 Eighth Ave angle 33rd St) est ouverte 24h/24. Le bureau du Rockefeller Center (p154) ouvre du lundi au vendredi (9h30-17h30) et le **bureau Franklin D. Roosevelt** (carte p. 151, C2 ; 909 Third Ave) du lundi au vendredi (9h-18h) et le samedi (10h-14h).

POURBOIRES

Les serveurs gagnent moins que le salaire minimum ; si vous êtes satisfait, il convient de laisser un pourboire équivalent à 15-20% de la note. Le service n'est pas automatiquement inclus dans l'addition, mais certains restaurateurs facturent 15% de supplément pour les tables de plus de six personnes. Quelques exemples de pourboires :

Porteurs de bagages : 5 $ pour le premier bagage et 1 $ par bagage supplémentaire.
Bars : au moins 1 $ par consommation (voire plus pour être mieux ou plus rapidement servi la prochaine fois).
Vestiaires : 2 $ par article.
Coiffeurs : 15%
Personnel hôtelier : 2 $ par service rendu.
Restaurants : 15% à 20% (sauf fast-foods, self-services et vente à emporter).
Femmes de chambre : au moins 5 $ par jour.
Taxis : 10% à 15%
Guides touristiques : 20 $ par famille/ groupe pour une journée.

RÉDUCTIONS

Le **New York CityPass** (www.citypass.com), vendu en ligne ou aux billetteries des principaux sites touristiques au prix de 79 $ (valeur 131 $), donne accès à l'Empire State Building, au Metropolitan Museum of Art, au Museum of Modern Art, au Guggenheim Museum, à l'American Museum of Natural History et inclut une croisière Circle Line. Le **New York Pass** (www.newyorkpass. com), disponible en ligne à 75 $ et valable une journée, permet de visiter 40 sites majeurs (les Nations unies, la statue de la Liberté, le Guggenheim, etc.) et de bénéficier d'offres dans 25 boutiques et restaurants. Il existe aussi des cartes valables deux, trois ou sept jours à retirer sur place ou que l'on peut vous envoyer chez vous avant le départ. L'**Entertainment Book** (www. entertainment.com), que vous pouvez commander à l'avance pour 35 $, fourmille d'offres de réduction pour les restaurants, boutiques et autres prestations de services.

SERVICES MÉDICAUX

Le **New York Hotel Urgent Medical Services** (☎ 212-737-1212) dispense des soins aux touristes et ses médecins se déplacent 24h/24 à votre domicile ou à votre hôtel, mais sachez que les tarifs commencent à 200 $. Aux États-Unis, les soins deviennent vite onéreux si vous n'avez pas de couverture médicale.

SOINS DENTAIRES

Pour une urgences dentaire, adressez-vous au **AAA Dental Care** (carte p. 163, D3 ; ☎ 212-744-3928 ; www.emergencydentalnyc.com ; suite 1504, 30 E 60th St).

PHARMACIES

Plusieurs pharmacies sont ouvertes 24h/24 dont :
Duane Reade (carte p. 163 ; ☎ 212-541-9708 ; W 57th St angle Broadway)
Duane Reade (carte p. 106 ; ☎ 212-674-5357 ; Sixth Ave angle Waverly Pl)

HÔPITAUX

Tous les hôpitaux possèdent un service d'urgence fonctionnant 24h/24 pour tous les patients, assurés ou non.
Bellevue Hospital (hors plan p. 151 ; ☎ 212-562-4141 ; NYU Medical

Center, First Ave angle E 27th St)
Lenox Hill Hospital (carte p. 183, B3 ; ☎ 212-434-2000 ; 100 E 77th St entre Park et Lexington Ave)
New York Hospital (☎ 212-746-5050 ; 525 E 68th St entre York Ave et Franklin D. Roosevelt Dr)

TÉLÉPHONE

INDICATIFS NATIONAUX

L'indicatif des États-Unis est le 1. À Manhattan, les numéros sont précédés d'un indicatif à trois chiffres (☎ 212, ☎ 246 ou ☎ 917). Le ☎ 246 et le ☎ 917 servent aussi de préfixes aux portables. Il faut toujours composer le numéro à dix chiffres précédés du 1, même dans Manhattan. Pour les quartiers (*boroughs*) périphériques, les indicatifs sont le ☎ 718 et le ☎ 347.

INDICATIFS INTERNATIONAUX

Composez le ☎ 00 puis l'indicatif du pays où vous souhaitez appeler :
France (☎ 33)
Canada (☎ 1)
Belgique (☎ 32)
Suisse (☎ 41)

NUMÉROS UTILES

Informations sur la ville (☎ 311)
Clubfone (☎ 212-777-2582)
PVC (collect call) (☎ 0)
Renseignements (☎ 411)
Indicatifs internationaux (☎ 011)
Moviefone (☎ 212-777-3456)
Opérateur (☎ 0)

Appels par opérateur (☎ 01 + le numéro, un opérateur vous répondra)
Horloge parlante (☎ 212-976-1616)
Météo (☎ 212-976-1212)

URGENCES

En cas de besoin, composez le 911 depuis n'importe quel téléphone fixe ou portable. Des cabines téléphoniques d'urgence sont installées dans beaucoup de rues : certaines sont orange vif, les anciens modèles en métal sont fixés aux feux de signalisation pour piétons. Dans les deux cas, appuyez sur le bouton et on viendra à votre secours.
Police, pompiers, ambulance (☎ 911)
Standard de la police (☎ 212-374-5000)

VOYAGEURS HANDICAPÉS

Conformément aux lois fédérales, toutes les administrations doivent être équipées d'ascenseurs, de rampes d'accès pour les fauteuils roulants et de systèmes d'aide aux malentendants. Les principaux sites touristiques disposent en général de toilettes pour handicapés et tous les bus peuvent accueillir des chaises roulantes. En revanche, peu de stations de métro sont accessibles (consultez le plan du MTA ou contactez le ☎ 718-596-8585).

VOYAGER SEULE

Par précaution, évitez les transports en commun après minuit ; dans les bars, surveillez toujours votre verre. Le soir, gardez toujours un peu d'argent en lieu sûr afin de pouvoir rentrer en taxi.

Tampons, serviettes périodiques et préservatifs sont vendus partout. La pilule contraceptive et la pilule du lendemain sont disponibles en pharmacie. Une loi new-yorkaise donne la possibilité aux victimes de viols d'obtenir la pilule du lendemain en même temps que les soins dispensés à l'hôpital, mais celle-ci n'est pas systématiquement proposée. Si vous estimez en avoir besoin, insistez.

>INDEX

Reportez-vous aussi aux index Voir *(p. 282),* Shopping *(p. 284),* Se restaurer *(p. 285),* Prendre un verre *et* Sortir *(p. 287) et* Se Loger *(p. 288).*

INDEX